D1278463

VAINCRE LA DÉPENDANCE AUX GLUCIDES

LE RÉGIME MINCEUR

VAINCRE LA DÉPENDANCE AUX GLUCIDES

LE RÉGIME MINCEUR

La solution permanente au syndrome du yo-yo !

Dr RACHAEL F. HELLER, M.A., M.Ph., Ph.D.
Dr RICHARD F. HELLER, M.S., Ph.D.

Adapté par Sylvain-Guy Lemire

Copyright © 1991 Rachael Heller, Ph. D., et Richard Ferdinand Heller, Ph. D.
Titre original anglais : The Carbohydrate Addict's Diet
Copyright © 2002 Éditions AdA Inc. pour la traduction française
Coédition pour la traduction française Éditions AdA Inc. et Les Éditions Goélette

Cette édition est publiée en accord avec Signet, une division de Penguin Books USA, Inc., New York, NY.
Tous droits réservés. Sauf à des fins de citations, toute reproduction, par quelque procédé que ce soit, est interdite sans l'autorisation écrite de l'éditeur.

Révision : Nancy Coulombe
Traduction : Sylvain-Guy Lemire
Infographie : Martine Champagne
Graphisme de la page couverture : Martine Champagne

ISBN 2-89565-051-9
Première impression : 2002
Dépôts légaux : premier trimestre 2002
Bibliothèque nationale du Québec
Bibliothèque nationale du Canada

ÉDITIONS ADA INC.
172, des Censitaires
Varennes, Québec, Canada J3X 2C5
Téléphone : (450) 929-0296
Télécopieur : (450) 929-0220
www.ada-inc.com info@ada-inc.com

LES ÉDITIONS GOÉLETTE
600, boul. Roland-Therrien
Longueuil, Québec, Canada J4H 3V9
Téléphone : (450) 646-0060
Télécopieur : (450) 646-2070

DIFFUSION
Canada : Éditions AdA Inc.
Téléphone : (450) 929-0296
Télécopieur : (450) 929-0220
www.ada-inc.com info@ada-inc.com

France : D.G. Diffusion
Rue Max Planck, B.P. 734
31683 Labege Cedex
Téléphone : 05-61-00-09-99
Suisse : Transat - 23.42.77.40

Imprimé au Canada
DONNÉES DE CATALOGAGE AVANT PUBLICATION (Canada)
Heller, Rachael F.
Vaincre la dépendance aux glucides : le régime minceur.
Traduction de : The carbohydrate addict's diet.
Comprend un index.
Publ. en collab. avec : Éditions Goélette.
ISBN 2-89565-051-9
1. Régimes hypoglucidiques. 2. Régimes amaigrissants. I. Heller, Richard F. (Richard Ferdinand), 1936- . II. Titre.

RM237.73.H4514 2002 613.2'5 C2001-941923-6

AU NOMBRE INCALCULABLE D'ACCROS AUX GLUCIDES QUI,
DANS LEUR FOR INTÉRIEUR, ONT TOUJOURS SU
QUE CELA N'ÉTAIT PAS LEUR FAUTE.

REMERCIEMENTS

Nous souhaitons exprimer notre gratitude aux personnes suivantes :

John Gallagher et Hugh G. Howard (Gallagher/Howard Associates, Inc.), pour l'aide qu'ils nous ont apportée tout au long de la réalisation de ce livre, du début à la fin, et au-delà. Leur savoir et leur talent ont été d'une valeur inestimable.

Elizabeth Lawrence, qui a si bien su rendre intéressante et attrayante notre section des menus et recettes.

Alexia Dorszinsky et Deb Brady, nos directrices littéraires, dont les commentaires avisés et le travail consciencieux ont permis de faire de ce livre une réalité. Merci à Lisa Johnson, George Cornell, Greg Wilkin, et à tous les autres correcteurs, publicitaires et employés de *New American Library* qui ont participé à la préparation, à la présentation et à la mise en marché de cet ouvrage.

Elaine Koster, notre éditrice, et Arnold Dolin, vice-président de *New American Library*, pour leur intégrité, leur engagement et leur confiance.

Le professeur Ronald E. Gordon, Ph. D., directeur du laboratoire de microscopie électronique au Département de pathologie du Centre médical Mount Sinaï; Norman Katz, responsable du laboratoire de microscopie électronique au Département de pathologie du Centre médical Mount Sinaï; et Madeline Katz, dont les suggestions, les commentaires et les encouragements ont largement contribué au succès de notre entreprise.

Norman Katz et Glen Maffei, du Département de pathologie du Centre médical Mount Sinaï, pour leur excellente assistance technique et photographique.

Le professeur Alan L. Schiller, M.D., P.D.G. du Département de pathologie du Centre médical Mount Sinaï, pour son enthousiasme et son soutien.

Le professeur Daniel P. Perl, M.D., professeur de pathologie et de psychiatrie, directeur de la section de neuropathologie du Centre médical Mount Sinaï, pour ses suggestions et commentaires sagaces.

Linda Birnback, ARCO (division de *Simon and Schuster*), qui nous a apporté une aide importante dans la mise sur pied de ce projet.

Barbara Grossman, (à l'époque) directrice générale chez *Crown Publishers*, qui a cru en nous dès le départ, pour ses encouragements soutenus et ses commentaires.

Larry M. Carlin, notre avocat, conseiller et ami, un homme généreux à l'esprit fin, pour ses judicieux conseils et ses suggestions, qui nous ont été si profitables.

Diane Bean, et Willis et Edrie Dodge, pour leurs salutaires encouragements.

Le fabricant informatique Apple, pour avoir créé le Macintosh, cet ordinateur convivial qui nous a été essentiel dans le traitement de tout le matériel écrit et graphique.

Les centaines de médecins et de chercheurs dévoués, dont les découvertes ont contribué à ce que l'on reconnaisse enfin la dépendance aux glucides comme un problème aux causes biologiques, auquel on peut remédier .

Les nombreux accros aux glucides avec qui nous avons eu l'occasion de travailler au fil des années, dont les histoires, les expériences, les difficultés et les victoires ont aidé à ouvrir la voie.

TABLE DES MATIÈRES

Les recommandations officielles des services de santé et le Régime minceur xiii

INTRODUCTION 1

PREMIÈRE PARTIE • L'ACCRO AUX GLUCIDES

1 Qu'est-ce que la « dépendance aux glucides » ? 17

2 À propos de l'insuline 33

3 Le test de dépendance aux glucides 47

4 Portrait de l'accro aux glucides 59

DEUXIÈME PARTIE • LE RÉGIME

5 Le Régime minceur 81

6 Gros plan sur le régime 107

7 Mettre en pratique le Régime minceur 135

8 Le Régime minceur au quotidien 151

TROISIÈME PARTIE • VERS UNE MEILLEURE QUALITÉ DE VIE

9 Les stratégies pour réussir 167

10 Personnaliser le régime 193

11 Se réveiller mince 207

QUATRIÈME PARTIE • MENUS ET RECETTES POUR REPAS COMPLÉMENTAIRES

12 Menus pour les repas complémentaires 211

13 Recettes pour les repas complémentaires 223

APPENDICES

I Table des aliments 285

II Bibliographie sélective 301

INDEX 309

TABLEAU DES PESÉES 316

LES RECOMMANDATIONS OFFICIELLES DES SERVICES DE SANTÉ ET LE RÉGIME MINCEUR

Un certain nombre de personnes et d'organisations accréditées – tels le chef du Service fédéral américain de la santé publique, l'*American Heart Association*, le Département américain de l'Agriculture, et le Département américain de la Santé et des Services sociaux – émettent des recommandations diététiques afin d'aider à prévenir les maladies cardiovasculaires, les cancers, le diabète, l'obésité, l'ostéoporose et les maladies chroniques du foie et des reins.

Les recommandations associées à une diète appauvrie ou modifiée en lipides sont parfaitement compatibles avec le Régime minceur.

On trouvera, au chapitre 12, une liste détaillée de ces recommandations ainsi que des suggestions relatives aux différentes façons de les incorporer au Régime minceur.[1]

Dépendance aux glucides : Envie irrésistible de consommer des aliments riches en glucides ; besoin récurrent et parfois grandissant de manger des féculents, des friandises ou des sucreries.

Les glucides (ou hydrates de carbone) comprennent principalement : le pain, les bagels, le riz, les pâtes, les pommes de terre, la crème glacée, le chocolat, les biscuits et craquelins, les tartes et gâteaux, les beignets et viennoiseries, les fruits et jus de fruits, les chips, les bretzels et le maïs soufflé. Cette liste n'est cependant pas exhaustive.

---

[1] Seul votre médecin peut déterminer quelles sont les recommandations diététiques qui vous conviennent. Ainsi, avant d'incorporer à votre programme nutritionnel les normes diététiques établies par ces organisations, vous devriez consulter votre médecin.

INTRODUCTION

L'HISTOIRE DE RACHAEL

À l'âge de douze ans, je pesais déjà plus de 90 kilos. À l'école, j'étais la cible des quolibets et des moqueries des autres enfants. J'avais peu d'amis – qui aurait voulu être aperçu en ma compagnie ? J'étais toujours la dernière choisie pour compléter une équipe, et lors des sorties de classe où l'on allait par deux, on devait désigner quelqu'un pour m'accompagner.

Même les professeurs se mettaient de la partie. Certains se moquaient de moi et de Sara Jane, une de mes camarades de classe incroyablement maigre. L'un d'eux répétait souvent : « Ne serait-il pas amusant de réunir Rachael et Sara Jane pour ensuite les séparer de nouveau ? », puis on entendait les rires.

J'avais onze ans lorsque j'ai consulté mon premier médecin nutritionniste. Chaque semaine, il me donnait des pilules pour maigrir, tentait de m'encourager et me faisait des discours sur ce qu'il appelait ma « répugnante » condition physique. Il prenait l'argent de mes parents et m'accusait ensuite de tricher alors que c'était faux. J'étais persuadée, déjà, qu'il ne possédait pas le savoir-faire nécessaire pour m'aider à perdre du poids.

Au bout d'un certain temps, je décidai de ne plus le voir. Mes parents crurent qu'il ne s'agissait là que d'un autre signe d'un manque de volonté réelle de ma part, et bientôt, ils perdirent tout espoir. J'étais désormais livrée à moi-même – seule et à la merci des cruelles et incessantes attaques de mon frère.

Je n'ai pourtant pas abandonné. J'ai tenté toute seule de perdre du poids, essayant pratiquement toutes les méthodes amaigrissantes offertes à la télévision et dans les magazines. Année après année, cependant, les résultats étaient les mêmes : les régimes fonctionnaient durant une semaine, un mois, deux, tout au plus, et puis ils échouaient tous.

À dix-sept ans, je pesais au-delà de 135 kilos. Comme le pèse-personne de mon médecin ne dépassait pas ce nombre, je n'ai jamais su quel avait été mon poids le plus élevé.

Isolée par ma condition physique, j'étais tourmentée par la solitude. Et ma vie était difficile tant sur le plan physique qu'émotif. J'avais presque constamment mal aux pieds, aux genoux et au dos. En outre, marcher un tant soit peu faisait palpiter mon cœur.

Au cours des quinze années qui ont suivi, j'ai essayé un nombre faramineux de régimes. Il y eut les pilules, avec et sans ordonnance. J'ai notamment fait l'essai des pilules pour l'eau (les médecins les appellent des diurétiques) : elles augmentent l'élimination de l'eau par les reins, avec pour résultat bien des voyages aux toilettes, une perte de poids momentanée et, inévitablement, le retour des kilos perdus. Le jeûne et une foule de programmes d'exercices ont aussi fait partie de ma liste de méthodes infructueuses de ces années-là, tout comme des noms aussi connus que Stillman, Atkins, *Weight Watchers* et Pritikin.

Mon comportement n'avait rien de singulier. Au départ, je suivais scrupuleusement mon nouveau régime. Mais peu à peu, le désir de tricher m'envahissait. Le régime devenait alors de plus en plus difficile à suivre. Ainsi hantée par l'envie de manger, je rechutais, tôt ou tard. Occasionnellement d'abord, et ensuite plus fréquemment. Si bien qu'après quelques semaines, j'avais abandonné le régime et repris les kilos perdus.

Il m'arrivait souvent de reprendre plus de poids que je n'en avais perdu durant le régime.

J'ai même essayé certains programmes plusieurs fois. Je me disais, puisqu'ils avaient fonctionné pendant un moment, qu'il n'en tenait qu'à moi d'être plus persévérante pour enfin obtenir des résultats permanents.

Or, aucun effort soutenu ne m'apporta les résultats durables souhaités. Mon poids variait inlassablement de 10, 20 ou même 25 kilos, mais refusait toujours de passer sous la barre des 115 kilos.

Vers la fin de la vingtaine, je fus prise d'un regain d'espoir en voyant des membres des *Outremangeurs Anonymes* (OA) à la télévision. J'étais heureuse d'apprendre qu'il existait des gens capables de comprendre la souffrance et les tourments que j'avais connus jusque-là. Ces gens s'étaient entraidés – et, par-dessus tout, ils avaient réussi à perdre du poids.

Je vivais à Philadelphie à cette époque. Après avoir appris qu'il n'y avait pas de section des OA dans cette ville, je décidai d'en fonder une. Pour mener à bien ce projet, je dus me rendre à New York à maintes reprises afin de participer à une expérience de groupe et apprendre les rouages d'une telle entreprise. Ce fut pour moi une véritable aventure et j'y ai trouvé un plaisir immense.

Les OA représentaient une nouvelle façon d'aborder mon désir persistant de perdre du poids. Mes efforts de mise en pratique des leçons apprises à New York furent couronnés de succès, car dix-huit mois plus tard, ma section des *Outremangeurs Anonymes* de Philadelphie comptait déjà près de huit mille membres. Nous tenions trente-six rencontres par semaine. Et je perdis plus de 40 kilos.

Néanmoins, dans les mois qui ont suivi, plusieurs de nos membres semblèrent perdre tout le pouvoir qu'ils avaient acquis sur leur compulsion. Les uns après les autres, la majorité d'entre eux reprirent le poids qu'ils avaient réussi à perdre au prix de tant d'efforts.

Je fus du nombre.

Puis j'ai continué de chercher : jeûnes liquides, formation en modification du comportement, agrafage de l'estomac, *Weight Watchers* (encore une fois) et même hypnose. Mon poids diminuait, augmentait et diminuait encore, et ainsi de suite.

C'était toujours la même histoire. Je trouvais un « traitement », je le suivais, l'achetais ou m'y conformais – et quelquefois j'arrivais à perdre du poids. Mais en l'espace de quelques mois, je l'avais repris.

Il m'était impossible de résoudre mon problème de façon permanente. Je n'avais d'ailleurs jamais réussi à atteindre mon poids idéal, pas même l'espace d'une minute. Et chaque fois qu'un régime échouait, c'était moi qui échouais.

En 1981, à l'âge de trente-six ans, je me suis inscrite à un programme de doctorat en psychologie, déterminée à tout apprendre sur les causes psychologiques des excès alimentaires. J'ai d'abord appris que, contrairement à la croyance populaire, la recherche n'était encore jamais parvenue à prouver que des facteurs psychologiques étaient en cause.

J'étais forcée de me rendre à l'évidence.

Premièrement, pour moi comme pour beaucoup d'autres, les régimes ne fonctionnaient pas. Si certains semblaient parfois réussir, cela ne durait jamais longtemps.

Deuxièmement, personne ne savait vraiment ce qui causait l'hyperphagie ni comment la traiter. Je compris alors que je me battais contre un adversaire dont on ignorait à peu près tout. Les régimes ne fonctionnaient pas, et ni moi ni personne ne pouvions expliquer pourquoi.

Cette prise de conscience m'a ramenée au point de départ. J'étais toujours terriblement grosse. Je savais que la taille exagérée de mes vêtements n'avait rien à voir avec un quelconque conflit psychologique personnel. Et j'en étais venue à la conclusion que la solution miracle n'existait pas : j'avais tout essayé, mais les progrès n'avaient jamais été que temporaires.

J'avais tout de même un atout : mes vingt ans d'échecs. En effet, j'avais appris à connaître mes forces et mes faiblesses pour tout ce qui concernait les régimes et la nourriture. Certains régimes m'ont fait plus de tort que de bien, certes, mais je n'en ai pas moins retiré de précieux renseignements sur moi-même ainsi que sur mon métabolisme.

Les jeûnes, par exemple, m'ont appris que j'étais capable de ne pas manger pendant de longues périodes. Mon expérience avec les *Outremangeurs Anonymes* m'a appris qu'il m'était plus facile de me passer complètement de glucides que d'en manger en petites quantités. Les techniques de modification de comportement, pour leur part, m'ont montré que des lieux, des situations et des personnes pouvaient agir comme éléments déclencheurs d'une envie de manger.

Il y a huit ans, j'ai mis à profit ces expériences durement acquises. C'est ainsi que j'ai conçu un programme destiné à tirer le meilleur de mes forces, sans pour autant exiger de moi l'impossible. Le résultat ? Une réussite – permanente !

Ce projet fut en fait le prototype de ce qui est devenu le *Régime minceur*, l'outil pour vaincre la dépendance aux glucides. Grâce à ce programme, j'ai perdu plus de 65 kilos. J'ai ainsi pu atteindre mon poids idéal, puis le maintenir pendant plus de sept ans – et cela, sans peiner ni lutter, sans me sentir brimée ni ressentir la faim.

S'il est vrai que ce régime alimentaire est issu de la détermination et du désespoir, il n'en aborde pas moins de manière intelligente, logique et scientifique la question de la perte de poids et de son maintien. En outre, la volonté, l'exercice, la force de caractère et la privation alimentaire drastique ne sont pas nécessaires.

Rien de compliqué, pourtant mes envies irraisonnées de manger se sont envolées. Et pour la première fois de ma vie, j'étais contente. C'était le premier régime alimentaire qui me convenait pleinement. Par-dessus tout, il fonctionnait. Il fonctionne d'ailleurs toujours – pour moi, mais aussi pour beaucoup, beaucoup d'autres personnes.

L'HISTOIRE DE RICHARD

Mon histoire est quelque peu différente. J'étais un gros bébé : à la naissance, je pesais 4,3 kilos. Le bébé potelé que j'étais devint un enfant dodu, puis un adolescent rondelet, et finalement, un adulte corpulent.

L'augmentation de mon poids fut lente, mais constante. Au début de la vingtaine, durant l'entraînement militaire de base – où l'on consommait des glucides en grandes quantités – je pris 7 kilos, et ce, malgré les fréquents et intenses exercices physiques que l'on nous imposait. Au cours des années qui ont suivi, je pris 4 ou 5 kilos de plus. Entre la fin de la vingtaine et le début de la trentaine, l'expression « homme corpulent » convenait parfaitement à ma silhouette : un 1,88 mètre, 100 kilos.

Il va sans dire qu'à un tel poids, je n'étais pas heureux. Non seulement la minceur était-elle très en vogue, mais il n'y avait rien d'amusant à porter une douzaine de kilos en trop ni à voir mon ventre déborder de ma ceinture. J'ai donc essayé diverses techniques pour maigrir. Il y eut le calcul des calories, la diète d'échange et les *Weight Watchers* (deux ou trois fois). La plupart de ces méthodes fonctionnaient, mais à court terme seulement. Je respectais strictement le programme, jusqu'à ce qu'un premier écart vienne ouvrir la voie aux suivants. Il m'était pénible de vivre et manger en calculant tout, si bien que je me remettais graduellement à manger ce qui me plaisait et quand cela me plaisait.

J'avais trente-six ans lorsque je conclus que si je n'arrivais pas à réduire ma consommation alimentaire, il me faudrait augmenter ma dépense énergétique. Alors, bien décidé à en finir avec mon aspect flasque et ventru, je me mis à la course à pied. Les régimes n'ayant rien donné, je me tournais résolument vers l'exercice pour perdre ces kilos superflus.

Ainsi, pendant plus de deux ans, je courus tous les matins. Je parcourus jusqu'à 65 kilomètres en une semaine. Chaque matin, avec un mélange de fierté et de zèle, je courais durant une quarantaine de minutes. J'étais en pleine forme – pourtant, je n'ai jamais perdu un seul kilo. Mon tour de taille, quatre-vingt-quatorze centimètres, demeura inchangé.

Toutes ces frustrations contribuèrent cependant à modifier les fondements de mon approche quant au contrôle du poids. Étant professeur en biologie, je pus allier mes connaissances sur la physiologie humaine aux plus récentes données scientifiques sur les troubles alimentaires. Ce qui m'a conduit à la création d'un régime alimentaire parfaitement adapté à ma personne.

Je comprends à présent que mon problème était ce que Rachael et moi avons appelé la « dépendance aux glucides ». Bien que mon histoire ait été relativement différente de celle de Rachael, le mécanisme sous-jacent était à peu de chose près le même. Aussi, lorsque j'ai appliqué à mon propre cas les principes du *Régime minceur*, j'ai atteint, presque sans effort, le poids – 76 kilos – et l'apparence physique que je recherchais depuis tant d'années. Mieux encore, j'ai maintenu ce poids depuis.

LA DÉCOUVERTE DE RACHAEL

Un nombre considérable de découvertes scientifiques se produisent accidentellement – une suite unique de circonstances offre à l'observateur scientifique les indices qui le mèneront à sa découverte. Le *Régime minceur* est l'une de ces découvertes.

Rachael s'en souvient :

Un bon matin, j'avais un rendez-vous pour une radiographie. Comme on me l'avait demandé, je n'avais rien mangé depuis la veille. J'étais encore au lit au moment où le téléphone sonna.

C'était une technicienne du laboratoire de radiographie. « Votre rendez-vous a été reporté », m'informa-t-elle. « Pourriez-vous plutôt venir cet après-midi, à seize heures ? » À moitié endormie, j'acceptai le changement sans discuter. « Ça ira », me dis-je, en revoyant mentalement mon horaire de la journée.

« Ah, au fait », ajouta mon interlocutrice, « n'oubliez pas, vous ne devez rien manger d'ici là ! Les liquides, comme le café et le thé, sont permis, mais aucune nourriture ».

C'est après avoir raccroché, et avant même d'avoir ressenti la faim matinale, que je compris vraiment ce qui m'arrivait. Je n'avais pas le droit de manger jusqu'à seize heures cet après-midi. Les idées se bousculaient dans ma tête. Pire encore, cela signifiait que je n'allais manger que vers les dix-sept ou même dix-huit heures, lorsqu'ils en auraient fini avec moi. C'était trop; j'ai paniqué.

J'ai passé en revue toutes les possibilités. J'ai songé à reporter mon rendez-vous. Cela me semblait être une bonne idée, puis j'ai pensé au risque que ce nouveau rendez-vous puisse être reporté lui aussi. J'aurais pu m'absenter de mon travail pour la journée et rester au lit, mais trop de choses demandaient une attention immédiate.

J'ai aussi jonglé avec l'idée de laisser tomber complètement cette radiographie. Mais cela aurait été carrément irresponsable, en avais-je alors déduit. Cette pensée me redonna de l'aplomb. Et je conclus qu'il valait mieux accepter la situation.

Je me suis soudainement sentie un peu flageolante, mais j'allais déjà mieux après une douche. J'ai complété ma routine matinale, puis je me suis habillée. Je me suis aussi pesée, par habitude : 122 kilos.

Je suis ensuite partie pour le travail – en ne jetant qu'un bref coup d'œil en direction du réfrigérateur avant de sortir. Je comptais mentalement les heures : je serais restée près de vingt heures sans manger. Mais l'expérience prit peu à peu la forme d'un défi personnel : Si d'autres y arrivaient, je le pouvais aussi.

Une fois au travail, je fus surprise de constater à quel point la matinée passait rapidement. Lorsque le cantinier est passé, j'ai acheté un café noir, mais j'y ai à peine touché. J'étais très occupée et à peine consciente du va-et-vient des gens autour de moi. J'ai continué à travailler jusqu'à l'heure du déjeuner.

Vers quatorze heures, le cantinier repassa. À mon grand étonnement, je n'avais pas spécialement faim. Curieusement, j'avais moins faim qu'après avoir copieusement petit-déjeuné et déjeuné, comme je le faisais d'habitude. Je m'expliquai simplement cet état de choses en me disant que « quand on veut, on peut ! ». Tout de même, avant que le chariot ne disparaisse, j'ai acheté deux beignets torsadés – pour plus tard. Je les ai fait mettre dans un sac de papier, prévoyant les emporter avec moi à mon rendez-vous. Aussitôt la procédure terminée, je les mangerais dans la salle d'habillage.

L'après-midi passa, et mon rendez-vous se déroula sans anicroche. La consultation se termina peu après dix-sept heures. Je n'ai pas tout de suite mangé mes beignets; je n'en avais pas envie. Cependant, comme c'était l'heure du dîner, je suis entrée dans un restaurant et là, enfin, j'ai mangé. Je me suis offert de la soupe, de la salade, des tartines de pain généreusement beurrées, des escalopes de veau parmesan avec des pâtes, et du café. Après quoi j'ai mangé mes beignets, sur le chemin du retour. Ils étaient délicieux.

Ce soir-là, juste avant de m'endormir, j'ai regretté de ne pas m'être abstenue d'avaler ce repas copieux – j'avais manqué une bonne occasion de perdre du poids. Néanmoins, une surprise m'attendait.

Le lendemain matin, en me pesant, j'ai constaté que j'avais un kilo en moins que la veille. Je n'arrivais pas à le croire.

« Cela n'a aucun sens », ai-je pensé.

Je me dis d'abord qu'il ne s'agissait sans doute que d'une perte d'eau et que ce serait revenu dans un jour ou deux. Puis, ma formation en sciences prit le dessus. Ainsi, au lieu de simplement me contenter de cette première explication trop facile, je décidai de tenter une expérience.

Il me vint l'idée de refaire ce que j'avais fait pendant ces vingt-quatre heures, de manger exactement de la même manière. Il y avait peu de chances que cela fonctionne, mais qu'avais-je à perdre ?

Je me passerais encore de petit-déjeuner et de déjeuner. De plus, je pourrais m'offrir un autre dîner comme celui du jour précédent sans m'en sentir coupable. Bien qu'inhabituelle, l'idée n'était pas mauvaise.

Je me passai sans problème de petit-déjeuner. En fait, comme la veille, je fus moins affamée à la fin de la matinée que je ne l'étais d'habitude après avoir mangé un petit-déjeuner complet.

Le déjeuner fut plus difficile : certains de mes collègues sortirent pour aller manger, d'autres rapportèrent de la nourriture au bureau. Je dus trimer dur pour me passer de ce repas. Mais la promesse d'un plantureux dîner m'accompagna jusqu'au soir.

Au cours de l'après-midi, lorsque le cantinier est passé, je me suis permis l'achat d'une petite gâterie. « Pour plus tard », me suis-je promis, en commandant les deux appétissants beignets que je mangerais comme dessert.

Quand l'heure du dîner fut venue, j'étais prête. J'avais tout planifié durant l'après-midi. Dans une pizzeria, je passai une commande pour emporter : un sandwich, une énorme pointe de pizza avec pepperoni et anchois, ainsi qu'une salade grecque. Une fois chez moi, j'avalai le repas, et je me tournai ensuite vers mes beignets. Toutefois, je n'avais plus très faim, alors je n'en mangeai qu'un.

C'était difficile, mais cela en valait la peine, pensais-je en m'éloignant de la table. J'éprouvais un sentiment intense de satisfaction que jamais auparavant je n'avais ressenti.

Le moment décisif arriva le lendemain matin lorsque je montai sur le pèse-personne : j'avais perdu un demi-kilo. Je me souviens d'avoir pensé : « Un demi-kilo – et on peut encore sentir la pizza ! ».

Pendant les semaines qui ont suivi, je m'en suis tenue à ce même plan de base. Il y eut, à un certain moment, ralentissement de ma perte de poids – j'en vins à perdre de 1 kilo à 1,5 kilos par semaine – cependant, le rythme demeura plutôt constant.

Je perdis 68 kilos, et j'atteignis mon poids idéal – pour la première fois de ma vie.

Je n'oublierai jamais les circonstances – l'examen radiographique reporté et le jeûne forcé – qui ont favorisé la création du *Régime minceur*. (Soit dit en passant, ce régime n'exige pas que l'on se passe de petit-déjeuner et de déjeuner, il demande simplement que l'on choisisse judicieusement les aliments de deux des repas quotidiens.) Nous avons tous de telles occasions dans nos vies. Parfois nous en tirons profit, parfois nous les laissons filer. Cette fois, j'ai choisi de tirer profit de l'occasion – et je crois que cela m'a sauvé la vie.

LE DÉVELOPPEMENT DU RÉGIME

Nous avons donc tous deux suivi un régime avec succès, mais notre expérience ne s'arrête pas là. Nous sommes également des scientifiques ; nous détenons des doctorats dans nos domaines respectifs d'expertise. En recourant à des méthodes éprouvées, nous travaillons à découvrir les principes fondamentaux et leurs possibles applications pour l'amélioration des traitements médicaux.

Richard possède un doctorat de recherche en biologie. Au fil des ans, il a reçu plus de quatre millions de dollars en fonds de recherche des *National Institutes of Health* (Instituts de recherche médicale) et a écrit de nombreux articles et livres sur la recherche biologique.

Rachael, quant à elle, détient un doctorat de recherche en psychologie. Elle excelle dans la conception de recherche et d'expérimentation. Éducatrice et chercheur, elle s'est spécialisée dans l'étude des aspects tant biologiques que psychologiques des troubles de l'alimentation et du contrôle du poids.

Nous avons mis en commun nos compétences, nos formations et notre expérience et avons créé le *Régime minceur* pour les accros des glucides. Les histoires personnelles de plus de six mille personnes nous ont aidés à mettre au point cette diète. Quelque cinq mille membres des *Outremangeurs Anonymes* nous ont raconté leurs expériences, et plus de huit cents membres des *Weight Watchers* et de quatre autres groupes ont été évalués. Après avoir expérimenté des années durant avec de nombreux traitements individuels, nous avons enfin développé un régime qui s'est avéré éminemment efficace dans le traitement de toute une gamme de problèmes de poids et d'habitudes alimentaires – que nos patients décrivent eux-mêmes comme une « dépendance aux glucides ».

Plusieurs facteurs ont joué en notre faveur :

- La formation de Rachael en psychologie, alliée à son expérience personnelle, se sont avérées essentielles dans le développement de ce régime. Les gens l'ont vue perdre du poids ; certains d'entre eux ont cherché à savoir comment elle s'y prenait. Elle leur disait alors exactement ce qu'elle faisait et comment elle se sentait – et voilà que pour eux aussi, cela a fonctionné !

  Les résultats la laissaient cependant toujours perplexe. « Cela n'est peut-être qu'un effet placebo », pensa-t-elle. « Si je dis aux gens qu'ils ne sentiront pas la faim, il est fort probable qu'ils ne la sentiront pas ». Or, lorsque deux collègues l'approchèrent au sujet de son régime, elle décida de ne rien leur dire à propos de sa propre perte d'appétit. Un peu plus tard, chacun revint néanmoins la voir pour lui témoigner sa grande satisfaction vis-à-vis de sa perte de poids continue… et de sa diminution d'appétit. Elle dut bien se rendre à l'évidence : elle venait par hasard de tomber sur quelque chose de très important.

  Grâce à son groupe informel de contrôle, Rachael put exclure la possibilité d'un effet placebo.

- À mesure que la nouvelle du régime se répandait, de plus en plus de gens désiraient l'essayer. Bientôt, les amis de nos amis se mirent à nous téléphoner, au travail et à la maison.

  Rachael mit sur pied des groupes informels, travaillant avec trois, quatre ou cinq personnes à la fois. Or, tous n'obtenaient pas toujours les mêmes résultats. Les gens étaient de plus en plus nombreux à essayer le régime, mais certains ne voyaient pas leur appétit diminuer. Ainsi, le régime fonctionnait bien pour la plupart, alors que pour quelques-uns, il semblait ne pas réussir du tout.

  Rachael faisait ses études doctorales à l'époque et elle y apprenait à élaborer des expériences. Elle imagina une façon de distinguer les participants pour qui le régime était « rafraîchissant », « parfait » ou « divin », de ceux qui n'y trouvaient qu'une déception de plus. Cette étude permit de mettre en relief les points qu'avaient en commun les gens pour qui le régime fonctionnait. Ces personnes avaient toutes de fortes envies, parfois incontrôlables, de consommer des glucides. Des fringales grandissantes qui persistaient jusqu'à ce qu'elles les assouvissent.

Elle comprit peu à peu que presque tous ceux qui réussissaient le régime avaient des désirs et des expériences semblables dans leur rapport avec la nourriture. À l'aide des réponses à quelques questions, on put prévoir avec une précision appréciable quels seraient les individus les plus susceptibles de réussir le régime. On mit donc au point un test qui servirait bientôt à déterminer pour chaque personne, et ce, dès le départ, le potentiel de réussite ou d'échec au régime. Cependant, bien qu'elle pût maintenant prédire quels individus pourraient bénéficier des bienfaits du régime, Rachael était toujours incapable d'expliquer les raisons de cette réussite.

- La contribution de Richard fut essentielle dans la compréhension du lien avec les glucides. Il a lu et analysé les résultats des recherches de milliers de scientifiques, essayant de comprendre les mécanismes biologiques de ce régime qui fonctionnait si bien pour nous et pour d'autres. Il a trouvé ; c'était là, dans nombre d'articles et de publications. On l'avait remarqué, mais on n'en avait jamais considéré les implications pratiques.

  La « découverte » n'était pas vraiment nouvelle, puisque la « dépendance alimentaire » avait été constatée dès 1947. Puis au fil des années, de nombreux chercheurs avaient découvert d'autres éléments importants. Les progrès continuent d'ailleurs aujourd'hui. On effectue notamment des recherches de pointe sur la question des messagers chimiques du cerveau, les neurotransmetteurs.

  Richard se mit ainsi à rassembler les résultats des recherches qui avaient été menées jusque-là, et il y trouva bientôt l'explication de notre réussite. Nous savions déjà que le régime fonctionnait, mais grâce à ces indices additionnels, nous pouvions maintenant en comprendre la cause. Et nous allions pouvoir l'expliquer à d'autres.

- Comme les gens étaient de plus en plus nombreux à suivre – et à réussir – notre régime, un nombre sans cesse croissant de personnes venaient nous consulter pour de l'aide. La création du Centre de lutte contre la dépendance aux glucides (*The Carbohydrate Addict's Center*) devenait inévitable. Fondé en 1983 sous le nom de « Centre de contrôle du poids et de la nutrition » (*Center for Weight and Eating Control*), sa mission était de recueillir scientifiquement des informations sur le régime. Mais en peu de temps, il devint un lieu d'aide aux personnes qui souhaitaient apprendre à contrôler leur alimentation et leur poids. Ainsi, un mois seulement après l'ouverture du Centre, on y avait déjà une liste de clients potentiels, tous désireux de savoir s'ils étaient ou non des accros aux glucides.

  En outre, on commença dès la première année à documenter les réussites. La majorité des gens qui venaient vers nous disaient avoir déjà essayé d'autres régimes, avoir échoué, et croyaient souffrir d'une dépendance aux glucides. Les résultats de nos examens démontrèrent que plus de 75 % de nos clients étaient des accros aux glucides.

  Un détail particulier attira notre attention. L'analyse des études antérieures démontra que les autres régimes, dans l'ensemble, n'engendraient des pertes de poids durables – soit sur un an ou plus – que dans 5 % des cas. Or, ce nombre contrastait nettement avec notre taux de réussite de 80 %.

  Nous savions que nous avions découvert un traitement efficace à un problème difficile et tenace et les personnes avec qui nous avions travaillé comprenaient qu'il y avait maintenant de l'aide pour elles. Comme le Centre de contrôle du poids et de la nutrition se concentrait de plus en plus sur les problèmes relatifs à la dépendance aux glucides, nous avons changé son nom pour « Centre de lutte contre la dépendance aux glucides » afin de mieux refléter cette orientation.

LA RAISON D'ÊTRE DU CENTRE

Nous sommes aujourd'hui tous deux professeurs à la Faculté de médecine Mount Sinaï, à New York. Nous sommes également professeurs de sciences biomédicales, au Centre de recherche du City University de New York. De plus, Richard est professeur émérite de biologie et technologie médicale au Collège communautaire du Bronx. Nos recherches consistent en partie à identifier les fondements biologiques des troubles du comportement alimentaire. Alors que nous avons indéniablement réussi à réduire et, dans bien des cas, à éliminer les fringales, la sensation de faim, et le surplus pondéral chez bien des gens, nous tentons maintenant d'en apprendre davantage sur les causes du problème.

Au Centre de lutte contre la dépendance aux glucides, notre objectif est essentiellement de mener des recherches et d'éduquer les gens dans le domaine des troubles du comportement alimentaire et des désordres pondéraux, et de recueillir des renseignements concernant les habitudes alimentaires, les fringales, les symptômes, ainsi que les mécanismes de perte et de gain de poids chez les accros aux glucides. Au cours de ses huit premières années d'existence, le Centre a offert des conseils et des suivis diététiques à près de mille clients. Bien que plus d'un quart de million de personnes aient suivi le régime depuis, ces mille premiers clients furent particuliers dans la mesure où nous avons eu l'occasion de travailler directement avec eux. C'est ainsi que nous avons pu observer comment les changements apportés à leur consommation de glucides les avaient affectés.

Les succès et les difficultés de ceux et celles qui ont suivi le régime sous notre direction ont été analysés et étudiés. Les résultats de ces observations nous ont ensuite permis de modifier, d'ajuster, voire d'individualiser le Régime minceur (*The Carbohydrate Addict's Diet*).

Ces mille individus forment un groupe très hétérogène. Leur âge varie considérablement – de dix-neuf à soixante-huit ans – de même que leur niveau d'éducation – décrocheurs, diplômés, etc. Pratiquement tous les domaines professionnels et toutes les classes socioéconomiques y sont représentés.

Il n'est donc pas étonnant que les objectifs de nos clients aient, eux aussi, varié considérablement d'un individu à l'autre. Certains souhaitaient, par exemple, maintenir le poids qu'ils avaient déjà réussi à atteindre, notamment en suivant une diète liquide. Il leur était maintenant possible de ne pas reprendre les kilos perdus.

D'autres se présentaient au Centre dans le but de perdre au-delà de 40 kilos. Leur surplus pondéral leur causait des problèmes de santé et d'estime de soi, en plus d'entraver leur bien-être général et de leur nuire dans leurs relations personnelles. Et ceux parmi eux que l'excédent de poids affligeait le plus arrivaient à peine à mener une vie dite normale. Toutefois, la plupart des gens avec qui nous avons travaillé au fil des années désiraient perdre de 5 à 10 kilos. Bien que notre clientèle ait été majoritairement composée de femmes – environ une personne sur six – le problème de la dépendance aux glucides touche aussi les hommes.

À travers toutes ces variables et ces différences, une chose est demeurée constante : les résultats. En prescrivant un programme nutritionnel destiné à traiter à sa source le trouble de l'accro aux glucides, nous continuons à obtenir un taux inégalé de réussite durable, soit plus de 80 %.

Pour des raisons de temps – nos recherches et notre travail étant passablement exigeants – et d'espace, nous n'avons pu traiter jusqu'ici qu'une centaine de personnes par année à la clinique. Mais avec la publication de *Vaincre la dépendance aux glucides – Le régime minceur*, nous espérons rendre notre programme accessible à un plus grand nombre d'accros aux glucides.

Si vous êtes accro aux glucides, nous vous souhaitons la bienvenue parmi nous. Le Régime minceur a été conçu de manière à vous permettre de réduire ou éliminer vos fringales et vos envies irraisonnées de glucides, et perdre vos kilos superflus – sans jamais les reprendre.

Le régime décrit dans le présent livre a été qualifié par plusieurs de « régime de rêve », notamment parce qu'il paraît si facile de l'intégrer à son style de vie. Bien des gens, il est vrai, sont agréablement surpris de découvrir enfin un régime qui semble avoir été conçu spécifiquement pour eux.

De fait, il a été créé pour eux !

Le Régime minceur s'adresse d'abord à l'accro aux glucides fatigué des fringales récurrentes, de la sensation de manque, de l'effet « yo-yo » et... de la culpabilité. Si vous en avez assez d'avoir faim, d'avoir peur de reprendre les kilos si difficilement perdus, alors ce livre a toutes les chances de vous fournir la solution dont vous avez besoin.

Ce programme est sérieux et scientifiquement fondé. De plus, il s'adapte facilement à tous les styles de vie et ne nécessite aucune mesure ni pesée. Sa formule est aussi satisfaisante qu'efficace. Le Régime minceur vous aidera à vivre enfin la vie dont vous rêvez.

Si nous avons débuté ce livre avec le récit des épisodes clés de nos expériences avec les régimes alimentaires, c'est parce que nous tenions à souligner que le Régime minceur fonctionne pour une grande variété d'individus, tant pour les hommes que pour les femmes, tant pour les personnes qui n'ont que quelques kilos à perdre que pour celles qui souffrent d'un embonpoint plus important.

En outre, le Régime minceur peut aider toutes les personnes qui en sont venues à la conclusion qu'elles étaient accros aux glucides.

PREMIÈRE PARTIE

L'ACCRO AUX GLUCIDES

1

QU'EST-CE QUE LA « DÉPENDANCE AUX GLUCIDES » ?

Au siècle dernier, on croyait généralement que les épileptiques étaient possédés par des « esprits ». De nos jours, il ne fait aucun doute que l'épilepsie est un désordre neurobiologique.

Il y a cinquante ans, la plupart des gens se moquaient du fou du village, alors qu'aujourd'hui l'individu retardé mentalement est rarement ridiculisé et jamais il n'est tenu pour responsable de sa condition.

Les temps ont changé pour les alcooliques aussi. Il est maintenant scientifiquement établi que l'alcoolisme est une maladie. À ce chapitre, le geste de l'épouse d'un président américain qui admit un jour publiquement sa dépendance contribua sans doute à sensibiliser les gens face à ce genre de problème. En effet, ne salue-t-on pas, en général, le courage et la franchise des personnalités des milieux du sport et du spectacle qui reconnaissent leur problème et cherchent à y remédier ?

Et l'embonpoint ? Tout comme l'alcoolisme, les problèmes de surpoids sont souvent d'origine héréditaire. Pourtant, les personnes souffrant d'embonpoint sont encore ridiculisées, et on leur reproche fréquemment leur condition. S'il est mal vu de plaisanter au sujet d'une personne souffrant d'un retard mental ou d'une autre aux prises avec un problème d'alcool, les blagues à propos des « gros » et des « grosses » sont monnaie courante.

Les gens affligés de surpoids souffrent d'un trouble dont ils ne sont, dans bien des cas, pas plus responsables que ne le sont l'épileptique, le déficient mental et l'alcoolique.

PREMIER MYTHE : LES GENS GROSSISSENT PARCE QU'ILS MANGENT TROP

Pendant des dizaines d'années, les chercheurs ont tenté d'établir un lien entre la surcharge pondérale et la suralimentation. Si un rapport de causalité semble évident, c'est en partie parce que nous sommes entraînés, dès l'enfance, à croire que les gens qui sont gros mangent sans doute énormément.

Les résultats des recherches en disent long. Par exemple, des chercheurs ont essayé de faire grossir des individus de poids moyen ou « normal » pour leur taille. Leurs tentatives ont cependant échoué, et ce, même lorsque les sujets recevaient quotidiennement jusqu'à trois mille calories de plus qu'ils n'en consommaient habituellement. Dans la majorité des cas, leur poids augmentait un peu puis se stabilisait. Les examens ont montré que la vitesse à laquelle leur corps métabolisait la nourriture avait augmenté et que, en conséquence, les sujets brûlaient ces calories supplémentaires. D'autres études conclurent que malgré un régime alimentaire très strict certaines personnes ayant un surplus pondéral maintenaient leur poids. Ainsi, les unes après les autres, les expériences ont démontré que la suralimentation (ou hyperphagie) n'occasionne pas nécessairement de l'embonpoint et que, à l'inverse, l'embonpoint n'est pas toujours la conséquence d'une alimentation excessive.

Les observations faites sur des rats et sur des animaux de ferme confirment ces conclusions. En effet, une propension à l'embonpoint a été constatée chez certains animaux de laboratoire, dont le rat Zucker. En comparant les rats Zucker et d'autres types de rats qui n'ont pas cette propension à l'obésité, on a remarqué qu'à alimentation et activité physique égales, les premiers prennent de l'embonpoint, tandis que le poids des seconds demeure inchangé. Les fermiers, quant à eux, ont remarqué qu'à l'intérieur d'une même espèce animale, certaines races avaient tendance à grossir plus facilement – ils sont d'ailleurs prêts à débourser plus pour ces bêtes.

Pourquoi persiste-t-on à croire que les humains sont différents ? Pourquoi continue-t-on de croire que notre poids est fonction de ce que l'on mange et non pas de l'utilisation que fait notre corps de ce que l'on mange ?

Dans les revues professionnelles, les scientifiques utilisent souvent des termes comme « apport énergétique » et « adiposité ». Mais le fait est que le temps et, encore une fois, les résultats d'un nombre important de recherches mènent à la même conclusion stupéfiante : Parmi les personnes qui se suralimentent, beaucoup ne prennent pas de kilos superflus et parmi les personnes ayant un surplus de poids, beaucoup ne se suralimentent pas.

SECOND MYTHE : LES GENS OBÈSES SOUFFRENT D'UN TROUBLE AFFECTIF

Les personnes qui ont de l'embonpoint sont souvent qualifiées d'irritables, de dépendantes et de têtues. On dit même parfois qu'elles détestent leur mère ou qu'elles ont peur du sexe.

Le Dr Albert Stunkard, un réputé chercheur sur l'obésité, de l'Université de la Pennsylvanie, a clairement indiqué que les qualificatifs populaires au sujet des personnes affichant un excès pondéral, tels que « névrosées » ou « dérangées » s'étaient révélés inexacts dans presque tous les cas.

D'ailleurs, il n'a jamais été scientifiquement démontré que les personnes obèses présentaient des différences tangibles sur les plans de l'affectivité et de la santé mentale par rapport aux individus de poids normal. L'obésité alimentaire (ou exogène) est considérée comme un trouble physiologique qui, selon l'*American Psychiatric Association*, ne peut que très rarement être associé à un désordre psychologique.

TROISIÈME MYTHE : LES PERSONNES OBÈSES N'ONT AUCUNE VOLONTÉ

Beaucoup croient que les gens qui ont un problème de poids en sont arrivés là faute d'avoir su se retenir de trop manger. Les gens, obèses ou pas, semblent avoir intégré l'idée voulant que les personnes qui ont de l'embonpoint manquent nécessairement de volonté.

Or, il a été démontré que sur les plans psychologiques et comportementaux les personnes souffrant d'un excès pondéral ne diffèrent pas de celles ayant un poids normal. N'empêche, on blâme souvent les gens qui ont de l'embonpoint : « C'est sa faute ! Elle mange beaucoup trop ! ». Et ces reproches n'ont malheureusement d'autre effet que d'accroître le sentiment de frustration de ceux et celles aux prises avec ce problème.

LES PERSONNES OBÈSES SONT DIFFÉRENTES

De nombreuses recherches scientifiques suggèrent que les personnes ayant de l'embonpoint seraient physiologiquement différentes de celles qui sont plus minces. Leur corps réagirait différemment à divers aliments, entraînant une augmentation ou une récurrence de l'appétit, un besoin manifeste de manger et une propension à emmagasiner les gras.

De plus en plus d'études suggèrent qu'un grand nombre de personnes ayant un excès pondéral souffriraient de ce que l'on appelle une « dépendance à la nourriture », causée non pas par une quelconque faiblesse de caractère ou un désordre psychologique, mais plutôt par un déséquilibre chimique du métabolisme.

La notion de dépendance à la nourriture n'est pas un concept nouveau. En 1947, les chercheurs tentaient déjà d'expliquer le rapport qui existe entre la dépendance à la nourriture et l'obésité. Et les scientifiques continuent depuis d'accumuler les découvertes, grandes et petites, sur la dépendance à la nourriture. La revue Index Medicus révèle que pour la seule année 1989, un millier d'articles ont apporté de nouvelles informations concernant les processus pouvant être à l'origine de la dépendance aux glucides.

Cependant, avant de décrire plus scientifiquement les mécanismes de la dépendance aux glucides, voyons un peu ce à quoi ressemble la dépendance aux glucides, telle qu'elle est vécue par ceux qui en souffrent. Comme nous le ferons tout au long de l'ouvrage, nous vous présentons ici le récit de l'expérience de l'une des personnes que nous avons traitée au Centre de lutte contre la dépendance aux glucides.

L'HISTOIRE DE CAROLE

Carole T. entra dans nos bureaux le jour précédent son trente-deuxième anniversaire. Il ne fit aucun doute que la jeune femme attirante à la voix douce se souciait de son apparence. Ses cheveux blonds étaient joliment coiffés et sa robe bien coupée et élégante. Nous avons appris qu'elle était secrétaire administrative et qu'elle aspirait à un poste de cadre.

L'attitude et l'allure de cette femme étaient telles que l'on en oubliait presque ses 10 kilos superflus, répartis sur une charpente de 1,62 mètre. Elle, toutefois, ne les oubliait pas. Elle nous raconta que lorsque l'un de ses anciens petits amis l'avait taquinée au sujet de son poids (il avait utilisé le mot « potelée »), elle était entrée dans une colère noire.

« Cela m'a tout simplement rendue folle d'entendre ce type faire un commentaire sur mon poids », expliqua-t-elle. « Je ne pouvais pas le supporter ».

Nous lui avons demandé de nous parler de son expérience avec les régimes alimentaires. Elle avoua qu'une partie d'elle-même croyait qu'elle accordait trop d'importance à cette histoire de poids et que l'autre partie ne pensait qu'à être mince et se sentir bien dans son corps. Elle nous confia aussi qu'elle avait parfois l'impression de ne pas avoir de contrôle réel sur son poids ni sur les régimes qu'elle essayait.

Après avoir pris connaissance de tous les détails pertinents, il nous apparut que l'histoire de Carole était semblable à celles que nous racontaient un grand nombre des accros aux glucides que nous traitions. Ainsi, Carole arrivait à contrôler sa consommation alimentaire pendant un certain temps en mangeant ces prétendus « repas-régimes » qui contiennent de faibles quantités de glucides. Cependant, la phase d'observation stricte des règles ne durait pas très longtemps – le changement s'effectuait graduellement, de façon plus ou moins consciente. Et bientôt, Carole consommait les mêmes repas, mais en dépassait les quantités prescrites par le régime ou celles qu'elle s'était fixées, en se disant que cela n'était pas vraiment tricher. Enfin, il n'y avait qu'un pas de l'extra de poulet, de viande ou de légumes frais à la portion supplémentaire de fruits. « Les fruits sont bons pour la santé », décidait-elle. Alors elle avait une envie folle de féculents : pain, pâtes et pommes de terre. Puis une fringale de sucreries et de friandises suivait. Carole nous raconta qu'elle faisait elle-même la livraison de certains documents à l'autre extrémité du bâtiment de manière à passer devant les distributrices de bonbons. « Je tiens le coup au début », nous expliqua-t-elle, « mais je finis, tôt ou tard, par manger tout ce qui me tombe sous la main ».

Carole résuma sa situation dans ces mots : « Je ne suis pas satisfaite de mon apparence physique et je souhaite en finir avec les régimes qui sont toujours à recommencer ».

Nous lui avons fait passer le Test de dépendance aux glucides que nous avons développé. (Vous aussi pourrez le faire, au chapitre 3.) Dans le cas de Carole, cette étape était presque une formalité : nous avions déjà rencontré des centaines d'accros aux glucides, et notre première discussion avec Carole nous laissait présumer qu'elle était une accro aux glucides et, probablement, une candidate au Régime minceur.

LES SIGNES ET LES SYMPTÔMES DE LA DÉPENDANCE AUX GLUCIDES

Vous arrive-t-il de ressentir ces symptômes ?

- ***L'idée de manger vous vient fréquemment.***
  Passez-vous beaucoup de temps à penser à la nourriture, aux régimes ou à votre poids ?

- ***Vous vous sentez rarement rassasié ou vous avez envie de manger environ deux heures après un repas.***
  Avez-vous l'impression de n'être pas rassasié après un repas, quoi que vous ayez mangé ? Deux heures après le repas, avez-vous aussi faim que si vous n'aviez pas mangé du tout ?

- ***Vous vous sentez fatigué ou amorphe après un repas.***
  Après un repas, avez-vous un sentiment de lourdeur, de mollesse, un peu comme si on vous avait drogué ? Avez-vous envie de vous allonger ou même de faire une sieste ? Ressentez-vous la faim ou de la fatigue au milieu de l'après-midi ? Vous arrive-t-il de remettre à plus tard un travail ou une activité parce que vous n'avez simplement pas l'énergie nécessaire ?

- ***Vous ressentez de l'anxiété ou de la colère sans raison apparente.***
  Traversez-vous des périodes de nervosité ou d'irritabilité inexpliquées ? Avez-vous parfois envie d'être seul ? Vous faites-vous des reproches ?

- ***Vous êtes particulièrement émotif.***
  Vous sentez-vous triste ou avez-vous de la peine sans savoir pourquoi ? Vous arrive-t-il d'être en proie à un sentiment de désespoir, de peur ou de profonde solitude ? Passez-vous en peu de temps de l'euphorie à la tristesse sans raison évidente ?

Si vous avez de l'embonpoint ou que vous êtes constamment en train de faire la lutte aux kilos et que vous reconnaissez certains des symptômes qui précèdent, il se peut que vous soyez accro aux glucides. Plusieurs de ces symptômes nous ont été cités à maintes et maintes reprises dans des milliers – littéralement – d'interviews. Et dans la majorité des cas, on peut attribuer ces symptômes à la dépendance aux glucides.

QU'EST-CE QUI CAUSE LA DÉPENDANCE AUX GLUCIDES ?

Les scientifiques qui écrivent dans *The New England Journal of Medecine, The Lancet, The Journal of Clinical Investigation,* ainsi que dans de nombreuses autres publications parlent d'une dysfonction physiologique entraînant un surplus pondéral chez plusieurs personnes. Cette dysfonction est le résultat d'une quantité inadéquate d'insuline dans le sang. Bien que d'autres désordres soient susceptibles d'entraîner l'obésité, le déséquilibre insulaire semble être un élément central dans la compréhension de certains des mécanismes impliqués chez nombre de personnes souffrant d'embonpoint.

Afin de comprendre ce qui ne va pas chez l'accro aux glucides, il convient de connaître le fonctionnement métabolique de celui qui n'est pas un accro aux glucides.

Lorsque la consommation de glucides se poursuit sur une période prolongée, une quantité additionnelle d'insuline est sécrétée ; la quantité d'insuline libérée étant fonction de la quantité de glucides absorbée. Alors, quand une personne normale absorbe des glucides, son corps libère de l'insuline dans les minutes qui suivent. Et la quantité d'insuline alors libérée dépend de ce que la personne a consommé lors de ce dernier repas. Un système qui fonctionne bien libèrera juste assez d'insuline pour acheminer l'énergie des glucides (sous forme de glucose sanguin) vers le foie, les muscles et les cellules adipeuses dans tout le corps.

Au fur et à mesure que les cellules emmagasinent le glucose, on assiste à une diminution du taux d'insuline dans le sang. Cette chute du taux d'insuline déclenche la sécrétion d'une substance chimique du cerveau appelée « sérotonine », un neurotransmetteur (ou neuromédiateur) dont l'effet est une sensation de satisfaction.

L'insuline est parfois aussi appelée l'« hormone de la faim », parce qu'elle stimule l'appétit. Il arrive que lorsque l'insuline est libérée, quelques minutes après le début du repas, les personnes normales aient l'impression d'avoir encore plus faim qu'au tout début du repas. Toutefois, le repas terminé, un sentiment de satisfaction s'installe, le niveau d'insuline ayant diminué et le cerveau ayant reçu le message de cesser de manger.

Quelques heures plus tard, le rapport insuline/glucose se modifie après que le corps a utilisé une partie du glucose demeurée dans le sang.

Il semble que cette augmentation signale au corps qu'il est temps de manger à nouveau. Le signal prend la forme d'une impression de faim. Alors la personne normale mange, et tout le processus se répète.

L'équilibre entre les glucides et l'insuline est fragile – et il peut se rompre. Ainsi, après avoir absorbé des glucides pendant quelques minutes, le corps de l'accro aux glucides libère beaucoup plus d'insuline qu'il n'en faut. Maintenant, si l'accro aux glucides avait auparavant avalé une autre portion de glucides, la quantité d'insuline libérée serait encore plus importante. La surabondance d'insuline qui s'ensuit « insulte », en quelque sorte, les cellules qui devraient absorber l'énergie des glucides (le glucose), en interférant avec l'absorption normale du glucose.

L'insuline excédentaire demeure dans le sang. Le taux d'insuline ne diminuant pas, le taux de sérotonine du cerveau n'augmente pas. Il est alors possible que l'accro aux glucides ne se sente pas rassasié. Certains accros aux glucides disent se sentir satisfaits après un repas, tandis que d'autres déclarent ressentir à nouveau la faim dans les deux heures suivantes. Si l'accro aux glucides tente ensuite d'assouvir sa faim en avalant d'autres aliments riches en glucides, la libération d'insuline qui s'ensuivra ne sera que plus grande, tout comme le sentiment d'insatisfaction.

La répétition de ce cycle nous apparaît être la base physiologique de ce que nous appelons la « dépendance aux glucides ».

Diabète et hypoglycémie : quelques considérations

Bien que de nombreux diabétiques et hypoglycémiques présentent aussi un surplus pondéral, on doit se garder de confondre les mécanismes de la dépendance aux glucides avec ceux du diabète et de l'hypoglycémie.

Le diabète est un désordre physiologique caractérisé par une production insuffisante d'insuline ou par l'incapacité de l'organisme à bien utiliser celle qui est produite. S'il n'est pas contrôlé, ce dysfonctionnement entraîne un excès de glucose dans le sang. L'hypoglycémie, quant à elle, est une maladie se traduisant par un trop faible taux de glucose sanguin. Les principaux symptômes de l'hypoglycémie sont : les sueurs froides, les vertiges, les faiblesses et les maux de tête. Ces signes se manifestent habituellement dans les deux heures suivant l'ingestion d'un repas riche en glucides.

Nos recherches et nos travaux nous permettent de conclure que le Régime minceur conduit à une perte de poids et une amélioration globale de l'état de santé chez les gens qui le suivent. Nous croyons aussi que ce régime ne comporte aucun risque pour la santé des personnes saines.

Par contre, il est possible que certaines maladies ou troubles physiologiques soient incompatibles avec le Régime minceur. C'est pourquoi nous vous recommandons fortement de consulter votre médecin avant d'entreprendre ce régime ou toute modification importante de vos habitudes alimentaires. Cette mise en garde s'adresse spécialement aux personnes qui souffrent du diabète, d'hypoglycémie, d'affections des reins ou du foie, ou dont les risques de maladies cardiaques sont élevés.

Nous recommandons également à tous ceux qui suivront le programme de ne le faire que sous la supervision de leur médecin.

QUELLES SONT LES CONSÉQUENCES D'UN SURPLUS D'INSULINE ?

Imaginons que vous preniez un repas riche en glucides. Prenons l'exemple d'un repas simple composé de deux pointes de pizza et d'une bouteille de cola. Si vous êtes une personne normale, il faudra quatre ou cinq heures avant que vous ne ressentiez la faim à nouveau. Mais si vous êtes un accro aux glucides, il se peut qu'après deux heures seulement vous ayez faim – possiblement une fringale de sucreries ou de féculents (due au surplus d'insuline dans votre sang). Certains accros aux glucides disent avoir faim immédiatement après avoir mangé des glucides et ne jamais se sentir rassasiés.

L'accro aux glucides sait bien que son désir de manger n'est pas logique, car il comprend que ses véritables besoins nutritifs ont déjà été comblés. Mais il n'empêche que l'envie de manger est bien réelle. L'accro aux glucides mange parfois par habitude, plus ou moins compulsivement. S'il lui arrive de se surprendre à grignoter par ennui ou pour pallier le stress, une simple fatigue peut aussi lui donner la faim. Parfois, le désir de manger est si accablant qu'il lui est pratiquement impossible de ne pas y répondre. À certains moments, il n'arrive tout simplement pas à identifier la cause de sa faim.

Beaucoup d'accros aux glucides soutiennent que plus ils consomment de glucides, plus leurs fringales sont fortes. Ils sont pris dans un cercle vicieux.

Pour l'accro aux glucides, la consommation d'aliments riches en glucides engendre un besoin impérieux de manger. Au début, la consommation d'en-cas ou de repas riches en glucides génère un sentiment de satisfaction ou de plaisir. Cependant, le plaisir fait bientôt place à une impression d'anxiété, parfois même d'insécurité. Puis, viennent en général la faim, la lassitude et une envie marquée de grignoter.

Malheureusement, le problème ne s'arrête pas là. En présence d'un surplus d'insuline, le corps réagit en emmagasinant l'énergie. Ainsi, alors que l'accro aux glucides devient toujours plus affamé avec chaque repas riche en glucides, son organisme, lui, stocke toujours plus d'énergie – sous forme de graisse.

Lorsque nous discutons avec nos collègues, nous utilisons des termes comme « système dopaminergique » et « récepteurs insuliniques cellulaires ». (Au chapitre 2, nous verrons plus en détail les mécanismes physiologiques de la dépendance aux glucides.) Toutefois, on peut résumer l'essentiel de la question en utilisant des termes plus simples : dans les cas de dépendance aux glucides, les rapports d'équilibre entre les glucides, l'insuline et la sérotonine font défaut.

Alors que d'autres chercheurs ont signalé ce phénomène, nous avons été les premiers à trouver comment « rectifier » le mécanisme, atténuer l'impression de faim et diminuer le stockage des graisses. C'est principalement à partir de ces découvertes que nous avons conçu le Régime minceur.

Dans le passé, les spécialistes en diététique n'ont pas réussi à remédier à ce problème – peu importe le nom qu'ils lui aient donné – en appliquant leurs programmes de réduction/distribution égale de la consommation de glucides sur chaque repas. Nous savons que ces stratégies ne fonctionnent pas pour l'accro aux glucides.

De 95 % à 98 % des gens qui suivent des régimes amaigrissants standard reprennent tous les kilos perdus en l'espace d'une année. Jusqu'ici, personne n'avait présenté d'alternative à ces traitements qui échouent presque à coup sûr. La quantité de glucides absorbée est un facteur primordial, certes, mais nos recherches nous ont permis de découvrir que la fréquence de consommation de glucides était au moins aussi importante. La fréquence gouverne, dans une large mesure, la réaction de faim chez des millions de personnes. Tant professionnellement que personnellement, nous en sommes venus à la conclusion que les régimes amaigrissants qui prescrivent trois (ou plus) petits repas quotidiens contenant chacun une petite quantité de glucides finissent toujours par échouer chez l'accro aux glucides. Pourquoi cela ? Parce que les quantités de glucides contenues dans ces repas, même si elles sont dites faibles, sont d'ordinaire suffisantes pour déclencher la réponse insulinique chez l'accro aux glucides et lui envoyer, peu après, le signal de la faim.

En général, nous conseillons à nos clients de prendre deux repas quotidiens pauvres en lipides et en glucides, et de ne consommer des aliments riches en glucides que lors d'un troisième repas dont la durée ne doit pas dépasser les soixante minutes. De cette façon, le mécanisme responsable de la faim excessive, des fringales récurrentes et du gain de poids est rectifié. La production d'insuline est grandement réduite. L'accro aux glucides se sent alors satisfait après les repas – et le demeure pendant des heures. Enfin, son poids corporel diminue naturellement et le cycle de la dépendance est brisé.

Les glucides

Pour le chimiste, les glucides sont des substances chimiques composées de carbone, d'hydrogène et d'oxygène, et ils se subdivisent en sucres et en amidons.

Pour le nutritionniste, les glucides sont le composant principal de toute diète. Ils prendront la forme de sucres simples ou complexes.

Le terme « sucres simples » désigne des glucides tels que le sucre de la betterave ou de la canne à sucre, appelé « saccharose », et celui du sirop de maïs, appelé « fructose ». Les fruits, les jus de fruits, les sucres de table, et le miel contiennent tous des sucres simples. Alors que les « sucres complexes », ou amidons, se retrouvent principalement dans le pain, les céréales, le riz, les pâtes, les légumineuses, les légumes et les tubercules.

Les glucides sont une source essentielle d'énergie alimentaire. Au cours du processus digestif, les glucides sont transformés en glucose, et c'est sous cette forme qu'ils seront ensuite absorbés dans l'intestin grêle. Le glucose est alors acheminé, par la voie des vaisseaux sanguins, vers les muscles, pour leur fournir de l'énergie, et vers le foie et les cellules adipeuses, pour y être stocké.

L'HISTOIRE DE CAROLE, DEUXIÈME PARTIE

Revenons maintenant à l'histoire de Carole et aux progrès qu'elle a réalisés grâce au Régime minceur.

Nous lui avons décrit les fondements scientifiques de sa dépendance, notamment son trop-plein d'insuline (ou hyperinsulinisme) et la nature de son lien avec l'impression de faim. Nous avons expliqué à Carole que le régime était destiné à réduire ses fringales incontrôlables de glucides et, par le fait même, sa tentation de tricher. Nous l'avons également prévenue que notre régime lui semblerait probablement plus facile à suivre que ceux qu'elle avait essayés auparavant.

Carole nous écouta attentivement, mais elle avoua être plutôt sceptique.

Voici, résumé ici, l'essentiel de son expérience avec le régime :

Jour un. Carole reconnut avoir été surprise par la frugalité de son déjeuner ce jour-là. Cependant, elle attribua sa modération au zèle du débutant, plutôt qu'à une réponse de son corps au petit-déjeuner pauvre en glucides qu'elle avait pris quelques heures avant. Elle savoura son premier Repas-récompense, bien qu'elle ne pût se résoudre à avaler tous les aliments dont elle avait envie. Ainsi, elle mangea un sandwich au rosbif, mais décida de ne pas s'offrir la part de tarte au citron meringuée qu'elle désirait pourtant beaucoup.

Jours 2 et 3. Carole rapporta que les jours deux et trois avaient été « aussi faciles que le premier jour ». La plupart des régimes entraîneront une perte de poids en eau au cours des premiers jours et cela est souvent considéré comme une récompense pour les sacrifices consentis. Toujours est-il que Carole fut agréablement surprise lorsqu'au matin du quatrième jour, elle avait perdu tout près d'un kilo – sans gêne ni impression de faim.

Jour 4. Forte de cette perte de poids, Carole voulut mettre le régime à l'épreuve. Aussi se rendit-elle ce soir-là dans un restaurant local, pour y prendre une copieuse assiette de veau parmesan accompagné de pâtes. Elle mangea également du pain, mais « pour une raison quelconque », nous dit-elle, « je n'y ai pas tartiné de beurre, contrairement à mon habitude. » Son repas comprenait aussi une grande salade agrémentée de vinaigrette et, pour finir, une portion de *spumoni*, un dessert italien à base de crème glacée. Le jour suivant, en montant sur le pèse-personne, elle crut qu'elle serait punie pour sa gourmandise de la veille. Or, son poids n'avait pas changé.

Résultats de la semaine 1. À la fin de la première semaine, Carole avait perdu 1,2 kilos. Elle nous confia que ses sentiments étaient partagés. D'un côté, elle était heureuse de pouvoir manger à sa faim tout en perdant du poids, alors que de l'autre, elle était déçue de ne pas « perdre ses 10 kilos au cours d'une seule et même semaine. » C'est à ce moment que nous lui avons rappelé – comme nous le faisons avec tous ceux et celles qui suivent notre programme – que, pour des raisons de santé, le rythme idéal de perte de poids se situait entre deux cent vingt-cinq et neuf cents grammes par semaine. Un rythme d'environ un demi-kilo par semaine permettrait à Carole d'atteindre en toute sécurité son objectif de 10 kilos en moins.

Résultats de la semaine 2. La seconde semaine presque terminée, Carole confessa avoir l'impression de faire quelque chose de mal chaque soir quand elle prenait son Repas-récompense. Cela ne l'empêcha pas, à la toute fin de la semaine, d'être comblée par une perte de 2 kilos. Nous lui fîmes alors remarquer qu'il s'agissait là d'un rythme plutôt rapide.

Quelques semaines plus tard. Les semaines cinq, six et sept constituèrent une sorte de plateau où les progrès furent à toutes fins utiles nuls. Carole nous raconta que par le passé ces plateaux avaient en général été l'occasion de tricher et, éventuellement, d'abandonner le régime. « Cette fois cependant », précisa-t-elle avec un large sourire, « ça m'est égal : j'ai perdu 4,5 kilos, et c'est la fête tous les soirs ! Dans ces conditions, je pourrais demeurer à ce poids tout en étant parfaitement heureuse. » Néanmoins, elle n'abandonna pas le régime – pas plus qu'elle ne demeura à ce poids.

Quelques mois plus tard. La huitième semaine se solda par une nouvelle perte de poids. La progression se poursuivit, puis à la quatorzième semaine, Carole atteignit son objectif : elle pesait alors 11 kilos de moins que le jour de sa première visite au Centre. Nous avons ensuite travaillé avec Carole à l'individualisation de son programme nutritionnel. Il lui fallait maintenant augmenter légèrement sa consommation de glucides lors de ses repas à faible teneur en glucides. Son poids fut stabilisé, et ce, sans recours à un pénible et inadéquat programme de stabilisation du poids, comme c'est souvent le cas avec d'autres régimes.

Deux ans plus tard. Lors de son second bilan annuel, Carole dépassait à la baisse son poids idéal par un peu plus d'un kilo. Elle nous confia qu'elle adorait son apparence physique et qu'elle était heureuse d'être enfin « en plein contrôle ».

Puis elle ajouta : « Cette façon de vivre est tout simplement merveilleuse ! »

L'expérience de Carole ne dit cependant pas tout. Aussi relaterons-nous dans les prochains chapitres d'autres histoires qui illustreront plus amplement la flexibilité du Régime minceur et les différentes façons de l'adapter à son style de vie. D'importants aspects psychologiques du régime sont aussi à considérer, comme le maniement des déclencheurs individuels qui peuvent faire des ravages considérables. Or, chacun peut apprendre à maîtriser ces déclencheurs, et même à les écarter de sa vie. Des stratégies seront présentées qui faciliteront l'individualisation du régime et favoriseront le maintien durable du poids.

L'histoire de Carole est tout de même typique. Nous l'avons aidée à comprendre qu'elle était accro aux glucides. Elle a ensuite appris quels étaient les effets de ce désordre sur la chimie de son corps et sur son comportement.

Après quoi, comme 80 % des gens qui ont suivi notre programme, elle a perdu – durablement – les kilos dont elle ne voulait pas.

CHOISIR UN RÉGIME

Les programmes amaigrissants standard ne fonctionnent pas chez l'accro aux glucides. Et habituellement, ce dernier endosse lui-même la responsabilité de l'échec. Nous le savons maintenant, les personnes qui ont une dépendance aux glucides ont depuis longtemps suivi des régimes qui n'étaient tout simplement pas appropriés à leurs besoins physiologiques.

Lorsque vous avez besoin d'une paire de souliers, vous n'achetez pas n'importe laquelle. Si un vendeur vous propose des souliers qui ne font pas, qu'ils soient trop petits, trop grands ou trop étroits, vous ne vous sentez pas responsable, n'est-ce pas ?

Il en va de même pour les lunettes, les ordonnances médicales, les chapeaux hauts-de-forme et les prothèses dentaires. Ils vous conviennent ou pas, un point c'est tout. Évidemment, vous comprenez et acceptez cela.

Mais les régimes sont différents.

Quand il est question de régime, la plupart d'entre nous ne raisonnent plus normalement. Nous choisissons un régime plus ou moins au hasard, en ne tenant compte ni de nos besoins, ni de nos préférences, ni de nos forces, ni de nos faiblesses, ni de nos niveaux métaboliques particuliers. Nous optons pour un régime qui réussirait peut-être à quelqu'un d'autre – ou même à personne – et nous présumons qu'il nous conviendra. Nous négligeons de considérer nos besoins.

Puis, un peu plus tard, lorsqu'il est devenu clair que le programme n'apportera pas les résultats souhaités, nous nous en voulons. Nous nous sentons responsables de l'échec, alors qu'en fait c'est le régime qui a échoué.

Peut-être le régime n'était-il pas adéquat.

Et peut-être le Régime minceur l'est-il, lui.

2

À PROPOS DE L'INSULINE

La notion de dépendance à la nourriture n'est pas nouvelle. Déjà, dans les années quarante, les scientifiques soulignaient la possibilité d'une dépendance à certains aliments. Au début des années soixante, d'autres observations vinrent renforcer la thèse de la dépendance à la nourriture, aux glucides en particulier.

J. Kemp fut le premier à faire paraître un article sur le sujet. En 1963, dans la revue *Practitioner,* il rapporta : « ...plusieurs sujets obèses présentent une dépendance aux glucides. »

Plusieurs articles scientifiques traitant des mécanismes de la dépendance aux glucides parurent par la suite, mais ce n'est qu'au milieu des années quatre-vingts qu'on assista à une véritable intensification de la recherche. On peut présumer que l'intérêt considérable que suscita le sujet fut en grande partie le résultat d'un autre champ d'exploration scientifique, celui des médiateurs chimiques du cerveau, la sérotonine tout particulièrement. Un survol des archives de la revue *Index Medicus* indique que, pour la seule année 1986, quelque cinq cents articles ont été publiés sur la question de la dépendance aux glucides; plus de six cent cinquante en 1987, neuf cents en 1988, et au-delà de mille pour l'année 1989.

L'intérêt ne cesse de grandir. Quelques-unes des meilleures revues scientifiques continuent de publier des articles sur le sujet, notamment : *New England Journal of Medecine, The Lancet, American Journal of Clinical Nutrition, International Journal of Obesity, Annals of the New York Academy of Science, American Journal of Physiology, Journal of Clinical Endocrinological Metabolism, Metabolism, American Journal of Medical Genetics, British Journal of Clinical Phychology, Journal of Clinical Investigation,* et plusieurs autres.

Les quelques extraits qui suivent illustrent l'évolution des connaissances. En 1987, dans *Pediatric Clinics of North America,* Kathleen Mahan faisait remarquer :

> « Certains facteurs physiologiques chez les personnes obèses [...] qui donnent lieu à une prise de poids accélérée et éventuellement à l'obésité, et qui tendent à perpétuer cet état [...] sont imputables à des niveaux anormaux de neuromédiateurs, comme la sérotonine [...] et à des niveaux anormaux d'hormones, comme l'insuline. »

En 1988, dans la revue *American Journal of Clinical Nutrition,* J. Rodin, R. Reed et L. Jamner signalèrent :

> « L'étroitesse du rapport entre la réponse insulinique rapide et l'absorption de nourriture chez les sujets obèses mérite une attention spéciale, l'obésité étant associée à des changements de la sensibilité et de la réactivité à l'insuline. »

et plus loin :

> « Le rapport étroit obtenu entre l'absorption de nourriture et la sécrétion d'insuline dans les trente premières minutes suivant l'ingestion de sucre fut observé presque exclusivement chez les sujets obèses. »

et encore :

> « Ces résultats semblent indiquer qu'un aspect plus dynamique de la sécrétion d'insuline, comme son rythme de changement

dans le temps, pourrait davantage s'avérer déterminant dans la consommation subséquente de nourriture que ne le serait le taux de sécrétion en tant que tel. »

D'autres auteurs ont formulé des observations relatives à la sécrétion d'insuline et à l'obésité qui sont venues étayer les précédentes conclusions. En voici quelques exemples :

> « L'hyperinsulinisme peut être retracée génétiquement et elle est un précurseur de l'obésité. »
>
> – F. Contaldo, dans *The Body Weight Regulatory System* (1981)

> « On note fréquemment un taux d'insuline élevé dans le sang des personnes obèses, et ces taux sont excessivement élevés après l'absorption de glucose. »
>
> – I. McLean Baird et A. Howard, dans *Obesity : Medical and Scientific Aspects* (1981)

> « Chez certains individus obèses, les gains de poids sont causés par une consommation sélective et excessive de calories glucidiques. Il est probable qu'un traitement ayant pour base une restriction alimentaire générale ou un régime ayant pour effet d'inhiber la production de sérotonine par le cerveau, comme les programmes à faible teneur en protéines, aura peu de chances de réussite chez ces personnes. »
>
> – L. Altomonte, et al., dans *Pharmacology* (1988)

Ces citations pourraient s'étendre sur des pages et des pages, toutefois l'essentiel du message apparaît déjà clairement : l'existence d'un rapport entre les problèmes pondéraux et un mécanisme biologique sous-jacent est incontestable. Certes, le phénomène n'a pas encore été entièrement cerné, mais ce lien fondamental est indéniable.

PAS UNE, MAIS *DES* FAIMS

Traditionnellement, les chercheurs ont distingué deux états liés à la faim chez les personnes de poids normal. Le premier est celui que les non-initiés appelleraient la faim, cet état où l'on éprouve le désir de manger.

Cette envie de manger provoque une réponse alimentaire sous l'impulsion de laquelle l'individu cherchera à absorber des aliments dans le but de calmer sa faim.

Le second état se caractérise par l'impression de satisfaction qui succède à la consommation de nourriture. La satiété est le signal que le temps est venu de cesser de manger, que le désir à l'origine de l'épisode alimentaire a été assouvi.

Ces deux états liés à la faim ont jusqu'ici été considérés comme typiques chez les gens de poids normal. Mais nous croyons que la séquence serait en fait plus complexe que cela, spécialement chez les accros aux glucides.

Les recherches que nous avons menées au Centre de lutte contre la dépendance aux glucides et au Centre médical Mount Sinaï nous ont permis d'identifier quatre états liés à la faim. Voici une brève description de chacun d'eux :

LA FAIM COMMUNE OU ORDINAIRE

Elle se présente comme une envie pressante de manger. Bien qu'intense, cette faim peut passer et réapparaître un peu plus tard. La faim dite « normale » appartient à cette catégorie.

La majorité des accros aux glucides disent que c'est l'étape de la faim où leur réponse alimentaire est la moins difficile à contrôler.

LA FAIM SPÉCIFIQUE OU LA FRINGALE

La fringale est cette envie irrépressible de consommer un aliment (ou groupe alimentaire) en particulier. La fringale ne disparaît habituellement pas et tend à s'intensifier. Bien que cette faim se rencontre autant chez les personnes normales que chez les accros aux glucides, elle est plus fréquente et intense chez les seconds. En outre, la fringale peut s'intensifier au point de devenir une dépendance.

LA FAIM GÊNANTE OU INCOMMODANTE

Elle se traduit par une envie de grignoter. Il s'agit d'une faim moins intense mais tout aussi persistante que la fringale. Elle s'accompagne souvent d'un vague sentiment d'inconfort et, à l'occasion, de l'espoir de découvrir l'aliment qui viendra chasser l'impression d'insatisfaction – un aliment qui n'existe pas.

Il est très rare que l'on arrive à identifier l'aliment ou le groupe alimentaire qui s'avérera satisfaisant. Le mangeur en état d'insatisfaction recherchera la satiété en essayant toutes sortes d'aliments. L'image qui représente bien cet état de faim est celle d'une personne debout devant un réfrigérateur ouvert, à la recherche de quelque chose à manger. Si cette faim se rencontre plus fréquemment chez les accros aux glucides que chez les personnes normales, son intensité est cependant similaire dans les deux cas.

LA FAIM SUBCONSCIENTE

Le plus souvent, on ne devient conscient de cette faim qu'au moment où une envie soudaine de manger se manifeste. La faim subconsciente se traduit par une envie intense et incontrôlable de manger et elle se solde habituellement par une consommation non planifiée de nourriture.

Ces moments où l'accro aux glucides dévore en étant à peine conscient de sa perte de contrôle sont ce que nous appelons des épisodes de « consommation impulsive » de nourriture. Les personnes normales et celles qui n'ont qu'une faible dépendance aux glucides attribuent ces épisodes de consommation impulsive à l'habitude, mais elles admettent aussi être parfois incapables de s'arrêter même lorsqu'elles le voudraient. Lors des épisodes de consommation impulsive, il n'est pas rare que les aliments soient avalés rapidement, sans avoir été suffisamment mastiqués.

Au moment où la recherche fondamentale commence à élucider certains des mécanismes biologiques et chimiques de la dépendance aux glucides, la recherche clinique que mènent plusieurs scientifiques, comme nous, contribue au développement d'une meilleure compréhension des facteurs biologiques et comportementaux de ce désordre.

LE DÉSORDRE DU TRANSPORT DU GLUCOSE

Comme nous l'avons expliqué au chapitre précédent, pour beaucoup de personnes, la dysfonction physiologique qui conduit à la dépendance aux glucides est imputable à un déséquilibre insulinique. Alors qu'il existe une variété de modèles explicatifs aux problèmes de surplus pondéraux en général (une douzaine ont été identifiés et définis chez des animaux de laboratoire), nous croyons que, chez les humains, c'est l'hyperinsulinisme qui explique le mieux les fringales et la faim récurrentes, et la tendance naturelle du corps à emmagasiner les graisses.

Selon nos recherches, le surpoids serait le symptôme d'un trouble sous-jacent, et non pas le trouble lui-même. L'altération des interactions normales entre les divers facteurs impliqués est susceptible de causer différents déséquilibres biologiques. Au nombre des facteurs précipitants, on retrouve le type et la quantité d'aliments ingérés, et la fréquence des consommations. D'autres facteurs moins faciles à cerner jouent aussi un rôle, telles l'utilisation faite par l'organisme de la nourriture absorbée (déterminée en partie par l'hérédité) et les interactions entre les neurotransmetteurs, les enzymes, les hormones et les récepteurs hormonaux.

Nous pensons que, dans une certaine mesure, et chez une grande part de la population, ces facteurs sont les participants potentiels de ce que nous avons appelé le « désordre du transport du glucose ». Avant de se pencher sur les dysfonctions qui caractérisent le désordre du transport du glucose, il est nécessaire de bien comprendre le fonctionnement de base d'une partie du système endocrinien, nommément le pancréas et ses hormones.

Le pancréas est un organe de forme allongée et étroite, ayant à peu près la longueur d'une main. Situé derrière l'estomac, il joue un rôle essentiel dans le contrôle de la « nourriture » acheminée vers les cellules de l'organisme. Il gère cette nourriture à l'aide de trois hormones : l'insuline, le glucagon et la somatostatine.

Une fois les glucides consommés, le taux de glucose sanguin, qui est la nourriture de base des cellules, commence à grimper. Le pancréas réagit alors à l'absorption des glucides en libérant de l'insuline.

L'insuline atteint les cellules en empruntant le système sanguin. Puis elle se fixe aux sites récepteurs de la membrane cellulaire, ce qui facilite le « transport » du glucose depuis le sang jusqu'à l'intérieur des cellules elles-mêmes. Cela suppose que les sites récepteurs (ou les récepteurs d'entrée) situés à la surface de la cellule sont activés. De cette façon, les cellules musculaires et adipeuses sont stimulées à absorber les taux élevés de glucose sanguin par ces « portes » afin d'accumuler l'énergie nécessaire à leurs activités.

L'insuline facilite également la conversion du glucose en glycogènes et triglycérides avant qu'ils ne soient stockés dans le foie. Une seconde hormone pancréatique est impliquée dans le cycle glucose/glycogène, il s'agit du glucagon. Lorsqu'il a besoin d'énergie, l'organisme fait appel à cette hormone afin qu'elle décompose le glycogène emmagasiné. Le glucagon, une fois libéré dans le système sanguin, a aussi pour effet de faire augmenter le taux de glycémie (teneur du sang en glucose). Les chercheurs ne sont cependant pas encore arrivés à expliquer complètement le rôle de la somatostatine, la troisième hormone pancréatique, mais tout porte à croire qu'elle interviendrait dans la régulation de la production et la libération de l'insuline et du glucagon.

L'insuline agit directement sur les régulateurs du système nerveux central, et sert ainsi d'intermédiaire dans la communication des besoins de manger et de cesser de manger. À travers un processus complexe, encore méconnu, l'insuline orchestre l'action des substances qui agissent comme régulateurs – la norépinéphrine, la sérotonine et la dopamine mésolimbique. Ce qui signifie qu'en temps normal, l'insuline avise le cerveau de libérer un neurotransmetteur, la sérotonine, après chaque repas. La sérotonine ordonne ensuite aux cellules du corps de ne plus ressentir la faim.

Chez les gens normaux, le taux de glucose sanguin fluctue en fonction de divers facteurs, mais demeure toujours à l'intérieur de limites fixes. Le pancréas du mangeur normal sécrète ainsi juste assez d'insuline pour suffire aux besoins nutritifs de son organisme : les récepteurs d'entrée font en sorte que les cellules reçoivent la bonne quantité de glucose et l'insuline participe à la conversion de la quantité adéquate de glucose en glycogène. Une impression de satiété résulte des modifications qui surviennent dans la chimie du cerveau. En outre, le rapport insuline/glucose varie graduellement.

Il est indispensable de comprendre que chez les personnes normales comme chez les accros aux glucides, la libération de l'insuline s'effectue en deux phases. Les scientifiques parlent d'un processus « biphasique ».

La première, la « phase de préchargement », débute quelques minutes après l'ingestion de glucides. Pendant cette phase, le pancréas libère des quantités fixes d'insuline, peu importe la quantité de glucides absorbée sur le moment. La mesure d'insuline relâchée dans l'organisme dépend en réalité de la quantité de glucides absorbée lors du ou des repas précédents. Ainsi, alors que la phase initiale de libération de l'insuline est déclenchée quelques minutes après la consommation de glucides, la quantité de glucides consommée pendant ce repas n'influence pas la mesure d'insuline libérée.

À l'inverse, la seconde phase de libération de l'insuline, qui se produit dans les soixante-quinze à quatre-vingt-dix minutes suivant le repas, est fonction de la quantité de glucides absorbée lors de ce repas. Le corps décide alors si l'insuline libérée pendant la première phase sera suffisante pour traiter la quantité de glucides consommée. Lors de la seconde phase, la quantité d'insuline produite et libérée est ajustée selon les besoins suscités par le dernier repas. Si la quantité de glucides absorbée requiert une dose d'insuline supérieure à celle initialement libérée, une seconde mesure d'insuline sera alors relâchée dans l'organisme.

Chez l'accro aux glucides, plusieurs de ces processus biologiques ne s'opèrent pas comme ils le devraient, et ce, dès l'étape de transport du glucose. La conséquence, pour des raisons que l'on ne connaît pas encore, est un niveau élevé prolongé de glucose sanguin (ou hyperinsulinisme). Certaines études ont démontré que les personnes ayant de l'embonpoint ont des taux beaucoup plus élevés d'insuline dans le sang que celles de poids normal.

On a remarqué que les taux élevés d'insuline coïncident avec une baisse du nombre et de la sensibilité des sites récepteurs des cellules musculaires et adipeuses. Cet état, pendant lequel les cellules ont une capacité réduite d'absorption de l'insuline et du glucose, est appelé « insulinorésistance ». Bien qu'aucune relation de cause à effet n'ait été prouvée hors de tout doute, on peut facilement croire à l'existence d'une telle relation entre le ralentissement de l'efficacité des sites de fixation de l'insuline d'une part et l'apparition d'une insulinorésistance de l'autre. Cette hypothèse est renforcée par l'observation de variations de l'insulinosensibilité chez beaucoup de personnes en surpoids. Il a déjà été établi que chez la souris génétiquement obèse, l'hyperinsulinisme est un précurseur de l'obésité.

Cela signifie que lorsqu'il y a trop longtemps un surplus d'insuline dans le sang, les cellules, paradoxalement, modifient leur comportement en acceptant moins d'insuline, ce qui a pour effet d'entraver l'acheminement du glucose sanguin vers les tissus. En d'autres termes, plus les taux d'insuline demeurent élevés pendant longtemps, moins les sites d'entrée de l'insuline seront nombreux.

Le glucose, toujours aidé de l'insuline, est apparemment converti en glycogènes et en triglycérides via le foie. Chez les animaux, les injections d'insuline ont engendré de l'embonpoint parce que l'insuline semble stimuler la synthèse des graisses. On peut donc dire, en termes simples, que l'obésité se développe en présence d'un excédent d'insuline.

Les dérèglements affectent également la chimie du cerveau. Le signal de satisfaction n'étant jamais envoyé, la personne continue de manger. Les dérangements provoqués par un trop-plein d'insuline sont tels qu'ils engendrent une envie irraisonnée de consommer des glucides. Et cette frénésie alimentaire s'avère pratiquement impossible à satisfaire. Ainsi, l'hyperinsulinisme prolongé contribue non seulement à la prise de poids, mais il participe également à la récurrence de la faim de glucides.

Comme si cela ne suffisait pas, l'hyperinsulinisme peut aussi favoriser un chargement plus élevé d'insuline en prévision du prochain épisode de consommation de glucides. Les scientifiques ont prouvé que la quantité d'insuline produite chez les personnes obèses lors de la phase de préchargement est considérablement plus grande que celle produite par les personnes minces. Par conséquent, une trop grande quantité d'insuline sera libérée lors de la prochaine absorption de glucides, ce qui aura pour effet de perpétuer et d'amplifier le cycle biochimique.

Il y a encore d'autres conséquences à un surplus d'insuline. Soit elles sont à l'état d'hypothèse, soit elles viennent à peine d'être mises à jour et nécessitent de plus amples recherches. C'est le cas des études qui sont effectuées sur les effets de l'insuline sur le métabolisme des acides aminés (les constituants de la protéine) et des lipides (les graisses) dans le sang, ainsi que sur divers processus intracellulaires.

En résumé, l'accro aux glucides est victime de cette suite d'événements :

1. Une trop grande quantité d'insuline est produite par rapport à la quantité de glucides absorbée ;

2. Ce surplus d'insuline provoque une baisse du nombre de récepteurs d'entrée (qui s'accompagne d'un ralentissement de l'élimination de l'insuline et du glucose dans le sang) ;

3. Le niveau de sérotonine ne s'élève pas suffisamment pour que survienne la sensation que nous appelons la « satisfaction ». Cela étant, l'accro aux glucides ne reçoit pas le signal de cesser de manger et continue à absorber des aliments riches en glucides ;

4. La production d'insuline augmente à chacune des consommations subséquentes de glucides ;

5. L'absorption d'une plus grande quantité de glucides, à une fréquence plus élevée, n'engendre pas la satisfaction recherchée.

LES RECHERCHES ACTUELLES AU CENTRE MÉDICAL MOUNT SINAÏ

Dans le but d'examiner les effets de la consommation de nourriture sur les mécanismes chimiques, nous avons procédé à une étude clinique sur des sujets accros aux glucides et des sujets normaux. Les participants des deux groupes devaient adopter une diète comparable pendant toute la durée de l'expérience, soit deux périodes de quatre semaines chacune. Toutefois, la répartition des glucides était différente pour chacune des deux périodes.

Pour l'une des périodes, les glucides étaient répartis sur les trois repas quotidiens, tandis que pour l'autre, les glucides étaient concentrés dans le même repas.

Nous avons évalué la sensation de faim de même que les changements de poids des sujets. Les résultats révélèrent que la fréquence de consommation des glucides avait eu une incidence sur la sensation de faim et sur le poids des sujets des deux groupes, mais les accros aux glucides furent affectés à un degré beaucoup plus élevé. Le poids et la sensation de faim augmentèrent tous deux proportionnellement à l'augmentation de la fréquence des repas contenant des glucides. Chez les accros aux glucides, ces changements furent encore plus marqués lorsque la consommation totale quotidienne de nourriture était la même et que seule la fréquence d'absorption de glucides était réduite.

Nous avons conclu qu'en ne consommant qu'un seul repas riche en glucides par jour, l'accro aux glucides ressentait une faim moins intense, ses fringales étaient plus rares et ses pertes de poids plus grandes.

Ces résultats semblent attribuables à :

1. Une sécrétion ou libération d'insuline réduite ;
2. Une augmentation des sites récepteurs (due au faible niveau d'insuline), accompagnée d'une hausse du rythme d'élimination de l'insuline dans le sang.

Cela implique pour l'accro aux glucides qu'en modifiant la fréquence de ses consommations quotidiennes de glucides, il lui est possible de réduire l'intensité et la récurrence de sa faim et de ses fringales, et d'améliorer considérablement ses chances de maigrir.

Nous poursuivons nos recherches dans diverses voies connexes, notamment du côté des taux de cholestérol et de triglycérides et leur rapport avec la fréquence d'absorption des glucides.

Nos recherches, comme celles d'autres chercheurs, indiquent que les accros aux glucides diffèrent grandement des autres de par les processus biologiques qui gouvernent leurs faims irraisonnées.

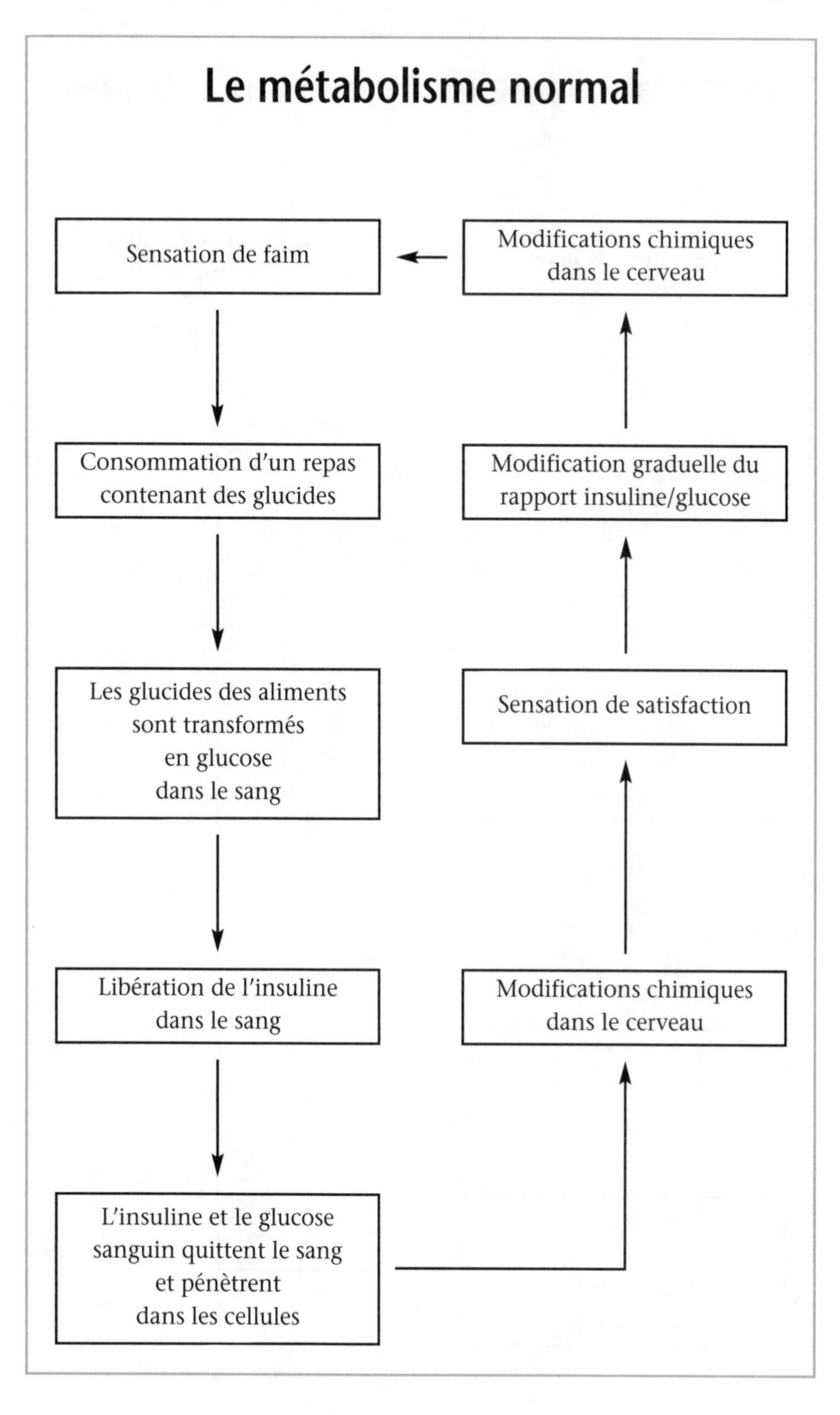
Le métabolisme normal
Sensation de faim
Modifications chimiques dans le cerveau
Consommation d'un repas contenant des glucides
Modification graduelle du rapport insuline/glucose
Les glucides des aliments sont transformés en glucose dans le sang
Sensation de satisfaction
Libération de l'insuline dans le sang
Modifications chimiques dans le cerveau
L'insuline et le glucose sanguin quittent le sang et pénètrent dans les cellules

Le métabolisme de l'accro aux glucides

Sensation de faim

Consommation d'un repas contenant des glucides

Les glucides des aliments sont transformés en glucose dans le sang

Libération excessive d'insuline dans le sang

Une quantité excessive d'insuline demeure dans le sang

Aucune modification chimique dans le cerveau

Les scientifiques sont d'avis que ces différences dans les processus biologiques prédisposent certaines personnes à l'obésité. Ces gens ressentiront des envies irrépressibles d'absorber des glucides et auront du mal à contrôler leur alimentation. Leur corps serait, en quelque sorte, destiné à stocker les graisses. Ces processus ont d'ailleurs été observés chez les animaux génétiquement prédisposés à l'embonpoint.

La recherche semble donc indiquer que, à cause de leur bagage génétique, beaucoup de personnes en surpoids sont des accros aux glucides et ont une tendance marquée – d'origine biologique – à grossir. Si leur trouble sous-jacent n'est pas traité, ces personnes sont également prédestinées à demeurer obèses.

Pourtant, la science, dans son perpétuel mouvement vers l'avant, en est aujourd'hui arrivée à une meilleure compréhension des problèmes biologiques sous-jacents. Aussi offre-t-elle maintenant un nouvel espoir à l'accro aux glucides.

3

LE TEST DE DÉPENDANCE AUX GLUCIDES

Le Régime minceur a été créé pour les accros aux glucides. Il ne s'agit pas d'un régime qui peut réussir à tous – simplement parce qu'un tel régime universel n'existe pas. Bien que le Régime minceur puisse fonctionner à court terme pour le non-accro, ce dernier n'obtient habituellement pas tous les bienfaits que retire l'accro aux glucides de ce programme.

Il était donc important de donner à nos clients du Centre ainsi qu'aux lecteurs de ce livre les moyens de distinguer la dépendance aux glucides des autres désordres alimentaires. C'est la raison pour laquelle nous avons élaboré un test de dépistage de la dépendance aux glucides, le « Test de dépendance aux glucides ».

Vous trouverez ci-après les directives du Test suivies du Test complet. Tout ce qu'il requiert, c'est que vous répondiez le plus honnêtement possible.

DIRECTIVES

1. Répondez au test seul, dans un endroit calme où l'on ne risque pas de vous déranger.

2. Pour chacune des questions, répondez par oui si c'est *habituellement le cas* et par non si ce n'est *habituellement pas le cas.*

3. Répondez comme si vous n'étiez pas au régime et ne vous préoccupiez pas du calcul des calories ou de votre poids.

4. Si vous êtes incertain d'une réponse, prenez le temps de réfléchir. Vous n'avez pas à être sur la défensive ; vous n'aurez de comptes à rendre à personne. Répondez le plus franchement possible.

5. Ce test est fondé sur des données statistiques du domaine des troubles du comportement alimentaire et il tient compte de la complexité de l'être humain. Alors ne vous en faites pas, *votre* réponse est la bonne réponse pour vous.

6. Abordez chaque question indépendamment des autres et n'essayez pas de relier les questions entre elles. Enfin, ne vous laissez pas distraire par le nombre de oui ou de non que vous inscrivez.

L'histoire de Carmen : un cas typique

Carmen R. n'a pas perdu de temps. « Je suis accro aux glucides », nous assura-t-elle d'emblée, au téléphone, avant même sa première visite au Centre. « Je l'ai été toute ma vie. »

Elle s'adressa à nous sur les conseils de l'une de ses cousines qui suivait le Régime minceur. Elle nous téléphona après avoir vu sa cousine pour la première fois depuis plusieurs mois.

« Elle était superbe », nous raconta Carmen. Puis elle nous expliqua que si la réussite de sa cousine l'avait impressionnée, elle fut littéralement conquise lorsqu'elle l'entendit parler de « dépendance aux glucides ». « J'en suis presque tombée de ma chaise ! », continua-t-elle. « Puis, je me suis dit : "Mais c'est cela mon problème ! " »

Nous lui avons alors fixé un rendez-vous. Elle était si enthousiaste qu'elle se présenta au Centre une trentaine de minutes avant l'heure de la rencontre. Elle avait cinquante-cinq ans, les cheveux noirs, parsemés de mèches grises. Son surplus pondéral était de près de 20 kilos.

« Quelque chose se détraque dans mon corps lorsque je mange du pain, des pâtes ou du dessert », confia-t-elle. « Après avoir mangé, au lieu de me sentir rassasiée, je me sens insatisfaite. Je sens bien que mon ventre est plein, mais ma faim n'est pas apaisée. Et deux heures plus tard, je meurs de faim. »

Puis elle nous raconta plus en détail son histoire. Nous y trouvions tous les signes typiques de la dépendance aux glucides. « Manger ne me plaît pas tant que cela ; j'ai surtout du mal à m'arrêter. »

Elle était consciente du caractère pathologique de son problème : « Un jour, j'ai vu un reportage à la télé, où l'on racontait comment les toxicomanes souvent commencent à se droguer pour le sentiment de bien-être que cela leur procure. On disait aussi que plus tard le même individu se droguait afin de ne pas vivre l'état de manque. J'ai pensé que cela me ressemblait. »

Comme elle présentait les symptômes, nous lui avons fait passer le Test de dépendance aux glucides. C'est toutefois sans surprise que nous avons constaté qu'elle appartenait à la catégorie des dépendances fortes.

Carmen a ensuite suivi notre programme – et cela fut un succès. Sa perte de poids, constante et agréable, fut d'environ sept cents grammes par semaine. Elle disait planifier ses repas-récompenses avec une attention et un plaisir particuliers. « J'ai un régime alimentaire avec lequel je peux vivre sans problème pour le reste de ma vie. Et je n'ai même pas l'impression d'être au régime ! »

Au moment d'écrire ces lignes, Carmen maintenait son amincissement depuis quatre ans déjà. Elle habite maintenant la Floride et se dit heureuse de pouvoir enfin porter des shorts.

LE TEST DE DÉPENDANCE AUX GLUCIDES

Répondez à chaque question par oui ou par non.

1. O____ Je ressens des coups de fatigue ou des fringales au milieu de l'après-midi.

2. ______ Une heure environ après avoir pris un repas avec dessert, j'ai envie de reprendre du dessert.

3. ______ Lorsque je prends un petit-déjeuner complet, il m'est plus difficile de contrôler ma faim tout au long de la journée que si je n'avais avalé qu'un café ou rien avalé du tout.

4. ______ Lorsque je désire perdre du poids, je trouve plus facile de ne pas manger pendant la majeure partie de la journée que de prendre de petits repas.

5. ______ J'éprouve de la difficulté à arrêter de manger des sucreries, des friandises ou des féculents une fois que j'ai commencé.

6. ______ Je préfèrerais prendre un repas ordinaire qui comprendrait un dessert qu'un repas gastronomique qui n'en comprendrait pas.

7. ______ Après un repas, j'ai parfois l'impression que je pourrais retourner à table et recommencer tout le repas.

8. ______ Un repas composé uniquement de viande et de légumes me laisse insatisfait.

9. ______ Quand j'ai le cafard, un simple en-cas me remet d'aplomb.

10. ______ Lorsqu'il y a des pommes de terre, du pain, des pâtes ou du dessert sur la table, j'oublie souvent les légumes.

11. ______ J'ai l'impression d'être abattu, comme « drogué », après un repas comprenant du pain, des pâtes, des pommes de terre ou du dessert.

12. ______ Quand je ne suis pas en train de manger, je suis parfois irrité de voir les autres qui mangent.

13. ______ J'ai parfois du mal à aller au lit sans une collation nocturne.

14. ____ Il m'arrive de me réveiller au milieu de la nuit et de ne pas me rendormir avant d'avoir avalé quelque chose.

15. ____ Avant d'aller dîner chez des amis, je mange parfois quelque chose au cas où le repas serait retardé.

16. ____ De temps à autre, je me demande si je ne serais pas un mangeur « clandestin ».

17. ____ Au restaurant, je mange presque à coup sûr trop de pain, parfois même avant que le repas ne soit servi.

CALCULEZ VOTRE SCORE

Pour évaluer votre score, additionnez les valeurs correspondant aux questions où vous avez répondu oui.

Question	*Valeur*
1	4
2	5
3	3
4	4
5	3
6	3
7	5
8	3
9	3
10	3
11	4
12	4
13	3
14	3
15	5
16	3
17	2

Score maximal possible : 60

EXEMPLE DE CALCUL DE SCORE

Si, par exemple, vous avez répondu oui aux questions 1, 3, 4 et 7, encerclez-les sur le tableau ci-dessus et reportez-vous à la valeur indiquée pour chacune d'elles (la question 1 vaut 4 points; la question 3, 3 points; la question 4, 4 points; et la question 7, 5 points). Faites ensuite l'addition (4 + 3 + 4 + 5 = 16).

Le développement du test

Nous avons demandé aux gens avec qui nous travaillions au Centre de lutte contre la dépendance aux glucides de nous fournir leur inventaire nutritionnel quotidien afin que nous puissions répertorier les grandes tendances de leurs habitudes alimentaires. Le Test est le résultat de l'analyse rigoureuse de centaines d'inventaires nutritionnels quotidiens.

Nous avons en outre étudié attentivement l'histoire personnelle de plus de mille accros aux glucides et celle d'au-delà de sept cents sujets (non-accros) faisant partie d'un groupe de contrôle dans le but de reconnaître les différents modèles comportementaux propres à l'accro aux glucides.

Notre objectif comportait deux volets. D'abord, nous devions mettre au point un système qui nous permettrait de dépister les accros aux glucides parmi les personnes qui nous consultaient; nous savions qu'en identifiant dès le départ les candidats au Régime minceur, les chances de réussite devenaient prévisibles. En termes scientifiques, ce premier objectif consistait à établir la validité du Test.

Il nous fallait aussi trouver une façon fiable d'écarter dès le début les personnes qui n'appartenaient pas au groupe des accros aux glucides, le Régime minceur ayant très peu de chances de leur réussir. En termes scientifiques, nous devions établir la spécificité du Test.

Au fil des sept années pendant lesquelles nous avons travaillé à son élaboration, le Test a été remodelé et réévalué à cinq reprises. La première version du questionnaire permettait d'identifier avec précision 78 % des accros aux glucides. Par contre, il considérait aussi comme des accros aux glucides 26 % des personnes normales qui faisaient le Test (on les appelle « faux positifs »). De toute évidence, le Test se devait de gagner en précision.

En conséquence, les versions subséquentes du questionnaire ont été améliorées tant sur le plan de la validité que de la spécificité. La version actuelle du Test permet d'identifier un remarquable 87 % des accros aux glucides qui s'y soumettent. La précision du Test est également exceptionnelle : seulement 4 % des individus normaux qui répondent au questionnaire sont identifiés comme accros aux glucides. (Les autres, 9 % des personnes testées, présentent une dépendance aux glucides associée à un ou plusieurs autres désordres alimentaires.)

CE QUE VOTRE SCORE RÉVÈLE

En bref, plus votre score est élevé, plus votre dépendance aux glucides est forte. Un score élevé signifie aussi qu'il est probable que vous ayez jusqu'ici éprouvé de la difficulté à suivre des régimes amaigrissants qui ne prenaient pas en compte la dépendance aux glucides.

Votre score total vous indiquera si votre cas relève de la dépendance douteuse, de la dépendance légère, de la dépendance modérée ou de la dépendance forte aux glucides. Une description de chacune de ces catégories est proposée ci-après.

DÉPENDANCE DOUTEUSE	(21 ou moins)
DÉPENDANCE LÉGÈRE	(22 à 30)
DÉPENDANCE MODÉRÉE	(31 à 44)
DÉPENDANCE FORTE	(45 à 60)

DÉPENDANCE DOUTEUSE

Un score inférieur ou égal à 21 indique habituellement que vous n'avez pas vraiment de mal à contrôler votre alimentation ni votre poids ou que si vous éprouvez de telles difficultés, il y a de fortes chances que la cause ne soit pas reliée à votre consommation de glucides. Dans ce cas, il serait préférable que vous consultiez votre médecin afin d'en discuter.

Cela dit, certaines des personnes qui appartiennent à cette catégorie adoptent quand même le Régime minceur et obtiennent d'excellents résultats. Nous tenons simplement à vous rappeler que la fonction principale de notre programme n'est pas de traiter ce type de problème.

DÉPENDANCE LÉGÈRE

Si votre score se situe entre 22 et 30, vous avez une tendance à la dépendance aux glucides, mais vous contrôlez relativement bien vos pulsions.

Il vous arrive parfois de manger plus d'aliments riches en glucides que ce que vous aviez prévu. Peut-être dévorez-vous par habitude ou lorsque vous vous ennuyez. Ou encore, vous avalez sous l'effet du stress ou de la fatigue. À l'occasion aussi, vous vous récompensez (ou d'autres le font) avec de la nourriture pour avoir accompli des tâches fatigantes ou ingrates. De plus, vous éprouvez généralement un grand plaisir à manger dans divers contextes sociaux.

Il est peu probable que votre poids vous cause de sérieux problèmes, mais peut-être aimeriez-vous tout de même perdre quelques kilos afin d'améliorer votre état de santé ou pour des raisons esthétiques. Il ne serait d'ailleurs pas surprenant que vous ayez déjà entrepris des régimes, que vous trouviez trop restrictifs, stricts ou futiles, que vous avez abandonnés en vous disant qu'ils n'en valaient pas la peine.

Le Régime minceur vous aidera à ne pas passer aux niveaux supérieurs de dépendance. Vous perdrez du poids et prendrez plaisir à manger – sans calculer les calories ni comparer les aliments, sans mesurer ni peser vos portions, comme c'est trop souvent le cas avec d'autres programmes amincissants. Surtout, vous découvrirez qu'il vous est possible de mincir tout en consommant vos plats préférés – à satiété.

DÉPENDANCE MODÉRÉE

Un score compris entre 31 et 44 suppose que vous connaissez des faims récurrentes et des fringales incontrôlables. Et bien que leur intensité soit sans doute variable, elles vous ont sûrement nui au cours de vos régimes passés. Vous ressentez parfois des envies violentes de grignoter ou d'avaler des friandises, mais vous arrivez tant bien que mal à vous maîtriser dans la plupart des cas. Par contre, il y a aussi ces moments où, sous l'effet d'un stress ou d'une pression quelconque, vous perdez carrément le contrôle de votre consommation alimentaire.

La plupart des gens aux prises avec une dépendance modérée aux glucides se font régulièrement du souci au sujet de leur poids ou de leurs habitudes alimentaires. Il est fréquent qu'ils se contraignent à tenter quelque chose pour maigrir. Les accros modérés aux glucides se sentent souvent coupables de leur condition – jusqu'au jour où ils reconnaissent l'existence probable d'un désordre physiologique.

Si vous êtes modérément accro, le Régime minceur vous aidera à vous défaire de vos fringales de friandises, de féculents et de sucreries. Par le fait même, vous perdrez du poids – durablement – sans éprouver ce pénible sentiment de privation dont vous avez possiblement fait l'expérience au cours de vos régimes antérieurs. Le Régime minceur vous offre un programme vivable et satisfaisant comprenant entre autres un repas-récompense quotidien lors duquel vous pouvez déguster vos aliments préférés. Et, vous ne vous en plaindrez pas, la majorité des gens que nous traitons disent se sentir nettement plus énergiques.

DÉPENDANCE FORTE

Un score supérieur à 45 indique que votre alimentation et/ou votre poids vous préoccupent sûrement beaucoup. La plupart des gens avec qui nous travaillons et qui font partie de cette catégorie éprouvent des fringales et des faims récurrentes qui, par moment, peuvent être très intenses, voire insoutenables.

Il appert que les personnes fortement accros aux glucides ne sont capables de suivre un régime que pour une durée limitée. Règle générale, elles se rendent rapidement à l'évidence qu'elles n'y arriveront pas. Ce n'est ensuite qu'une question de temps avant qu'elles ne se remettent à engloutir ces mêmes aliments qu'elles désiraient pourtant éviter.

Les personnes souffrant d'une dépendance forte aux glucides sont sujettes aux sautes d'humeur, et sont souvent irritables, nerveuses, fatiguées ou amorphes. Elles se sentent aussi parfois prisonnières, désespérées et privées de contrôle sur elles-mêmes. En outre, ces personnes savent bien ce qu'est le syndrome du « yo-yo », puisque, dans leur recherche d'un régime aux effets durables, elles entament et abandonnent une multitude de programmes.

Si vous êtes fortement accro aux glucides, le Régime minceur devrait se révéler plus facile à suivre que tous les autres programmes amincissants que vous avez entrepris dans le passé. Comme il a été conçu pour réduire votre faim et vos fringales, il diminue aussi votre tentation de tricher. Rappelez-vous que le Régime minceur n'est pas un programme temporaire qui vous laissera tomber lorsque le moment sera venu de maintenir votre amincissement. Bien au contraire, notre régime vous conduira au maintien durable et harmonieux de votre nouvelle silhouette.

L'est-elle ou pas ?

L'HISTOIRE D'ANN

Comme nous avons tous les deux beaucoup d'expérience, peut-être n'est-il pas étonnant que nous ayons acquis une sorte de sixième sens pour ce qui est de la dépendance aux glucides. Alors, en général, lorsqu'un nouveau client se présente dans nos bureaux nous savons en peu de temps si cette personne est accro aux glucides ou si elle ne l'est pas. Quelquefois cependant, ce n'est pas si simple. Et le cas d'Ann illustre bien cette réalité.

Ann mesurait 1,63 mètre et pesait 54 kilos : elle était svelte. D'ailleurs, elle n'avait jamais eu d'embonpoint. Mais voilà que depuis quelque temps, elle était aux prises avec un problème de fringales de glucides.

Un petit ami qu'elle avait eu récemment lui avait dit qu'il la trouvait grosse. Ce commentaire eut un impact malheureux chez celle qui aimait son amoureux et qui désirait lui plaire. À vingt-huit ans, Ann n'avait plus l'âge de se faire prendre à ce genre de jeu malsain, mais ce fut plus fort qu'elle. Sa réaction fut de s'imposer de sévères restrictions alimentaires – qui la conduisirent presque jusqu'à l'anorexie. Quelque temps après, bien évidemment, elle se retrouva sous son poids santé, mais le petit ami, lui, n'était pas encore satisfait.

Ann se mit bientôt elle aussi à croire qu'elle était grosse. Elle essaya alors un régime liquide commercial, dit hyperprotéique (mais qui était aussi riche en glucides, avec une teneur élevée en saccharose, le sucre blanc d'usage courant). S'il est vrai qu'elle perdit un peu de poids, Ann avait en revanche un nouveau problème : elle souffrait maintenant de fringales récurrentes. Naturellement, elle se mit à manger en catimini, et graduellement, elle reprit ses kilos. Et le petit ami ? Il la quitta, sans vraiment lui offrir une explication.

Si les premiers instants de la rencontre nous avaient laissés perplexes quant à la condition de notre cliente, nous avions maintenant suffisamment d'éléments pour nous faire une idée assez claire de la nature du problème de la jeune femme. Et ses résultats au Test de dépendance aux glucides ne vinrent que confirmer nos soupçons : Ann entrait dans la catégorie des accros modérés. Cependant, nous avions tout lieu de croire que certains facteurs avaient contribué à aggraver son problème, notamment son inquiétante propension à suivre inutilement des régimes, et sa relation amoureuse destructrice.

La première chose que nous ayons faite fut d'amener Ann à reconnaître sa dépendance aux glucides. Elle refusa d'abord d'y croire. Cependant, elle n'eut d'autre choix que de se rendre à l'évidence : elle reconnut finalement avoir un problème qu'elle était incapable de résoudre toute seule.

À l'étape suivante, Ann devait consommer des aliments et des repas standard, mais de façon contrôlée. Elle fut donc invitée à suivre le Régime minceur. Elle désirait tenter le Régime, mais elle avait tout de même un peu peur : « Mes habitudes alimentaires sont si perturbées ; j'ai peur de ne pas arriver à me discipliner. » Ce à quoi nous avons répondu que le Régime était justement conçu pour réduire ou éliminer le désir de tricher.

Notre cliente compléta le programme avec succès. Cette fois cependant, la réussite n'avait pas été une perte de poids, mais bien une délivrance, la fin d'une dépendance. « Je ne savais plus comment les gens normaux se sentaient », nous confia-t-elle. « J'ai vécu avec ce problème pendant beaucoup trop longtemps. Je me sens transformée, plus calme et j'ai l'esprit clair. Mais par-dessus tout, je suis libérée de cet état de manque perpétuel dans lequel je vivais. Vous comprenez ? »

Nous comprenions, en effet.

N'OUBLIEZ PAS : TOUT LE MONDE N'EST PAS ACCRO AUX GLUCIDES

Tous les accros aux glucides ne sont pas des obèses et tous les obèses ne sont pas des accros aux glucides. Toutefois, si vous avez de l'embonpoint et que le Test de dépendance aux glucides indique que vous êtes accro aux glucides, alors les chances sont à plus de huit sur dix que le Régime minceur vous aidera à maigrir… et à maintenir votre amincissement.

Sachez aussi qu'il n'existe pas de rapport direct entre le surpoids et les scores au Test. Le Test de dépendance aux glucides mesure uniquement la réponse alimentaire exagérée que cause ce qui apparaît être un déséquilibre du rapport glucide/insuline/sérotonine.

Notre intention, en élaborant le Test de dépendance aux glucides, était de créer un outil qui nous permettrait d'identifier les candidats potentiels au Régime minceur. Or, nous l'avons compris par la suite, le

Test présente aussi l'avantage d'aider l'accro aux glucides à reconnaître les différents signes et symptômes de la dépendance.

Le moment est venu d'apprendre comment le désordre que l'on appelle la dépendance aux glucides influence vos sensations et votre comportement, et comment le Régime minceur agit sur les causes physiologiques de la dépendance elle-même.

4

PORTRAIT DE L'ACCRO AUX GLUCIDES

Selon nos recherches documentées, 75 % des adultes souffrant d'embonpoint se diraient accros aux glucides. Or, les conclusions d'études cliniques et de recherches en laboratoire laissent supposer que la proportion réelle des Américains en surpoids qui sont accros aux glucides pourrait bien être supérieure à ce taux. On pense en effet que jusqu'à 85 % des personnes obèses seraient touchées par ce problème ; le pain, les pâtes, les pommes de terre, les friandises et autres aliments riches en glucides que ces gens consomment abondamment sont la preuve de leur dépendance. Si certains d'entre eux admettent ne retirer ni plaisir ni satisfaction de toute la nourriture qu'ils avalent, ils n'en ressentent pas moins une envie fréquente et irrésistible de manger.

Bien que le mot « dépendance » soit passablement chargé sur le plan du sens, la plupart des accros aux glucides semblent bien comprendre le concept. Selon eux, il s'agit du terme approprié puisqu'il évoque ce qu'ils ont vécu et ressenti. Par définition, la « dépendance » est le fait pour une personne de dépendre d'une substance (naturelle ou chimique – ici, des aliments) dont l'absorption provoque une accoutumance ou un grand besoin d'une consommation continuelle. Les symptômes de sevrage et les réactions de dépendance aux glucides sont également le propre des accros aux glucides. D'ailleurs, si vous êtes accro aux glucides, vous en avez probablement reconnu les symptômes avant même de passer le Test de dépendance aux glucides au chapitre précédent.

Les accros aux glucides ne sont pas tous pareils, certes. Néanmoins, la majorité d'entre eux partagent un certain nombre de schèmes comportementaux, comme l'envie de manger sans qu'il n'y ait de faim réelle ou les fringales d'aliments riches en glucides tels que le pain et les sucreries. En outre, la plupart de ces personnes disent ressentir par moments une faim plus intense après le repas qu'avant celui-ci et avouent avoir du mal à s'arrêter une fois qu'ils ont commencé à manger du pain, des pâtes, des friandises ou des sucreries.

Souvent incapables de s'arrêter lorsqu'elles consomment des glucides, ces personnes avalent tôt ou tard des aliments riches en glucides que leur programme alimentaire leur interdisait, et ce, malgré leur volonté réelle de respecter les règles de leur régime. Normalement, l'envie de glucides grandit jusqu'à ce que le besoin ait été satisfait. Mais cette propension à ne pouvoir résister aux glucides et les écarts de régime qu'elle engendre ont pour effet de miner la confiance et la motivation de l'accro aux glucides et de le mener, à plus ou moins brève échéance, à abandonner son programme amincissant.

L'accro aux glucides qui tente de maigrir voit ainsi ses efforts sabotés par un désordre de nature biologique. De fait, le problème prend beaucoup plus souvent sa source dans la biologie d'un individu que dans sa personnalité.

Quand l'accro aux glucides consomme des glucides, son organisme libère trop d'insuline, l'« hormone de la faim », dans son sang. Cet excès d'insuline (hyperinsulinisme), au lieu de signaler au cerveau que la faim a été assouvie, entraîne un regain d'appétit aussitôt le repas terminé. L'accro aux glucides est donc régulièrement en proie à l'envie de manger. Or, plus il consommera de féculents, de sucres et de friandises, plus son organisme produira d'insuline, et plus fréquentes et importantes seront ses fringales de glucides.

La conséquence de cette envie irrésistible de manger se mesure, presque à coup sûr, en kilos. Et pour compliquer les choses, l'effet du surplus d'insuline sur l'organisme résulte souvent en une perte de poids plus difficile pour l'accro aux glucides que pour la personne normale.

La plupart des accros aux glucides, ne se doutant absolument pas qu'ils souffrent d'un désordre biologique, continuent (d'essayer) de s'alimenter comme les gens normaux ou de suivre les mêmes régimes que ces derniers, un comportement qui se solde habituellement par des déceptions et des frustrations. De plus, confronté aux échecs des autres régimes, à sa tendance à tricher, ainsi qu'à des envies de manger auxquelles il ne peut résister, l'accro aux glucides, se tenant pour responsable de la situation, en vient à se blâmer pour ses insuccès. Cependant, et c'est malheureux, ce dernier se demande rarement si tel ou tel régime est vraiment celui qui lui convient. Au contraire, on entend souvent dire : « Si tous mes amis réussissent à maigrir, pourquoi moi je n'y arrive pas ? »

Bien qu'il soit fréquent pour l'accro aux glucides de se retrouver en train de manger alors qu'il n'en avait aucune intention, les choses sont parfois différentes. Curieusement, il arrive quelquefois, avec une relative facilité, à ne presque rien manger pendant une longue période ; alors qu'à certains moments, il lui est pratiquement impossible de s'arrêter de dévorer, même l'espace d'un bref instant. En général, à l'absorption de glucides succède le besoin de manger.

L'une des personnes que nous avons traitée nous a un jour décrit certaines de ses impressions. Ses paroles, que voici, représentent bien les sentiments d'un grand nombre de nos clients :

> « Je suis parfois prise de fringales totalement irrépressibles. Je me répète que je devrais être capable de me maîtriser, mais je n'arrive pourtant pas. Et je sais que je ne manque pas de volonté ; les autres aspects de ma vie ne me posent pas de problèmes – seulement mon alimentation. »

Une autre accro aux glucides nous a confié :

> « Chaque fois, je me dis : « Cette fois, je vais y arriver », mais j'échoue tous mes régimes, les uns après les autres. Je pense souvent que je devrais cesser d'essayer, mais j'y reviens toujours. J'aimerais tant arriver à contrôler mon alimentation, perdre du poids, bien paraître – et me sentir bien dans ma peau. »

Le problème de ces personnes ne relève pas de la volonté ; la plupart des accros aux glucides savent, au fond d'eux-mêmes, qu'ils ne manquent pas de volonté. En effet, au fil des années, nous avons appris que nos clients sont souvent des gens très déterminés qui maîtrisent bien leur vie de façon générale. Or, à cause de la réaction de leur corps à certains aliments (i.e., à cause de leur métabolisme), la plupart des accros aux glucides connaissent la faim et les fringales beaucoup plus souvent et intensément que ne le font les gens normaux. Il leur arrive aussi parfois de ressentir de l'irritation, de l'anxiété ou de la colère et, souvent, de se sentir fatigués après un repas riche en glucides. Des signes qui, semble-t-il, gagnent en importance avec le temps.

Plusieurs parmi ceux et celles qui souffrent de dépendance aux glucides se disent déconcertés par leur alimentation. Ils se sentent trahis – et trop souvent, croient-ils, par eux-mêmes.

Peut-être reconnaîtrez-vous quelques-unes des frustrations de Rita. Avec sa chevelure rousse et ses vêtements coûteux, Rita nous fit une forte impression la première fois que nous l'avons rencontrée. Elle avait laissé tomber sa carrière d'actrice quelques années auparavant, mais elle était l'épouse d'un riche homme d'affaires qui adorait la voir bien habillée. Elle aussi aimait être élégante.

Rita avait cependant découvert que les vêtements qu'elle achetait devenaient trop petits pour elle à une vitesse déconcertante. « La semaine dernière », nous raconta-t-elle, « j'ai enfilé une robe que j'avais envoyée chez le teinturier. Je l'avais portée le mois dernier, je la savais ajustée mais sans plus. mais voilà qu'il m'était impossible de refermer la fermeture éclair. J'étais furieuse. »

« J'ai tout de suite téléphoné à la teinturerie pour me plaindre que ma robe avait rétréci. Un employé m'a aimablement répondu en me disant qu'il allait faire une vérification. Puis il m'a demandé le numéro de mon reçu. Ce dernier était encore attaché au sac de plastique, je lui ai donc donné le numéro et il a pu retracer le processus du nettoyage de ma robe. »

« Peu après, il m'a rappelée et m'a expliqué que ce vêtement avait été nettoyé deux mois auparavant. J'étais vexée à l'idée que cette robe ne m'allait plus parce que j'avais pris du poids. En réalité, j'avais tellement grossi au cours de cette période que j'étais passée à une taille au-dessus. S'il y avait eu un trou dans le plancher, je m'y serais cachée. Non mais, vous imaginez ? »

Évidemment, nous pouvions imaginer. Nombreux sont les accros aux glucides à connaître ce sentiment de ne plus être maîtres de la situation. Le Régime minceur a d'ailleurs été conçu dans le but d'y remédier.

UN DÉMON ALIMENTAIRE BIEN CACHÉ

Lorsque Cindy K. vint nous rencontrer au Centre de lutte contre la dépendance aux glucides, elle nous confia sans tarder qu'elle était sur le point d'abandonner définitivement les régimes amincissants. Elle avait essayé de suivre à la lettre les directives des régimes auxquels elle avait adhéré dans le passé, mais malgré tous les efforts déployés à « bien faire les choses » (comme elle le dit), elle fut incapable de perdre du poids et de maintenir ensuite son amincissement.

« C'est comme si quelque chose travaillait contre moi. Je débute un nouveau programme, persuadée que cette fois est la bonne et... vlan ! je me remets à dévorer en moins de temps qu'il ne le faut pour le dire. Comment cela arrive-t-il ? Je n'en ai pas la moindre idée. »

« Je recommence toujours à manger, et ce, même si j'ai chaque fois la ferme intention de ne m'en tenir qu'à mon régime. Et j'en suis arrivée à un point où cela m'est presque égal. »

Elle était en colère, frustrée et déçue par tant d'échecs.

Cindy passa le Test de dépendance aux glucides et elle nous raconta une foule de choses à propos d'elle-même et de ses expériences avec les régimes. Il nous apparut clairement que son problème n'était pas causé par un manque de volonté. En fait, les aliments qu'elle croyait être des « aliments de régime », comme on le lui avait appris, ne faisaient qu'aggraver sa dépendance.

Cindy, tout comme des centaines d'autres personnes que nous avons traitées, avait appris que les fruits étaient des aliments sans risques ou neutres. Ils étaient, lui avait-on enseigné, d'excellents aliments de régime. Elle en consommait donc plusieurs fois par jour. Si pour certaines personnes au régime, les fruits représentent une bonne collation hypocalorique, pour l'accro aux glucides, ils sont souvent synonymes de D-A-N-G-E-R.

Voici pourquoi.

La dépendance aux glucides est caractérisée par une réaction à un groupe entier d'aliments. Ce groupe, évidemment, est celui des glucides, qui comprend le pain, les féculents, les sucreries, la plupart des aliments pour casse-croûte – ainsi que tous les fruits, qui contiennent du fructose, un sucre naturellement présent.

Quand on lance une balle de caoutchouc sur une surface dure, elle rebondit, n'est-ce pas ? De la même manière, quand l'accro aux glucides consomme des aliments riches en glucides, simples ou complexes, son appétit « rebondit ». Et chacun des rebonds est plus puissant que le précédent. La comparaison peut sembler simple, mais un biscuit donnera envie d'un autre biscuit, et deux biscuits conduiront à plusieurs autres.

L'aliment en question n'est pas nécessairement l'un des préférés de l'individu au régime, il peut même s'agir d'un aliment consommé dans le but d'éviter une nourriture plus « engraissante ». De nombreux accros aux glucides choisiront les fruits au lieu des bonbons, persuadés que les fruits sont inoffensifs. Or, bien que les pommes, les oranges et les autres fruits soient généralement considérés comme étant inoffensifs dans bon nombre de régimes, chez l'accro aux glucides, même une petite portion de fruits – ne serait-ce que quelques raisins – pourra déclencher un ensemble de réactions biochimiques qui produiront une envie forte et récurrente de manger.

Cette pauvre Cindy suivait consciencieusement les directives de tous ces régimes qui, les uns après les autres, lui promettaient les pertes de poids tant espérées. Elle était loin de se douter que la chimie de son propre corps jouait contre elle, sapant ses espoirs et ses projets. Lorsqu'elle remplaçait sa brioche du matin par une orange, par exemple, cette dernière provoquait une augmentation du taux d'insuline, puis une augmentation de la faim. Un simple morceau de fruit donnait l'envie d'un autre ; et enfin, le désir de manger devenant plus grand, les fruits faisaient place à d'autres aliments riches en glucides.

Cindy débuta le Régime minceur. Quelques jours à peine après avoir entrepris le programme, elle dit s'être sentie libérée : « Jamais je n'aurais imaginé qu'un tel régime était possible. C'est stupéfiant ! Si facile ! Et dire que durant toutes ces années je croyais faire ce qu'il fallait alors qu'en réalité j'avalais des aliments qui m'étaient nuisibles. Il n'est pas étonnant que je fusse toujours affamée. »

« C'est merveilleux, je n'ai pas l'impression d'être au régime. Je n'avais pas compris que j'étais différente ; je me comportais comme n'importe quelle autre personne au régime – mais je ne le suis pas. »

La dépendance aux glucides dont souffre Cindy n'a rien d'unique. De fait, elle fut si satisfaite du régime qu'elle invita son frère à venir nous rencontrer. Alan, un adepte de la musculation d'une taille de 1,98 mètres est un homme très corpulent : il pesait plus de 135 kilos lors de sa première visite. Il admit pourtant trembler devant ses envies irrépressibles de consommation de glucides.

Le cas d'Alan était plus complexe que celui de sa sœur. Ayant déjà lui-même remarqué que le pain et les autres féculents le mettaient en appétit, il évitait maintenant les glucides au petit-déjeuner et au déjeuner, en plus de se passer de dessert au dîner, la plupart du temps. Malgré cela, il ressentait des envies irrésistibles de dévorer. « Tout à coup, je crève de faim. Alors j'avale tout ce qui se trouve à ma portée. Je ne sais pas ce qui me prend. Je vais bien pendant un moment, et puis je me mets soudainement à manger sans pouvoir m'arrêter », expliqua-t-il.

De prime abord, la cause de la dépendance d'Alan nous échappait. Il ne partageait pas la passion de sa sœur pour les fruits ; évidemment, nous lui avons posé la question. Nous étions aussi perplexes que lui... jusqu'à ce qu'il lâche la réponse : il raffolait des jus de fruits. Il en buvait des litres, à longueur de journée. Ainsi, il ingurgitait des litres de glucides, ce qui élevait son taux d'insuline et lui donnait une impression de faim à laquelle même Superman n'aurait pu résister.

Nous avons finalement démasqué le démon alimentaire de Cindy et Alan – le fructose, ce sucre naturel – et en avons limité la consommation à un seul repas par jour, en quantité satisfaisante. Le Régime minceur leur a très bien réussi. Aujourd'hui encore, Cindy et Alan profitent des effets positifs de notre programme sur leur vie.

LE PROCESSUS DE DÉPENDANCE

Plusieurs de nos clients ont remarqué que leur difficulté de rester fidèles à leur régime croissait avec le temps. En d'autres mots, leur envie de tricher semble augmenter. Au début, ils arrivent à oublier leur envie folle de ces aliments qui leur sont interdits. Puis, graduellement, leur désir devient incontrôlable.

Au Centre de lutte contre la dépendance aux glucides, nous avons élaboré une description détaillée de ce que nous croyons être des « Niveaux de dépendance » définissables. Maints accros aux glucides considèrent que leur impossibilité de demeurer fidèles à leur régime est le résultat d'une propension qu'ils auraient à avaler un peu n'importe quoi, à manger tout ce qui leur tombe sous la main. Or, nous avons découvert que ces derniers ne trichent pas à l'aveuglette. Ainsi, bien que les accros aux glucides soient souvent persuadés de manger d'une manière plus ou moins aléatoire (« Comment aurais-je pu prévoir que le patron apporterait des beignets ce matin ? »), le hasard y est pour bien peu dans cette histoire.

En effet, la sélection des aliments se fait généralement selon un schème précis. Or, comme nous avons réussi à cerner ce schème, nous connaissons maintenant les différents stades de développement des fringales. Et les niveaux de dépendance sont établis d'après ces stades.

Nous parvenons habituellement à prédire avec une remarquable précision quels types d'aliments l'accro aux glucides est susceptible de consommer à chacun des stades de la dépendance.

Le comportement de l'accro aux glucides est presque toujours progressif. Alors que l'envie de tricher semble parfois s'être envolée, elle ne disparaît en réalité jamais complètement. Le processus de dépendance peut pendant des périodes assez longues donner l'impression de s'en être allé, mais il revient toujours.

Voyons à présent les caractéristiques de chacun de ces niveaux de dépendance.

LE PREMIER NIVEAU DE DÉPENDANCE

À ce niveau, l'accro aux glucides ayant généralement envie d'une grande variété d'aliments, le désir de glucides est difficile à percevoir. L'individu semble ici se satisfaire de l'alimentation à laquelle il est habitué – qu'il croit équilibrée.

Pour l'accro aux glucides, les légumes, les pains de céréales entières, les pommes de terre, les viandes, les poissons et le poulet sont des aliments sains. Lorsqu'il est au régime, l'accro aux glucides, au premier niveau, comble son désir de manger en avalant de grandes quantités de nourriture variée sans en ressentir de culpabilité. « Ces aliments ne sont pas si riches après tout », entend-on souvent dire. Aux stades les plus avancés de ce niveau, les fruits sont particulièrement prisés en collation, et les jus de fruits deviennent pour plusieurs un breuvage de choix.

Au niveau 1, l'accro aux glucides a tendance à se considérer comme une personne qui aime manger, sans plus. Il arrive aussi, par moments, qu'il se croie maître de son alimentation.

Or, pour l'accro aux glucides, ce sentiment de contrôle n'est qu'une illusion. Le niveau 1 est trop rarement senti pour ce qu'il est vraiment, soit le premier stade d'un désordre biologique progressif. L'accro justifie fréquemment ses excès alimentaires en se disant par exemple qu'il n'y a aucun mal à manger des aliments sains. Mais bientôt, son désir de manger, de même que son poids gagnent en importance.

LE DEUXIÈME NIVEAU DE DÉPENDANCE

Au niveau 2, l'accro aux glucides modifie progressivement le choix des aliments qu'il absorbe. Bien que les aliments qu'il consomme à ce niveau soient encore passablement variés, son goût pour les légumes, les protéines et les fruits disparaît peu à peu. À peu près au même moment, le pain, les bagels, les pâtes, le riz et les pommes de terre se révèlent plus attirants et beaucoup plus satisfaisants aussi. Les grignotines telles que les croustilles, le maïs éclaté et les bretzels deviennent de plus en plus attrayantes.

Ce nouveau penchant pour les féculents et les grignotines s'explique en partie par le sentiment de satisfaction, par la sensation de détente qui suit l'absorption de ces aliments. Malheureusement, ce sentiment n'est que temporaire, et en quelques jours, ces mêmes féculents et grignotines entraîneront graduellement le désir renouvelé et accru d'en manger encore plus, de même qu'une diminution sensible du plaisir suscité par leur consommation.

Alors que quelques-uns signalent une augmentation de leur goût pour la bière ou le vin, beaucoup cependant ne remarquent aucun changement de ce côté. Le niveau 2 est habituellement marqué par des épisodes de fatigue, en particulier après les repas ou au milieu de l'après-midi.

Aux premiers stades du niveau 2, l'individu a tendance à nier ses propres craintes («Je suis parfaitement maître de moi-même»). Mais il est en même temps de plus en plus préoccupé par son alimentation, son poids, ainsi que par l'idée de maigrir. Et graduellement, la fausse confiance en soi qu'il avait au niveau 1 fait place à un intérêt grandissant vis-à-vis de la nécessité de remédier à la situation.

Ainsi, petit à petit, l'accro aux glucides se rend à l'évidence : excuses ou pas, il n'est plus aux commandes.

LE TROISIÈME NIVEAU DE DÉPENDANCE

Alors que les fringales de féculents et de grignotines se poursuivent au niveau 3, l'envie de sucreries peut devenir très forte. Si bien que, à ce stade, les grignotines et les desserts sont habituellement les aliments préférés.

Compte tenu d'une consommation accrue de gâteaux, de biscuits ou de chocolat, le goût, jusque-là présent, pour les légumes, les poissons, les viandes, la volaille et les fruits diminue grandement ou disparaît complètement. Dès lors, les viandes et autres protéines sont le plus souvent consommées avec du pain, en sandwichs.

Les repas paraissent incomplets sans un dessert sucré. Toutefois, l'effet apaisant des sucreries n'étant qu'éphémère chez l'accro aux glucides, ce dernier se retrouve insatisfait peu après les avoir avalées.

À ce niveau, plusieurs de nos clients disent manger alors même qu'ils n'ont pas faim, qu'ils n'ont pas de fringales ou qu'ils ne veulent pas manger. En outre, la nourriture ne leur semble pas particulièrement savoureuse. D'ailleurs, s'alimenter devient en quelque sorte une contrainte ou une corvée. Au niveau 3, l'accro aux glucides mange beaucoup plus en réponse à un besoin pulsionnel que par plaisir.

Il devient de plus en plus difficile de distinguer les périodes normales de repas. À toute heure de la journée, la personne peut prendre de petites ou de grandes collations composées de sandwichs, de grignotines ou de friandises ; les sandwichs remplacent parfois les repas. Certains déclarent être devenus moins conscients de leur comportement alimentaire. Ce qu'un de nos clients du Centre a exprimé en ces termes : « C'est comme si j'étais à demi-conscient de ce que je fais, comme hypnotisé. »

D'autres clients ont expliqué que, souvent, ils ne se rendent vraiment compte de ce qu'ils font qu'après plusieurs bouchées. Enfin, ce niveau est généralement caractérisé par la fatigue, par les reproches que l'on s'adresse à soi-même et par un sentiment d'impuissance.

Reconnaître les trois niveaux de dépendance

NIVEAU 1

Les fringales : Au premier niveau de dépendance, l'accro aux glucides désire prendre de bons repas complets et il les apprécie. Son goût pour une grande variété d'aliments est toujours présent. Les salades, les légumes, les fruits et les jus de fruits, les viandes rouges, les poissons, la volaille et les fromages sont en général ses aliments préférés et il les accompagne le plus souvent de pain, de pâtes alimentaires, de pommes de terre et de desserts.

Caractéristiques psychologiques : Au niveau 1, l'individu a habituellement confiance en sa capacité de contrôler sa consommation de nourriture. Il croit au potentiel amaigrissant des aliments qu'il consomme et il en justifie la consommation en se disant que « les bons aliments n'ont jamais fait de mal à personne ». Dans la plupart des cas, il ne se doute pas de l'existence chez lui d'un trouble alimentaire à caractère biologique et progressif.

NIVEAU 2

Les fringales : Un désir de plus en plus fort pour les glucides apparaît au deuxième niveau, en particulier pour le pain et les pâtisseries, les pommes de terre, le riz, les pâtes alimentaires et les grignotines (croustilles, maïs éclaté, bretzels, bâtonnets au fromage). Un désir de boire du vin ou de la bière peut parfois se faire sentir. Enfin, l'intérêt pour les légumes et les salades diminue.

Caractéristiques psychologiques : Le sentiment d'être en contrôle qui caractérise le niveau 1 tend à s'effriter graduellement pour faire place à des préoccupations d'ordre alimentaire et pondéral. Les épisodes de fatigue au milieu de l'après-midi ou suivant le repas du soir sont relativement fréquents, tandis que l'envie de grignotines est susceptible de devenir beaucoup plus intense en soirée.

NIVEAU 3

Les fringales : Ici, les grignotines et les sandwichs deviennent les aliments principaux. Les gâteaux, les bonbons, les croustilles, le maïs éclaté, les biscuits, le chocolat, les tartes, les puddings et autres aliments riches en glucides constituent à eux seuls les produits de base de l'alimentation. De plus, les périodes de repas sont remplacées par de nombreux épisodes irréguliers de consommation de collations diverses.

Caractéristiques psychologiques : Il se peut que l'accro aux glucides de niveau 3 constate une diminution de son plaisir de manger ; il mange plus en réponse à un besoin pulsionnel que par goût. Un sentiment de honte, d'échec ou de fatigue, l'impression d'être pris au piège et submergé par les émotions et la tendance à se blâmer soi-même sont tous monnaie courante à ce stade de dépendance. Souvent aussi, les accros tendent à s'isoler, à souhaiter qu'on les laisse seuls. Enfin, les collations à toute heure du jour devenant une habitude, certains vont même jusqu'à cacher des grignotines dans leur bureau, leur attaché-case ou leurs poches.

LES DÉCLENCHEURS DE FRINGALES

Notre corps n'est pas une machine. Ainsi, nous ne passons pas d'un niveau de dépendance à un autre de la même manière que nous changeons les vitesses d'une voiture. Les niveaux de dépendance eux-mêmes ne sont pas si clairement définis. Mais nos années de recherches nous ont montré que pour la majorité des accros aux glucides le passage d'un niveau à un autre s'opère souvent de façon similaire.

Lorsque nous trouvons des différences chez les accros que nous traitons, elles sont en général attribuables à ce que nous avons appelé des « déclencheurs de fringales ». Il s'agit de situations ou de stress qui poussent l'accro aux glucides à progresser vers le prochain niveau. Même quand il n'y a pas en apparence de déclencheur, le désordre biologique profond à l'origine de la dépendance aux glucides peut lui-même pousser la personne vers des niveaux supérieurs de dépendance. Nous avons cependant maintes et maintes fois constaté chez la plupart des accros aux glucides que certains déclencheurs sont plus « efficaces » que d'autres.

Voyons par exemple l'histoire de Linda.

L'HISTOIRE DE LINDA

Pour Linda, le Centre de lutte contre la dépendance aux glucides représentait le dernier espoir. « J'ai tout essayé, mais rien n'y fait. Je n'arrive simplement pas à maigrir », nous dit-elle d'entrée de jeu.

« J'ai pris ces kilos il y a quatre ans, au cours de ma grossesse, et je ne peux plus m'en débarrasser. Mon mari et moi souhaitons avoir un deuxième enfant, mais j'ai peur que cela me fasse prendre un autre 12 kilos, ou même plus, peut-être. »

Elle tenta de nous décrire les transformations physiques qu'elle avait connues. « Je ne sais trop, c'est comme si mon métabolisme avait changé ou quelque chose du genre. Je n'avais pas l'impression de manger exagérément pendant ma grossesse. Cependant, il m'était difficile de savoir, car je vivais cette situation pour la première fois. En tout cas, je ne crois pas manger excessivement à présent, mais on dirait que j'emmagasine tout ce que je mange. J'arrive à perdre quelques kilos ? Je les reprends aussitôt après l'arrêt du régime ou même lors d'une brève période de relâchement. J'aimerais beaucoup avoir un deuxième enfant, mais je suis terrifiée à l'idée de prendre encore du poids. »

« Je ne sais plus quoi faire », conclut-elle.

L'histoire de Linda n'avait pour nous rien de nouveau. Après avoir confirmé qu'elle souffrait bel et bien de dépendance aux glucides, nous l'avons assurée que nous étions en mesure de l'aider à remédier à cette condition. Il nous paraissait évident que dans le cas de Linda, c'était la grossesse qui jouait le rôle de déclencheur.

Enfant, adolescente et jeune adulte, son poids avait toujours été proportionnel à sa taille; sa dépendance aux glucides n'avait été activée qu'au moment de sa grossesse. Or, en observant d'autres femmes enceintes se trouvant dans cette situation, nous avions appris qu'il existait une sorte de bombe à retardement génétique et que cette dernière n'explosait qu'au moment où se produisent les bouleversements hormonaux dus à la grossesse. D'autre part, Linda mentionna que sa mère avait vécu la même chose au cours de sa grossesse, ce qui représenta pour nous un autre exemple du caractère « familial » du désordre.

Évidemment, toutes les femmes n'ont pas ce problème. D'ailleurs, celles dont la grossesse a pour effet de déclencher une dépendance aux glucides ne rencontrent pas toutes les mêmes difficultés. Chez quelques-unes, la dépendance aux glucides disparaîtra peu de temps après l'accouchement, alors que chez d'autres, elle se poursuivra encore longtemps. Enfin, certaines femmes n'arriveront à se débarrasser de leur dépendance aux glucides qu'en la corrigeant à l'aide d'un programme alimentaire adéquat.

Dans la majorité des cas que nous avons étudiés où la dépendance aux glucides était déclenchée par la grossesse, les femmes ont pu regagner la maîtrise de leur alimentation et de leur poids en recourant au Régime minceur. Plusieurs d'entre elles, se sachant désormais capables d'éviter le syndrome du surpoids dû à la grossesse, ont eu d'autres enfants par la suite.

Linda nous a tout de même étonnés. Elle avait suivi le Régime minceur et s'était, grâce à lui, sortie de la spirale de la dépendance aux glucides. C'est ce que nous avons constaté dès le premier coup d'œil lors de sa visite de contrôle, cinq mois plus tard. Elle avait alors 14 kilos en moins.

Les salutations à peine échangées, elle lança : « J'ai une nouvelle formidable à vous annoncer. » Compte tenu du contexte, nous avons cru qu'elle allait nous annoncer son intention d'avoir un autre enfant – elle l'attendait peut-être déjà. Mais nous nous sommes trompés.

Linda nous raconta qu'elle se sentait si bien dans sa nouvelle taille et sa liberté retrouvée (libérée des soucis pondéraux et de l'envie de manger), qu'elle et son mari avaient décidé de remettre à un peu plus tard leur projet d'avoir un deuxième enfant.

On l'avait promue (« J'avais toujours fait de l'excellent travail jusque-là, mais personne ne l'avait jamais remarqué. ») Et, à tort ou à raison, Linda avait attribué sa promotion à sa perte de poids, à sa nouvelle façon de s'habiller, ainsi qu'à son attitude positive. Elle profitait maintenant de la vie et désirait se détendre et savourer pleinement ce sentiment.

« Je ne vis pas dans la crainte d'abandonner le régime dans quelques semaines. Je me sais capable de conserver cette minceur pour toujours et je ne ressens pour l'instant aucun besoin de changer quoi que ce soit à ma vie. »

NEUTRALISEZ LES DÉTONATEURS

Chez l'accro aux glucides, les détonateurs (ou déclencheurs) individuels – des situations ou événements stressants – peuvent affecter la biochimie du corps. Un déséquilibre peut survenir au niveau des neurotransmetteurs, ces médiateurs chimiques du cerveau qui contrôlent l'expérience de la faim et de la satiété et, par le fait même, les mécanismes complexes du stockage des graisses. Cela se traduit pour l'individu en une difficulté à perdre du poids et souvent aussi en une augmentation de la fréquence et de l'intensité de la sensation de faim.

En général, les programmes amaigrissants qui ne s'attaquent pas aux causes de la dépendance aux glucides ne s'intéressent pas aux déclencheurs. Il n'est donc pas surprenant que la plupart des régimes n'enseignent pas à leurs adeptes les façons de neutraliser leur influence. L'accro aux glucides doit ainsi faire face à ses puissantes envies de manger ou de grignoter sans toutefois être outillé pour les vaincre.

Les accros aux glucides qui ont beaucoup de volonté sont capables de résister à leurs fringales pendant un certain temps. Néanmoins, lorsque le stress déclencheur se poursuit plus longtemps, même les plus tenaces d'entre eux succombent habituellement à l'envie de dévorer. En outre, plusieurs stress déclencheurs successifs ou simultanés semblent avoir un effet accru auquel il est encore plus difficile de résister. Le régime minceur a été conçu dans le but de réduire les fringales récurrentes causées par ces détonateurs. Le programme alimentaire du Régime minceur est destiné à diminuer le contrecoup hormonal que ces déclencheurs sont susceptibles d'entraîner.

Presque la totalité des accros aux glucides que nous avons traités au fil des années ont trouvé que notre régime leur permettait de mieux gérer et de limiter les ravages du stress et des agressions de la vie quotidienne, de même que les conflits intérieurs. Lorsqu'il est appliqué adéquatement, le Régime minceur entraîne un meilleur équilibre de l'organisme. L'accro aux glucides est ensuite mieux outillé pour lutter contre les différents stress déclencheurs et demeurer aux commandes.

L'HISTOIRE D'ADRIAN

Adrian avait l'air épuisée la première fois qu'elle est venue nous rencontrer. Attirante et très soignée de sa personne, elle approchait la cinquantaine, mais ses tensions refoulées et sa colère la faisaient paraître plus âgée.

« Si j'étais alcoolique, on pourrait dire que mon patron me conduit à boire. Au lieu de cela, il me conduit à manger. Je ne me cherche pas une excuse, je crois vraiment qu'il me pousse à manger. »

« Il me met dans une telle colère que je déchire ma nourriture. Littéralement, je mords dans un petit pain comme si c'était mon patron que je mordais. Et cette colère me suit du bureau jusqu'à la maison, où je dévore encore plus. »

D'un air triste et désespéré elle ajouta : « Je suis coincée : je ne peux pas laisser tomber cet emploi. » Avec un de leurs enfants au collège et l'autre à l'École de droit, elle et son mari ne pouvaient se permettre de perdre un salaire. Toujours est-il que son médecin trouvait sa tension artérielle anormalement élevée, sans compter qu'elle avait pris 10 kilos depuis le début de cet emploi stressant. « Il y a plus de nourriture dans mes tiroirs que dans la voiturette du cantinier. J'en suis arrivée au point où je me goinfre sans trop savoir ce que j'avale. »

Adrian perdit finalement ses kilos excédentaires et reprit le contrôle de son alimentation, non sans une confrontation avec son patron et une autre avec le Régime minceur.

L'HISTOIRE DE MARY

Les changements qui précèdent immédiatement les menstruations sont sans doute le déclencheur de fringales le plus répandu chez les femmes que nous traitons. Le cas de Mary O. en est un exemple typique.

Mary avait pris rendez-vous plusieurs semaines à l'avance. « Je préfère vous rencontrer au moment où je serai en plein cœur du phénomène », nous avait-elle dit au téléphone, « afin que vous puissiez constater à quel point c'est terrible. »

À son arrivée, nous fûmes presque immédiatement frappés par l'ampleur de sa colère. Elle était frustrée au plus haut point, et en même temps, une grande tristesse émanait d'elle. En peu de temps, il devint évident qu'elle était fatiguée de se battre et frustrée de ses pertes de contrôle périodiques.

« Quatre, cinq, peut-être six jours par mois, je suis dans un état lamentable, misérable. Je mange sans cesse, tout ce qui me tombe sous la main. J'ai l'air d'une vraie dingue. J'ai abandonné, je n'essaie plus de me maîtriser. Le plus souvent, je me prive ensuite de manger pour le reste du mois afin de limiter les dégâts de ces quelques jours de délire.

Personne ne semble être en mesure de m'aider. Si tous s'accordent pour dire que le problème résulte vraisemblablement d'un déséquilibre hormonal, rien de ce que l'on m'a proposé jusqu'ici n'a changé quoi que ce soit à ma situation.

Elle nous confia ses craintes : « J'ai l'impression que ma vie est en train de s'écrouler. Et les choses ne s'améliorent pas, je dirais même qu'elles empirent. »

Le Test de dépendance aux glucides de Mary la classa dans la catégorie des dépendances fortes durant les jours précédant ses règles. Nous lui avons donc suggéré de suivre le Régime minceur sans tarder.

Elle se montra réticente au début quand elle apprit qu'elle devrait suivre le régime durant tout le mois, non pas uniquement durant les jours où elle dévorait. Elle dit qu'elle aurait préféré quatre ou cinq jours de régime par mois.

Nous l'avons finalement convaincue de suivre le régime à plein temps en lui expliquant qu'une alimentation équilibrée était nécessaire pendant tout le mois. Afin d'augmenter ses chances de réduire ou d'éliminer les épisodes de consommation frénétique qu'elle connaissait, elle devait poursuivre le régime de façon ininterrompue.

Mary nous contacta quelques jours plus tard. Ses mots expriment bien les résultats obtenus : « Pourquoi ne m'avez-vous pas avertie ? Je ne me suis pas sentie aussi bien depuis des années. En fait, je me sens mieux que jamais ! C'est à peine croyable. Pour rien au monde je n'abandonnerais ce régime. »

« Les fringales ont disparu et je maigris, alors que normalement je ne perds jamais de poids à cette période du mois. Je ne m'attendais pas à cela. »

L'HISTOIRE DE CHRIS

Chris L. avait un autre type de problème. Elle était de toute évidence accro aux glucides, son score au Test l'avait bien montré. Ce qui était moins évident cependant, c'était pourquoi.

« Il faut que vous sachiez qu'il y a plusieurs années mes résultats au Test auraient été complètement différents », révéla-t-elle. « Mais il s'est passé quelque chose, je vous assure, et je suis devenue accro aux glucides. »

Un peu comme des détectives, nous avons alors tenté de retracer les changements dans la vie de Chris susceptibles d'avoir entraîné une réaction de dépendance. De prime abord, le seul événement de sa vie qui pouvait avoir un lien avec les changements dans ses habitudes alimentaires était son emménagement dans un nouvel appartement; après avoir vécu en colocation, elle habitait désormais seule.

Afin de nous aider à identifier le coupable, nous lui avons demandé de tenir un journal alimentaire quotidien. Elle devait ainsi noter tout ce qu'elle mangeait, l'heure et l'endroit de l'absorption des aliments ainsi que le niveau de sa faim. Inévitablement, un schème émergea. Le journal nous permit en effet de comprendre que lorsqu'elle mangeait en compagnie d'autres personnes, fût-ce au restaurant, chez elle, chez eux ou au travail, Chris n'était pas prise d'envies de dévorer. Seule cependant, il lui arrivait souvent de manger compulsivement; néanmoins, cela ne se produisait pas toujours, il y avait donc autre chose.

Le journal alimentaire de Chris pour la semaine suivante nous apporta la réponse. Sa réaction de dépendance à la nourriture survenait invariablement après avoir mangé dans un restaurant de son quartier. Elle y mangeait toujours seule et l'endroit était un peu comme sa seconde demeure : on la connaissait, elle aimait la cuisine et elle se sentait à l'aise.

Nous avons demandé à Chris de tenter une expérience – qui s'avéra concluante. À notre demande, elle avait évité ce restaurant pendant une semaine et ses fringales avaient cessé, confirmant du même coup nos soupçons. Puis il suffit d'une petite conversation entre Chris et le chef cuisinier du restaurant pour identifier plus précisément l'élément déclencheur.

Nous lui avions déjà parlé de la sensibilité à certains aliments et additifs alimentaires et lui avions signalé lesquels avaient généralement déclenché des réactions de dépendance chez nos clients. Chris nous téléphona le lendemain après-midi.

« Ça y est, nous avons trouvé ! », lança-t-elle avec soulagement. « C'est le glutamate monosodique. Ils en mettent dans les plats en cocotte, dans le hachis de bœuf et dans les légumes. » Le déclencheur était donc le glutamate monosodique, un additif alimentaire largement utilisé dans la préparation de mets chinois mais que l'on retrouve également dans divers autres mets, dont les vinaigrettes.

Chris élimina aussitôt le glutamate monosodique de sa diète et ses fringales disparurent comme par magie.

Nous avons connu des personnes qui, à cause de modifications apportées à leurs activités quotidiennes, se sont un jour mises, malgré elles, à manger exagérément et à accumuler les kilos. Une femme, veuve depuis peu, avait commencé à fréquenter quelques-unes des femmes habitant le même bâtiment qu'elle. Ensemble, elles jouaient aux cartes, allaient au cinéma, partageaient le petit-déjeuner ou le dîner; de nouvelles habitudes qui engendraient d'importants changements dans l'alimentation de cette femme. Elle nous avait raconté qu'elle et son mari avaient toujours pris leurs repas ensemble, mais que « la nourriture n'avait jamais occupé une grande place pour lui, et pour moi non plus d'ailleurs ». Or, dans ce nouvel environnement où fusaient les occasions de casser la croûte, elle s'était mise à manger beaucoup plus qu'avant.

Une autre femme qui vint nous consulter buvait des quantités énormes d'un certain soda allégé, ce qui semblait déclencher sa dépendance aux glucides. Cette fois, le coupable était la caféine. En outre, des événements tels que les changements de saison ont le pouvoir d'entraîner des réactions de dépendance chez plusieurs : on prend du poids pendant l'automne et l'hiver, puis on tente de maigrir au printemps suivant, sans succès la plupart du temps.

Ces différents exemples illustrent comment des aliments et des activités de tous les jours, ainsi que divers autres facteurs sont susceptibles de déclencher la dépendance aux glucides. Soyez vigilant, car dans l'éventualité d'une manifestation soudaine ou d'une intensification rapide du problème, l'explication pourrait être simple. Et n'oubliez pas qu'en identifiant la cause de votre dépendance, vous augmenterez grandement vos chances d'y mettre fin ou de la traiter avec efficacité.

Voyons maintenant plus en détail en quoi consiste le Régime minceur.

Les déclencheurs de fringales

Les événements de n'importe quelle journée peuvent accroître le désir de manger : de l'odeur familière et pénétrante d'aliments fraîchement cuits au four à des faits plus subtils n'ayant apparemment rien à voir, comme un désaccord avec un collègue au travail.

Nous appelons ces expériences quotidiennes des « déclencheurs de fringales ». Voici une liste de certains des principaux déclencheurs que nous avons relevés chez les accros aux glucides traités au Centre de lutte contre la dépendance aux glucides.

LES ÉTATS D'ÂME

Les sensations suivantes sont susceptibles d'entraîner la faim :

- La colère inexprimable
- L'anxiété
- L'impression de ne plus avoir la maîtrise de soi ou le sentiment d'être impuissant face à ce qui nous arrive
- La dépression
- L'agitation
- La frustration
- La tendance à se faire des reproches à soi-même

LES ACTIVITÉS QUOTIDIENNES

Plusieurs activités quotidiennes relativement banales peuvent faire passer la dépendance aux glucides d'une personne à un niveau supérieur.

- Des changements dans la vie à la maison
- Des modifications des conditions de travail
- L'exercice
- La maladie
- La grossesse
- Les changements pré-menstruels
- L'arrêt de la cigarette
- Des situations stressantes de toutes sortes

L'ALIMENTATION

Il n'est pas surprenant qu'un certain nombre de facteurs diététiques et nutritionnels puissent aussi déclencher une réaction de dépendance. Parmi ceux-ci on retiendra les suivants :

- Une diète très stricte
- Le jeûne
- La vue ou l'odeur de la nourriture

>>>

- Un gain de poids rapide
- Une perte de poids accélérée

LES ALIMENTS RICHES EN GLUCIDES

La consommation d'aliments riches en glucides est une autre façon très efficace de déclencher une envie persistante de glucides. Voici quelques aliments identifiés par la plupart des adeptes du Régime minceur comme des déclencheurs de réactions de dépendance :

- Le pain et les autres produits céréaliers, tels les bagels, les biscuits, les céréales, les gâteaux, les craquelins, les pâtisseries, les beignets et les petits pains.
- Les fruits de toutes sortes et les jus de fruits (les raisins et les raisins secs, les bananes, les cerises, les dattes, les pommes, les oranges, etc.).
- Les aliments utilisés dans la préparation des desserts sucrés, comme la crème glacée, le chocolat, les bonbons ou les sorbets.
- Les casse-croûte tels le pop-corn, les croustilles, les bretzels, les bâtonnets de fromage et les noix.
- Une variété d'autres aliments, par exemple : certains haricots (particulièrement les haricots au lard, sauce à la mélasse) ; toutes les pâtes alimentaires, des simples spaghettis et des nouilles aux œufs aux zitis et aux raviolis ; le riz (seul ou intégré à un plat) ; les pommes de terre frites ; le sucre de table – même s'il ne s'agit que de 4 ou 5 grammes dans votre café ou votre thé.

DEUXIÈME PARTIE

LE RÉGIME

5

LE RÉGIME MINCEUR

Pour suivre efficacement ce régime, il est nécessaire d'avoir la volonté d'apprendre à manger différemment. Il faut aussi mettre de côté plusieurs de ces vieilles règles et de ces mythes liés à la diététique qui ne vous ont pas réussi jusqu'ici. Souvenez-vous que le Régime minceur est conçu pour traiter la cause de votre excédent pondéral et de vos fringales récurrentes.

Le Régime minceur est un programme alimentaire conçu par et pour des personnes souffrant de dépendance aux glucides. En outre, ce régime est constitué de nouvelles approches destinées à traiter cette dépendance et à vous aider à perdre du poids.

Aucun aliment à peser ni à mesurer. Le Régime minceur ne s'inspire pas des approches diététiques qui vous obligent à vivre en fonction de calculs alimentaires. Vous n'avez plus à peser ni à mesurer vos aliments, pas plus que vous ne devez compter les calories ou vous tracasser avec les équivalences alimentaires comme c'est souvent le cas avec d'autres régimes. Ce sont ici les mécanismes biologiques de votre organisme qui se chargeront de réduire les fringales de glucides, l'absorption de calories et l'envie de tricher.

Pas question de s'abstenir de manger ses aliments préférés. Dans son discours d'inauguration, alors qu'il parlait de la grande dépression, Franklin Delano Roosevelt dit ceci : « La seule chose dont nous devrions avoir peur, c'est de la peur elle-même ». Un peu de la même manière, le Régime minceur vous invite à laisser tomber l'idée qu'un régime alimentaire implique nécessairement la privation. Avec le Régime minceur, vous n'avez pas à vous retenir de manger pendant des semaines et des mois. Vous n'êtes pas non plus forcé de mettre de côté les aliments « interdits » ou riches en gras.

Notre programme n'est pas un de ces régimes de famine où peu après avoir rapidement minci, vous connaîtrez un regain d'appétit et recouvrerez rapidement vos kilos. Comme il a maintes fois déjà été démontré, le Régime minceur vous aidera à perdre du poids à court terme ainsi qu'à maintenir votre amincissement de façon durable, et ce, alors que vous mangerez chaque jour, en quantité satisfaisante, les mets de votre choix à l'un de vos trois repas quotidiens.

Vous n'avez pas à vous contenter de petites portions. La plupart des programmes amaigrissants conseillent de prendre de petits repas plusieurs fois par jour. Le Régime minceur, lui, ne vous astreint pas à de petites portions.

Les autres régimes reposent sur l'hypothèse que les gens trouveront satisfaisant de consommer fréquemment de petits repas contenant des glucides. Bien que cela puisse être pertinent dans certains cas, cette façon de procéder vient en fait bouleverser la chimie du métabolisme de l'accro aux glucides. Par conséquent, les régimes ordinaires ne permettent pas à l'accro aux glucides d'atteindre un poids avec lequel il se sent à l'aise et de le maintenir durablement. Les régimes qui prônent de petits et plus fréquents repas viennent au contraire nourrir cette dépendance et conduisent tôt ou tard à une perte de contrôle du comportement alimentaire.

C'est la raison pour laquelle de tels régimes échouent auprès des accros aux glucides. Tout comme on ne peut s'attendre à ce qu'un alcoolique consomme sans problème de petites quantités d'alcool plusieurs fois par jour, on ne peut espérer que l'accro aux glucides se nourrisse de portions réduites ou « raisonnables » de glucides plusieurs fois par jour.

En somme, vous le constaterez, notre approche diffère des méthodes habituelles.

Profil d'une accro aux glucides :

L'HISTOIRE D'ELLEN

Ellen, quarante-deux ans, nous fit dès le départ l'impression d'être une personne très généreuse. Femme au foyer et mère de deux adolescentes, elle se disait heureuse en ménage.

« Je crois que la plupart des jeunes filles sont insatisfaites de leur poids », commença-t-elle, « et je ne faisais pas exception. » « Pourtant, lorsque je regarde les photos de moi plus jeune, je trouve que j'étais tout à fait normale. J'avais vingt-cinq ans quand je me suis mariée. À cette époque, je portais des vêtements de taille 38 ; je fais deux fois cette taille maintenant. » Ellen paraissait de surcroît plus vieille que son âge, notamment à cause du gris qui parsemait abondamment sa chevelure brun clair.

« Peu après mon mariage, je suis tombée enceinte de ma fille aînée. J'ai alors engraissé de 9 kilos. Plus tard, au cours de ma seconde grossesse, j'ai à nouveau pris 9 kilos, auxquels se sont depuis rajoutés quelques autres. »

« Il faut que je perde au moins 20 kilos, peut-être même 25 », conclut-elle.

Ellen avait entendu parler du Régime minceur par un ami qui nous avait consultés. Elle avait même examiné le Test de dépendance aux glucides de ce dernier et estimé qu'elle obtiendrait un pourcentage encore plus élevé que son ami.

De sa voix douce, elle poursuivit son récit : « La semaine dernière, j'ai vraiment pu constater à quel point la situation s'était détériorée. J'ai préparé un gâteau au chocolat pour Susan, ma fille de quatorze ans, car elle recevait des amis à la maison pour une soirée pyjama. Vers les treize heures, j'ai sorti le gâteau du four puis j'ai dû le laisser refroidir avant d'y appliquer mon fameux glaçage de crème au beurre ».

« Chaque fois que je passais près du gâteau, je raclais sa surface du bout des doigts dans le but d'en faire disparaître les aspérités – et, bien sûr, j'avalais les miettes. Ou encore, je remuais le glaçage à l'aide d'un couteau que je ne manquais pas de lécher par la suite. Peu après, au moment d'appliquer le glaçage, le quart du gâteau avait déjà disparu. »

« Puis j'ai décidé de couper le gâteau en deux parties, en vue de les disposer l'une par-dessus l'autre pour en faire un gâteau à deux étages. Toutefois la forme obtenue, pour le moins inhabituelle, était d'une dimension

>>>

inférieure à celle d'un gâteau conventionnel, mais supérieure à celle d'un petit gâteau. J'ai donc continué d'en grignoter de petits morceaux jusqu'à ce qu'il ait atteint une taille convenable, puis je l'ai déposé sur une clayette du réfrigérateur. »

« Tout de suite après, je suis allée m'étendre un moment dans ma chambre, où j'ai dormi d'un sommeil profond, pour ne me réveiller qu'au retour de l'école de mes deux filles. » À ce stade de son récit, Ellen affichait un air plutôt coupable.

« En ouvrant le réfrigérateur, elles y ont trouvé un ridicule petit gâteau à l'allure on ne peut plus étrange. Naturellement, elles ont voulu savoir ce qui était advenu du reste du gâteau. Mais je leur ai fourni une fausse explication – et c'est d'ailleurs ce qui m'a vraiment fait réfléchir. Je leur ai raconté que ma sœur était venue me visiter – les filles savent combien elle peut dévorer – et qu'elle en avait avalé une bonne partie. Les filles m'ont néanmoins regardée d'un air sceptique, comme si elles avaient senti que quelque chose clochait. »

Ellen alla finalement à l'épicerie se procurer un gâteau pour la fête. « Le fait de cacher mon problème à ma famille me donnait l'impression de me comporter comme une toxicomane ou une alcoolique. Et la pensée que mes filles m'avaient percée à jour me terrifiait. Voilà que j'avais peur de mes propres enfants. Quel sentiment moche ! »

« C'est là que je me suis résolue à vous contacter. J'ai pensé que vous seriez peut-être en mesure de me venir en aide », termina-t-elle.

Un régime qui s'adapte aux occasions spéciales. Le Régime minceur est un programme dynamique et flexible qui s'adapte à votre quotidien et à votre mode de vie.

Sans déroger de votre régime, vous pourrez apprécier les événements où l'on est appelé à se restaurer, qu'il s'agisse d'un simple repas quotidien en famille ou d'un anniversaire au restaurant le plus chic en ville, et ce, en continuant à perdre du poids. Les dîners d'affaires, les sorties, les vacances, les soirées à l'extérieur et les occasions particulières ne vous donneront plus envie d'enfreindre les règles : grâce à un minimum de prévoyance, vous serez à même de prendre une multitude de repas avec votre famille ou vos amis. Vous resterez fidèle à votre régime et serez fier de vous-même.

Fini la culpabilité. Alors que la plupart d'entre nous ont fait l'expérience de la culpabilité au cours de leurs régimes antérieurs, le Régime minceur a le grand avantage de ne pas occasionner de remords. Les centaines de personnes qui ont suivi notre programme alimentaire l'ont fait sans passer par ces périodes d'intense culpabilité qui suivent généralement les incartades. Le Régime minceur n'exige pas que vous vous priviez : vous n'êtes pas tenu de vous soumettre à une diète sévère pendant des jours ou des semaines, pas plus que vous ne devez vous imposer des repas frugaux.

Vous ne serez pas laissé en plan. Contrairement aux autres programmes amaigrissants, le Régime minceur ne vous laissera pas tomber une fois votre objectif pondéral atteint.

En effet, notre approche est globale et ne se limite pas à des solutions rapides et sans lendemain. Trop de régimes n'arrivent pas à vous fournir l'aide nécessaire afin de maigrir à long terme et vous font porter le blâme lorsque vous recouvrez les kilos perdus. Le fait est que les problèmes de surpoids ne se règlent pas aussi facilement qu'une petite coupure qu'il suffit de recouvrir d'un pansement adhésif pendant une semaine ou deux. Loin de là, ils demandent une attention et un souci constants. C'est pourquoi nous avons conçu un programme qui vous incite à modifier votre mode de vie de manière à traiter durablement votre dépendance.

Le Régime minceur n'est pas un de ces programmes alimentaires éclairs qui vous abandonnent peu après la fin de votre régime. Bien au contraire, il fera en sorte que vous maîtrisiez à jamais vos pulsions biologiques liées à l'alimentation. Ce programme est également formidable en ce qu'il rend possible l'élimination de toute crainte de céder aux excès de table, de reprendre des kilos et de succomber à la tentation de tricher.

L'objectif : une perte de poids durable. Le Régime minceur vise l'obtention de résultats durables et non pas une perte de poids accélérée. Les médecins et les scientifiques s'entendent d'ailleurs pour dire que plus la perte pondérale est rapide, plus les probabilités de reprendre les kilos perdus sont élevées. L'histoire typique de la femme qui perdit 450 kilos en est un bon exemple : elle perdit en fait vingt fois les mêmes 22,5 kilos. Notre programme n'a rien en commun avec de telles pratiques.

Nous avons constaté que la meilleure façon de perdre du poids sans le reprendre est de procéder à un rythme raisonnable et pondéré. Au cours de nos recherches au Centre de lutte contre la dépendance aux glucides, nous avons découvert que la cadence hebdomadaire idéale de perte de poids ne devrait pas excéder 1 % du poids actuel de la personne suivant le régime. Ainsi, une personne pesant 91 kilos ne devrait pas perdre plus de 0,91 kilos par semaine ; quelqu'un pesant 68 kilos ne devrait pas perdre plus de 0,68 kilos, et ainsi de suite. Cette échelle est également adoptée par la communauté médicale et approuvée par le *National Council Against Health Fraud Inc.* (regroupement américain de bénévoles dont le mandat est de dénoncer les fraudes et les fausses déclarations relatives à la santé publique). Ce dernier met le public en garde contre les programmes amaigrissants qui promettent une perte de poids rapide et drastique.

Si ces programmes amaigrissants parviennent à faire maigrir les participants à un rythme accéléré, c'est qu'ils sont conçus pour être suivis sur de courtes périodes de temps. Et pour cause, ces régimes de famine sont si difficilement endurables que même les plus motivés ne tiennent le coup que pendant quelques semaines, quelques mois tout au plus. Dans ces programmes, la vitesse à laquelle vous mincissez est d'autant plus importante qu'elle constitue la principale récompense qui vous est offerte.

Le manège est toujours plus ou moins le même – nous en avons d'ailleurs nous-mêmes fait maintes fois la pénible expérience, comme tant d'autres : on vous fait généralement dépenser de l'argent, puis on vous fait perdre du poids rapidement, après quoi on vous laisse à vous-même. Vous vous retrouvez alors seul face aux ruses d'un métabolisme ralenti par une perte de poids accélérée. Puis vient l'inévitable crainte de reprendre le poids perdu, suivie, peu après, des reproches que vous vous faites lorsque vous récupérez finalement les kilos que vous aviez perdus.

Ce régime n'est pas pour tout le monde. Le métabolisme de la majorité des gens ne réagit pas aux glucides de la même façon que celui des personnes atteintes de dépendance aux glucides. Les gens qui ne sont pas accros aux glucides peuvent s'alimenter « normalement ». Or, l'accro aux glucides qui se nourrit « normalement » perdra tôt ou tard le contrôle de son comportement alimentaire. Persister à vous alimenter comme les gens qui n'ont pas ce problème avec les glucides ne fera qu'entraîner une certaine frustration et ne mènera qu'à l'échec. Si vous avez passé le Test de dépendance aux glucides au chapitre trois, vous savez maintenant si vous êtes accro aux glucides. Advenant ce cas, soyez assuré que notre programme a été conçu pour vous.

Faites-en l'essai. Nous, les auteurs de ce livre, souffrons tous deux de dépendance aux glucides. Comme scientifiques, nous nous sommes engagés à trouver une solution à notre problème en mettant à profit nos connaissances, nos compétences et notre formation. Après tout, avons-nous pensé, nous travaillons à élaborer des traitements pour d'autres types de troubles de la santé, alors pourquoi ne pas aussi nous investir dans la recherche d'une solution à notre problème ?

En tant que scientifiques, nous savions que notre propre réussite avec le régime ne fournirait pas les preuves cliniques nécessaires pour obtenir une reconnaissance de la communauté scientifique. Il nous fallait éprouver le Régime minceur en l'appliquant à d'autres personnes. Ainsi, pendant plus de sept ans, des centaines de sujets ont suivi le régime sous notre direction. Et au cours de cette période, le régime s'est révélé une façon efficace de maigrir durablement pour plus de 80 % d'entre eux. En outre, les sujets ont signalé des fringales moins fréquentes, une perte d'appétit, ainsi qu'un regain d'énergie.

D'autres bienfaits du Régime minceur sont fréquemment évoqués par les participants. Certains disent mieux dormir et se réveiller reposés comme jamais auparavant. D'autres parlent d'une impression d'énergie renouvelée, voire d'un « sentiment de paix », que leur aurait apporté le régime.

De telles améliorations de la qualité de vie ne doivent pas surprendre, puisque le régime permet de mettre un terme à une dure bataille menée contre une substance qui engendre la dépendance. Cela ne signifie pas pour autant que le Régime minceur solutionnera tous vos problèmes affectifs et physiques. En d'autres termes, il ne peut servir de diagnostic ni de traitement pour les maux physiques ou psychologiques dont vous pourriez souffrir. Néanmoins, dans la mesure où vous êtes accro aux glucides, le Régime minceur a toutes les chances de contribuer à l'amélioration de votre qualité de vie.

Facile et agréable à poursuivre à long terme, le programme vous libère des déclencheurs qui, autrefois, vous ont conduit à l'échec. Et, au lieu de vous faire des reproches, le régime utilise vos ressources personnelles – que tout accro aux glucides possède naturellement. Ces forces sont là, dans la biochimie de votre organisme, et nous avons découvert comment les mettre à profit à votre avantage.

METTRE LES PRINCIPES EN PRATIQUE

Le Régime minceur s'inspire de principes tout à fait différents des autres régimes.

Une fois le mécanisme responsable de la dépendance aux glucides identifié, soit la surproduction d'insuline (ou hyperinsulinisme), il nous restait à trouver comment venir en aide à ceux et celles qui étaient aux prises avec ce problème.

Pour réduire le taux d'insuline, nous aurions simplement pu supprimer les glucides du régime. Toutefois, il n'aurait pas été raisonnable d'exiger qu'une personne exclue indéfiniment, tous les glucides de sa diète – sans compter qu'à long terme, une telle restriction risque de nuire à la santé. Il était donc hors de question de procéder de la sorte.

Heureusement cependant, nous avons découvert qu'il n'était pas nécessaire d'éliminer les glucides du régime alimentaire.

L'accro aux glucides a plus de mal à contrôler sa consommation d'aliments contenant des glucides lorsqu'il en absorbe plusieurs fois par jour. Inversement, quand le nombre de repas ou de collations contenant des glucides est réduit, la consommation devient contrôlable et les fringales diminuent considérablement.

La consommation moins fréquente de glucides entraîne une production plus faible d'insuline. L'organisme emmagasine alors moins facilement dans ses cellules adipeuses les calories superflues et décompose mieux les graisses stockées. Ainsi établi, le rapport glucides-insuline-sérotonine facilite la perte de poids. Nous avons également constaté que moins l'accro aux glucides consomme d'aliments contenant des glucides, plus il apprécie ses repas – et plus grande est sa maîtrise sur son alimentation. Bref, nous avons compris que le cycle embonpoint-dépendance aux glucides peut être brisé.

Nos recherches révèlent également que lorsque les glucides sont consommés pendant une période de temps limitée, la surproduction habituelle d'insuline devient moins importante. Ainsi, ces longues soirées où l'on boit et l'on mange des heures et des heures durant sont particulièrement néfastes pour l'accro aux glucides. Prenons l'exemple d'un souper entre amis où sont servis des hors-d'œuvre, une soupe, une salade, un plat principal et un dessert, sans oublier les boissons qui sont servies avant et après le repas. De toute évidence, manger et boire autant (en particulier des glucides), pendant plusieurs heures par surcroît, provoquera chez l'accro aux glucides une réponse insulinique démesurée. Et comme il y a surproduction d'insuline, ce repas, pourtant long et copieux, aura pour effet de laisser l'accro aux glucides dans un état d'insatisfaction, si bien que le soir même ou le lendemain, il se retrouvera fort probablement aux prises avec une fringale de glucides.

Par contre, si l'accro aux glucides consomme ces mêmes aliments en l'espace d'une heure, il ressentira nettement moins la faim. Cette différence s'explique par le fait que le corps ne peut libérer qu'une quantité limitée d'insuline en un temps donné. Alors, en réduisant la période de consommation, on réduit aussi la période durant laquelle l'organisme est sollicité pour produire de l'insuline. Cela signifie que l'on peut contrôler le taux d'insuline dans la mesure où l'on arrive à prévenir l'hyperinsulinisme.

En somme, nous avons découvert que deux principaux facteurs ont un effet négatif sur le comportement alimentaire d'une personne souffrant de dépendance aux glucides. Il y a premièrement la fréquence de consommation des glucides (i.e. plus d'une fois par jour), et ensuite, la durée du repas (i.e. lorsque la durée excède soixante minutes).

Par conséquent, le régime idéal pour l'accro aux glucides devrait limiter les périodes de consommation de glucides à une par jour (il ne semble pas nécessaire de réduire les quantités de glucides consommées lors de ce repas), et limiter la durée de ce repas.

LE PROGRAMME DU RÉGIME MINCEUR

Le Régime minceur est un programme dynamique qui vous offre de prendre chaque jour deux repas complémentaires et un repas-récompense (voir page 120) dans des combinaisons qui entraîneront une diminution marquée de votre envie de consommer des glucides, ainsi que les pertes pondérales durables que vous souhaitez.

À cette fin, chaque semaine vous suivrez un programme alimentaire établi à partir du poids perdu au cours de la semaine, d'une part, et de la quantité de poids que vous désirez perdre au cours de la semaine suivante d'autre part.

La majorité des programmes amaigrissants standard ne tiennent pas compte des différences entre les individus. Or, comme personne ne répond exactement de la même façon à un même traitement médical, on ne peut s'attendre à ce que les gens réagissent de façon identique à un programme alimentaire. Le fait est qu'une personne pourra perdre du poids, alors qu'une autre n'en perdra pas. Vous avez peut-être déjà pu le constater par vous-même : vous jeûnez pendant une semaine pour ensuite découvrir que vous avez pris près d'un demi-kilo, tandis que votre conjoint(e) ou un ami mange deux fois plus que vous et s'en sort indemne.

En réalité, chaque personne réagit différemment aux divers régimes, tout comme le rythme d'amaigrissement d'une même personne est susceptible de varier d'une semaine ou d'un mois à l'autre. Conscients de ces variables, nous avons élaboré un programme qui tient compte des nombreux facteurs ayant une incidence sur les réactions de votre organisme lors de la poursuite d'un régime : des facteurs tels l'âge, le sexe, la vitesse du métabolisme et le niveau d'activité.

De la même manière que l'on doit administrer un médicament ou un traitement en fonction d'un problème de santé spécifique, on doit adapter votre régime à vos besoins. Dans cette optique, le Régime minceur vous aidera, chaque semaine, à déterminer quelle sera la formule du programme la plus appropriée pour diminuer votre appétit et atteindre vos objectifs de perte de poids.

Enfin, les cinq formules (la formule de base et les formules A, B, C et D) sont des combinaisons de repas complémentaires et de repas-récompenses. Chacune de ces formules aura un effet différent tant sur le fonctionnement de votre organisme que sur votre perte de poids.

DIRECTIVES

Lorsque vous commencez le Régime minceur, suivez la formule de base pendant deux semaines. Pesez-vous chaque jour et notez votre poids (voir chapitre 7). Au bout des deux premières semaines, vous serez en mesure de constater votre perte de poids pour cette période.

Vous devrez ensuite décider soit de continuer de perdre du poids, soit de maintenir le poids que vous avez déjà atteint. Votre Guide du Régime minceur (page 97), vous indiquera quelle formule (A, B, C ou D) choisir pour la semaine à venir afin de réaliser vos objectifs de perte ou de maintien pondéraux.

Chaque semaine, le Guide du Régime minceur vous prêtera assistance dans le choix de la formule qui vous sera la plus appropriée selon le nombre de kilos perdus la semaine précédente et votre objectif de perte pondérale pour la semaine suivante.

Certaines personnes, satisfaites de leur rythme d'amaigrissement, choisissent de conserver la même formule pendant plusieurs semaines. D'autres, qui constatent que leur métabolisme est plus changeant, préfèrent profiter de la variété de formules qu'offre le Régime minceur afin d'éviter de se buter à des plateaux, source d'exaspération et de découragement, comme c'est si souvent le cas avec les régimes à programme unique.

SOUVENEZ-VOUS :

Lorsque vous débuterez le Régime minceur, suivez la formule de base pendant deux semaines et notez votre poids chaque jour (voir la section

« Faut-il se peser ? », page 137). Après avoir suivi la formule de base pendant deux semaines, choisissez, à l'aide du Guide du Régime minceur que vous trouverez dans les prochaines pages, la formule du programme qui vous convient le mieux pour la semaine suivante. Continuez de vous peser quotidiennement.

À la fin de chaque semaine, consultez le Guide du Régime minceur afin de sélectionner la formule (A, B, C ou D) qu'il vous faut pour la semaine suivante.

LES PRINCIPES

Grâce au Régime minceur, vous pouvez changer vos habitudes alimentaires sans vous priver de vos aliments favoris et des quantités qui vous apportent satisfaction.

C'est une simple question d'ordre biologique. Les gens qui ne souffrent pas de dépendance aux glucides éprouvent un sentiment de satisfaction après avoir mangé. Ce sentiment de satiété naît d'une double réaction de leur métabolisme à la nourriture ingurgitée : premièrement, il y a production d'insuline afin que l'organisme puisse utiliser l'énergie des aliments absorbés ; et deuxièmement, le cerveau libère de la sérotonine en quantité suffisante pour que l'ordre de cesser de manger soit lancé.

Nous savons à présent que, chez l'accro aux glucides, ces mécanismes fonctionnent mal. Nous avons donc élaboré le Régime minceur de façon à corriger ces dysfonctions de l'organisme. Celles-ci doivent être corrigées, sinon l'accro aux glucides doit s'attendre à continuer à ressentir la faim, être sujet à des fringales récurrentes, se sentir insatisfait ou reprendre le poids qu'il a perdu.

Étant donné le nombre réduit de principes à suivre, il est primordial de les appliquer à la lettre. Les personnes qui suivent ce régime éprouvent en général peu de difficultés à le faire puisque le régime leur convient et répond à leurs besoins. Le régime est conçu de manière à vous faciliter la tâche ; vous ne vous sentirez pas en manque.

Il est même probable que vous ayez l'impression de ne pas être au régime. Mais ne vous faites pas d'illusions : le régime ne fonctionnera pas si vous n'en respectez pas les principes.

PRINCIPE # 1 : PRENEZ CHAQUE JOUR DES REPAS COMPLÉMENTAIRES

Lorsque vous prenez des repas complémentaires riches en fibres, faibles en gras et en glucides, votre organisme réagit en produisant et en libérant moins d'insuline. En échange, un taux d'insuline plus faible diminuera votre faim et vos fringales, vous procurant du même coup une impression de satisfaction. L'avantage principal réside toutefois dans le fait qu'un taux plus faible d'insuline incitera l'organisme à puiser dans ses réserves de graisse.

Les formules du programme

Veuillez prendre note qu'une description détaillée des principes directeurs pour les repas-récompenses, ainsi que pour les repas complémentaires, est présentée au chapitre 6 (page 107).

FORMULE DE BASE

Chaque jour, prévoyez :

- un petit-déjeuner complémentaire ;
- un déjeuner complémentaire ;
- un repas-récompense[1]

FORMULE A

Chaque jour, prévoyez :

- un petit-déjeuner complémentaire ;
- un déjeuner complémentaire ;
- un repas-récompense[2] et une collation complémentaire

PROGRAMME B

Chaque jour, prévoyez :

- un petit-déjeuner complémentaire ;
- un déjeuner complémentaire ;
- un repas-récompense[3]

1 Il vous est aussi possible de prendre votre repas-récompense à l'occasion du petit-déjeuner ou du déjeuner. Voir page 120.

2 *Idem*

3 *Idem*

FORMULE C

Chaque jour, prévoyez :

- un petit-déjeuner complémentaire ;
- un déjeuner complémentaire ;
- un repas-récompense[1] accompagné d'une salade

Dans le cadre de la formule C, il est essentiel de débuter votre repas récompense par une portion d'au moins 450 grammes de salade. Et puisque qu'il s'agit de votre repas-récompense, il vous est permis d'y ajouter n'importe quels légumes et de la garnir de votre vinaigrette favorite. Une fois votre salade terminée, vous pourrez passer à votre repas-récompense.

FORMULE D

Chaque jour, prévoyez :

- un petit-déjeuner complémentaire
- ou un déjeuner complémentaire ;
- et un repas-récompense[2] accompagné d'une salade

Dans le cadre de la formule D, vous devez débuter votre repas-récompense par une portion d'au moins 450 grammes de salade. Le repas-récompense vous laisse libre d'agrémenter cette salade des légumes de votre choix et d'y ajouter votre vinaigrette préférée. Et n'attaquez votre délicieux repas-récompense qu'une fois votre salade terminée. Si ce programme devait entraîner une perte de poids trop rapide, soit de l'ordre de plus d'un kilo par semaine, il vous faudrait alors revenir à la formule B ou C.

D'autre part, il est important de créer des habitudes quotidiennes où les deux mêmes repas tiennent lieu de repas complémentaires. Encore

---

[1] Il vous est aussi possible de prendre votre repas-récompense à l'occasion du petit-déjeuner ou du déjeuner. Voir page 120.

[2] *Idem*

une fois, les aliments que vous consommez lors de ces repas doivent être faibles en glucides. En outre, selon nos observations, ceux et celles qui obtiennent les meilleurs résultats prennent leurs repas complémentaires au petit-déjeuner et au déjeuner. Au prochain chapitre, nous vous donnerons des conseils détaillés en ce qui a trait à la planification de vos repas complémentaires.

Normalement, vos repas complémentaires devraient comprendre des portions moyennes (de 80 à 110 grammes environ) de viande, de poisson ou de volaille, ou 60 grammes de fromage, et autour de 450 grammes de légumes ou de salade. Ces repas, qui vous rassasieront, vous feront maigrir tout en conservant un taux d'insuline faible. Les collations complémentaires (Formule A) équivalent à environ la moitié de la portion servie pour un repas de ce type.

Cependant, notre alimentation quotidienne doit également contenir des glucides, car non seulement ils nous sont nécessaires, mais nous en avons envie. Le repas-récompense est conçu pour répondre à ces besoins.

PRINCIPE #2 : PRENEZ CHAQUE JOUR UN REPAS-RÉCOMPENSE

Prenez un repas-récompense par jour. Il s'agit ici d'un « mini-festin équilibré », non pas d'une occasion de vous gaver, au cours duquel il vous sera possible de consommer une variété d'aliments qui sont habituellement interdits dans d'autres programmes amaigrissants. Les aliments riches en glucides devront tout de même être consommés de façon équilibrée afin de réduire votre réponse insulinique. Quant à la quantité de nourriture que vous pourrez manger, c'est à vous et votre médecin d'en décider. L'important est que vous respectiez les proportions qui sont illustrées à la page 120.

Certains de nos clients ont exprimé des réserves lorsqu'ils ont appris que les portions des repas-récompenses n'étaient pas limitées. Évidemment, ils ne se doutaient pas que deux repas consécutifs sans glucides générateurs d'insuline font en sorte que le corps s'adapte à un taux plus faible d'insuline. Il s'ensuit que l'organisme ne s'attend pas à recevoir de dose élevée de glucides lors du prochain repas.

Ainsi déjoué par les repas complémentaires, l'organisme produira beaucoup moins d'insuline que s'il avait été exposé aux glucides à tous les repas. Par conséquent, tout un ensemble de réactions métaboliques s'en trouvent modifiées : la production d'insuline est réduite ; moins de lipides sont stockés et leur élimination est accrue. Le taux d'insuline réduit, la sérotonine reprend normalement sa fonction de régulateur de l'appétit. Dans ce contexte, l'individu mange probablement beaucoup moins que s'il avait consommé consécutivement trois repas riches en glucides.

Il faut pourtant faire attention, car l'organisme compense pour les rations inattendues de glucides par une sorte de mécanisme de « double vérification ». Ainsi, lorsque l'absorption de glucides se prolonge, une deuxième phase de production d'insuline est enclenchée.

On peut cependant contrôler cette deuxième phase de production d'insuline et maintenir un taux peu élevé d'insuline en prenant son repas-récompense en moins d'une heure.

PRINCIPE # 3 : COMPLÉTEZ VOTRE REPAS-RÉCOMPENSE EN MOINS D'UNE HEURE

Tout est affaire de temps. La deuxième phase de libération d'insuline se produit de soixante-quinze à quatre-vingt-dix minutes environ après le début du repas. Cette réponse insulinique est déclenchée d'après la lecture que fait votre organisme de la quantité de glucides ingérés lors de ce repas.

Si vous êtes toujours en train de manger à ce moment, soit soixante-quinze à quatre-vingt-dix minutes plus tard, le taux d'insuline généré lors de la deuxième phase compensera pour la faible quantité produite initialement. Par contre, si vous avez terminé votre repas, votre organisme ne libérera lors de cette seconde phase qu'une faible quantité d'insuline.

Le principe à suivre afin de profiter pleinement de votre repas-récompense est donc de respecter la durée maximale du repas : mangez ce qu'il vous plaira, dans les quantités qui vous satisferont, mais vous devez avoir terminé votre repas en moins d'une heure.

PRINCIPE # 4 : CONSOMMEZ TOUTE BOISSON ALCOOLISÉE PENDANT LE REPAS-RÉCOMPENSE

Il est permis de savourer des boissons alcoolisées tels la bière, le vin et les cocktails pendant le repas-récompense. Vous avez envie d'un bon vin ? Buvez-en juste avant votre repas-récompense ou pendant celui-ci. Bien entendu, assurez-vous d'avoir terminé et la boisson et le repas dans le délai prescrit, c'est-à-dire en l'espace de soixante minutes.

Afin de pallier les difficultés posées par les cocktails prolongés, certains adeptes du Régime minceur ont trouvé des solutions ingénieuses, comme de consommer des sodas, ordinaires ou allégés, jusqu'à ce que le repas soit sur le point de débuter. Ils sont ainsi libres de se faire plaisir en consommant leur vin préféré, de la bière ou un cocktail, sans crainte d'éprouver par la suite des fringales récurrentes ou de prendre du poids.

Alors achetez les vins dont vous raffolez ou les alcools nécessaires à la préparation de vos boissons préférées, mais ne les consommez qu'au cours des soixante minutes de vos repas-récompenses.

PRINCIPE # 5 : INTERDICTION FORMELLE DE MANGER ENTRE LES REPAS

La consommation de glucides, même en petites quantités, peut stimuler la réponse insulinique, si bien que grignoter quelques croustilles ou un simple morceau de chocolat risque d'engendrer une forte envie de consommer davantage de glucides.

Le Guide du Régime minceur

VOUS AVEZ SUIVI LA FORMULE DE BASE...

... et vous avez perdu plus d'un kilo au cours de la dernière semaine :

Pour continuer à perdre du poids,
SUIVEZ LA FORMULE A la semaine suivante.

Pour maintenir votre poids,
SUIVEZ LA FORMULE A la semaine suivante
et augmentez légèrement les portions des repas complémentaires.

... et vous avez perdu de 250 grammes à un kilo au cours de la dernière semaine :

Pour continuer à perdre du poids,
SUIVEZ LA FORMULE B la semaine suivante.

Pour maintenir votre poids,
SUIVEZ LA FORMULE A la semaine suivante.

... et vous avez maintenu votre poids au cours de la dernière semaine :

Pour perdre du poids,
SUIVEZ LA FORMULE C la semaine suivante.

Pour maintenir votre poids,
SUIVEZ LA FORMULE B la semaine suivante.

... et vous avez pris du poids au cours de la dernière semaine :

Pour perdre du poids,
SUIVEZ LA FORMULE D la semaine suivante.

Pour maintenir votre poids,
SUIVEZ LA FORMULE C la semaine suivante.

VOUS AVEZ SUIVI LA FORMULE A ...

... et vous avez perdu plus d'un kilo au cours de la dernière semaine :

Pour continuer de perdre du poids,
augmentez les portions des repas complémentaires
et **SUIVEZ LA FORMULE A** la semaine suivante.

Pour maintenir votre poids,
remplacez un ou deux petits déjeuners-récompenses
par des petits-déjeuners complémentaires
et **SUIVEZ LA FORMULE A** la semaine suivante.

... et vous avez perdu entre 250 grammes et un kilo au cours de la dernière semaine :

Pour continuer de perdre du poids,
SUIVEZ LA FORMULE A la semaine suivante.

>>>

Pour maintenir votre poids,
remplacez un ou deux petits déjeuners-récompenses par des petits-déjeuners complémentaires
et **SUIVEZ LA FORMULE A** la semaine suivante.

... et vous avez maintenu votre poids au cours de la dernière semaine :

Pour perdre du poids,
SUIVEZ LA FORMULE B la semaine suivante.

Pour maintenir votre poids,
SUIVEZ LA FORMULE A la semaine suivante.

... et vous avez pris du poids au cours de la dernière semaine :

Pour perdre du poids,
SUIVEZ LA FORMULE C la semaine suivante.

Pour maintenir votre poids,
SUIVEZ LA FORMULE B la semaine suivante.

VOUS AVEZ SUIVI LA FORMULE B ...

... et vous avez perdu plus d'un kilo au cours de la dernière semaine :

Pour continuer à perdre du poids,
SUIVEZ LA FORMULE A la semaine suivante.

Pour maintenir votre poids,
SUIVEZ LA FORMULE A la semaine suivante
et augmentez légèrement les portions des repas complémentaires.

... et vous avez perdu entre 250 grammes à un kilo au cours de la dernière semaine :

Pour continuer de perdre du poids,
SUIVEZ LA FORMULE B la semaine suivante.

Pour maintenir votre poids,
SUIVEZ LA FORMULE A la semaine suivante.

... et vous avez maintenu votre poids au cours de la dernière semaine :

Pour perdre du poids,
SUIVEZ LA FORMULE C la semaine suivante.

Pour maintenir votre poids,
SUIVEZ LA FORMULE B la semaine suivante.

... et vous avez pris du poids au cours de la dernière semaine :

Pour perdre du poids,
SUIVEZ LA FORMULE D la semaine suivante.

Pour maintenir votre poids,
SUIVEZ LA FORMULE C la semaine suivante.

VOUS AVEZ SUIVI LA FORMULE C ...

... et vous avez perdu plus d'un kilo au cours de la dernière semaine :

Pour continuer à perdre du poids,
SUIVEZ LA FORMULE B la semaine suivante.

Pour maintenir votre poids,
SUIVEZ LA FORMULE A la semaine suivante.

... et vous avez perdu entre 250 grammes et un kilo au cours de la dernière semaine :

Pour continuer de perdre du poids,
SUIVEZ LA FORMULE C la semaine suivante.

Pour maintenir votre poids,
SUIVEZ LA FORMULE B la semaine suivante.

>>>

... et vous avez maintenu votre poids au cours de la dernière semaine :

Pour perdre du poids,
SUIVEZ LA FORMULE D la semaine suivante.

Pour maintenir votre poids,
SUIVEZ LA FORMULE C la semaine suivante.

... et vous avez pris du poids au cours de la dernière semaine :

Pour perdre du poids,
SUIVEZ LA FORMULE D la semaine suivante
en faisant attention de suivre les principes *à la lettre*.

Pour maintenir votre poids,
SUIVEZ LA FORMULE D la semaine suivante.

VOUS AVEZ SUIVI LA FORMULE D ...

... et vous avez perdu plus d'un kilo au cours de la dernière semaine :

Pour continuer à perdre du poids,
SUIVEZ LA FORMULE C la semaine suivante.

Pour maintenir votre poids,
SUIVEZ LA FORMULE B la semaine suivante.

... et vous avez perdu entre 250 grammes et un kilo au cours de la dernière semaine :

Pour continuer à perdre du poids,
SUIVEZ LA FORMULE D la semaine suivante.

Pour maintenir votre poids,
SUIVEZ LA FORMULE C la semaine suivante.

... et vous avez maintenu votre poids au cours de la dernière semaine :

Pour perdre du poids,
vérifiez que les aliments utilisés dans vos repas complémentaires ne contiennent pas de glucides « cachés » et
SUIVEZ LA FORMULE D la semaine suivante. Assurez-vous aussi que la durée du repas-récompense ne dépasse pas une heure.

Pour maintenir votre poids,
SUIVEZ LA FORMULE D la semaine suivante.

... et vous avez pris du poids au cours de la dernière semaine :

Pour perdre du poids,
assurez-vous bien que les aliments utilisés dans vos repas complémentaires ne contiennent pas de glucides cachés et
SUIVEZ LA FORMULE D la semaine suivante. Assurez-vous également que la durée du repas-récompense soit d'une heure au plus – *pas une minute de plus.*

Pour maintenir votre poids,
assurez-vous bien que les aliments utilisés dans vos repas complémentaires ne contiennent pas de glucides cachés et
SUIVEZ LA FORMULE D la semaine suivante. Assurez-vous aussi que la durée du repas-récompense n'excède pas une heure.

En effet, un seul morceau de fruit pris à un moment autre que durant votre repas-récompense a le pouvoir d'inverser tout le processus métabolique de vidange de vos cellules adipeuses. Une simple pomme ou une banane sera peut-être l'élément qui fera la différence entre une perte et un gain de poids. Cette interdiction s'applique aussi aux aliments permis lors des repas complémentaires.

Si vous croyez que ce principe pourrait vous poser des difficultés, souvenez-vous de ceci : le Régime minceur éliminera votre envie de tricher ou de prendre des collations entre les repas.

DOUBLEZ LE PLAISIR

Le Régime minceur vous offre en prime une double récompense – la joie de perdre du poids durable et la possibilité de manger *tout ce que vous voulez* une fois par jour.

La plupart des régimes vous demandent de mettre votre appétit en attente et de dire adieu aux aliments que vous aimez afin de perdre le poids désiré. Toutefois, en modifiant le mode de consommation des glucides, vous pouvez à la fois consommer vos aliments favoris et perdre du poids.

Vaincre les fringales :

L'HISTOIRE DE BEVERLY

Grande, les cheveux blonds et longs, elle approchait la trentaine. Elle avait seulement quelques kilos en trop lorsqu'elle vint nous rencontrer. « Je désire seulement perdre trois ou quatre kilos », nous dit-elle. Elle avait néanmoins un réel problème.

« Manger, pour moi, c'est comme un combat incessant avec la nourriture », nous avoua Beverly. « Un de mes amis vous a entendus parler à l'hôpital où vous travaillez. Je ne sais pas si vous serez de cet avis, mais dès que j'ai entendu l'expression « dépendance aux glucides », j'ai su qu'elle s'appliquait à moi. »

Alors qu'elle nous parlait d'un air déterminé, ses yeux laissaient paraître une certaine tension. Plus nous l'écoutions, plus nous constations la force intérieure de cette jeune femme – et l'étendue de son désespoir.

« Quand je me régale de gâteaux, de biscuits ou de croustilles à une fête, surtout les croustilles de maïs, je ne suis pas capable de m'arrêter. Je n'arrive plus à penser à autre chose qu'à la nourriture qu'il y a devant moi. »

« L'autre soir, je suis allée à une soirée. Je ne pourrais vous nommer aucun des hommes qui y étaient, mais en revanche, je peux vous donner une description détaillée de tous les aliments qu'on y a servis. C'est absolument fou. Je suis accro à la nourriture. Ou plutôt, accro aux glucides ! »

« Et je les absorbe avec une facilité inouïe. Je mesure un mètre soixante-dix-huit et j'arrive à manger comme un homme, et même plus. En guise de collation, je dévore, à moi seule, tout un gâteau au chocolat et un paquet de 500 grammes de crème glacée. »

Puis elle décrivit plus en détail ses symptômes.

« Le problème, c'est que je ne suis jamais rassasiée. Je mange constamment sans jamais sentir que j'ai assouvi ma faim. À vrai dire, je ne crois pas savoir ce que c'est que de se sentir rassasiée. Je ne suis pas sûre de l'avoir déjà ressenti même une seule fois dans ma vie. J'ai toujours faim. »

Les cas comme celui de Beverly sont assez rares. La plupart des gens auraient été d'avis qu'elle n'avait pas besoin d'un régime. De plus, elle était svelte, faisait de l'activité physique et elle disait brûler beaucoup de calories dans son travail d'instructeur de natation. Somme toute, sa vie était saine et heureuse.

N'empêche, elle était inquiète. « Je me demande combien de temps encore je pourrai continuer à lutter pour garder le contrôle de mon poids, combien de temps avant que je ne baisse les bras. Je suis pétrifiée à cette idée. Mais je suis lasse de lutter, de ne jamais me sentir satisfaite. »

Vous imaginez sans doute les résultats qu'obtint Beverly au Test de dépendance aux glucides. Elle était tout en haut de l'échelle de dépendance. Avec un score de 100 %, elle souffrait de forte dépendance aux glucides. Nous lui avons évidemment conseillé d'essayer le régime afin de voir comment elle y réagirait.

Elle accepta spontanément.

Bien que nous lui ayons donné rendez-vous deux semaines plus tard, elle nous rappela quatre jours après avoir débuté le régime.

« C'est fini », dit-elle, « la sensation de faim persistante a disparu. » L'excitation était perceptible dans sa voix.

« J'ai suivi vos consignes à la lettre, j'ai fait tout ce que vous aviez recommandé. À présent, je sais ce qu'éprouvent les gens normaux. Durant les deux premiers jours, j'avais peur de manger des aliments contenant des glucides au dîner. J'ai pensé que je serais même prête à m'abstenir complètement d'en manger si cela pouvait enrayer ma faim. Mais je me suis rappelé que ce régime devait faire partie de mon mode de vie et qu'il me serait impossible de m'en priver pour toujours. D'autre part, j'avais vraiment envie d'une friandise. Donc, il y a deux jours, j'ai tenté l'expérience et la faim n'est pas revenue. C'est stupéfiant de se sentir enfin libérée de la sorte ».

Au rendez-vous suivant, deux semaines plus tard, nous avons constaté que Beverly n'avait perdu qu'un demi-kilo, mais elle ne s'en faisait pas. « Je n'en ai que trois à perdre. Cela peut prendre aussi longtemps qu'il le faudra, à condition que je ne ressente pas la faim », dit-elle en haussant

>>>

les épaules en signe d'indifférence. Manifestement, elle était plus détendue que lors de notre premier entretien, quatorze jours auparavant.

« Je ne peux en être tout à fait certaine, mais je crois me sentir satisfaite depuis un certain temps, et pas seulement après mes repas complémentaires, mais aussi, et surtout, après mes dîners-récompenses. D'abord, je me mets à table sans devoir surveiller les quantités que je consomme. Puis, il me semble qu'au fil du repas, mon appétit diminue naturellement. Je ne sais pas vraiment si c'est cela que les gens appellent la satisfaction, mais le moins que je puisse dire, c'est que je me sens bien et rassasiée, et je n'ai aucun mal à sortir de table. »

Elle ajouta enfin : « Et c'est la première fois de toute ma vie que j'ai cette sensation. »

Le cheminement de Beverly ne fut toutefois pas si facile. Elle nous confia qu'après avoir poursuivi ses objectifs de perte pondérale pendant quelques semaines, il lui était arrivé d'aller à l'encontre des principes du régime, soit en se permettant de temps à autre de prolonger son heure de dîner ou en intégrant parfois des aliments contenant des glucides à ses autres repas.

Peut-être était-ce le besoin d'éprouver ses limites qui l'avait conduite à le faire. Peu importe, nous lui avons expliqué qu'elle sabotait ainsi le régime et que son organisme libérait probablement trop d'insuline. Nous avons revu avec elle les raisons qui la poussaient à agir de cette façon. Au cours de l'entretien, elle admit qu'elle se comportait en enfant gâtée. « Je suppose que je veux tout avoir, simplement », répondit-elle. Elle reprit néanmoins ses engagements et découvrit que le régime lui réussissait à merveille.

Plusieurs mois plus tard, elle nous invita à son mariage. Au dos de notre carte d'invitation, Beverly avait écrit une note personnelle : le service du dîner sera effectué en moins d'une heure.

Qu'en est-il des boissons alcoolisées ?

Le Régime minceur n'exclut pas les boissons alcoolisées. Cependant, puisque l'alcool contenu dans la bière, le vin et les boissons alcoolisées peut avoir un effet semblable à celui des aliments riches en glucides, toute consommation d'alcool devrait se faire lors des repas-récompenses.

De plus, n'oubliez pas que toute boisson contenant de l'alcool doit être consommée à l'intérieur des soixante minutes allouées pour le repas-récompense.

Les choses – à faire et à ne pas faire – qui mènent à la réussite

Ne combinez pas les régimes. N'essayez pas non plus de mettre en pratique les principes provenant d'autres régimes et de les appliquer au Régime minceur.

Consultez les listes d'aliments et de menus de notre programme au moment de prévoir ou de préparer vos repas complémentaires et vos repas-récompenses : les aliments complémentaires (page 111), les menus (page 216) et les recettes (page 225). Ils sont essentiels à votre réussite.

Ne présumez pas que vous pouvez, à l'occasion de vos repas complémentaires, consommer des aliments que vos programmes amaigrissants précédents considéraient comme « faisant grossir » ou « diététiques » ; vous pouvez manger n'importe quels aliments lors du repas-récompense, mais ne consommez aucune nourriture riche en glucides en dehors de ce repas. Ainsi, les fruits, les jus de fruits, les pommes de terre, le riz, les pâtes, les sucreries ou les aliments pour collation doivent être consommés uniquement lors du repas-récompense. Seuls les légumes permis par le Régime minceur devraient faire partie de votre repas complémentaire (voir page 114).

Ne prenez pas de collations entre les repas – pas même les aliments permis aux repas complémentaires.

Ne consommez aucune boisson alcoolisée sauf pendant les soixante minutes allouées pour le repas-récompense.

6

GROS PLAN SUR LE RÉGIME

Vous avez vos lignes directrices, il est maintenant temps de vous mettre aux commandes et d'orienter vos efforts en vue de parvenir à votre but. Nous aimerions vous accompagner un moment dans cette entreprise. Considérez-nous comme des navigateurs dont la fonction est de vous éviter de faire fausse route et de vous remettre sur la bonne voie s'il vous arrivait de vous en écarter.

Dans le chapitre précédent, nous avons expliqué en quoi consiste le Régime minceur. Dans ce chapitre, nous nous concentrerons sur des aliments précis et verrons comment ils s'inscrivent dans votre programme alimentaire quotidien.

Tout d'abord, il importe de faire la différence entre les aliments faibles en glucides et ceux qui en contiennent une quantité importante. Même s'il n'existe pas d'aliments interdits dans le Régime minceur (hormis les restrictions recommandées par votre médecin), les aliments riches en glucides ne devraient être consommés que lors de votre repas-récompense d'une durée maximale d'une heure. Nous définissons les aliments riches en glucides comme étant ceux qui contiennent plus de quatre grammes de glucides par portion moyenne. Examinons, à présent, ce en quoi devraient consister les autres repas de la journée, vos repas complémentaires.

LES REPAS COMPLÉMENTAIRES

Selon la formule alimentaire (formule de départ, formule A, B, C ou D), le Régime minceur comptera de deux à quatre repas par jour : de un à trois repas riches en fibres, faibles en gras et en glucides, en plus d'un repas-récompense.

Quels repas devraient être considérés comme une récompense? Les adeptes du Régime minceur qui obtiennent les meilleurs résultats sont ceux qui choisissent le petit-déjeuner et le déjeuner comme repas complémentaires, toutefois, le choix vous appartient. Si vous suivez la formule A, par exemple, vous pourrez choisir de prendre votre repas complémentaire le midi ou en soirée. Lorsque vous choisirez à quel moment vous prendrez votre repas-récompense, gardez à l'esprit que votre horaire devrait demeurer le même tous les jours et que vos repas, récompenses et complémentaires, devraient être pris dans le même ordre. Lors d'occasions spéciales, il vous sera possible d'intervertir vos repas. Nous en reparlerons plus en détail un peu plus loin. Bref, de façon générale, vous devriez, dans la mesure du possible, prendre vos repas complémentaires dans le même ordre chaque jour.

Quelle quantité de nourriture devrais-je consommer? Alors que les repas-récompenses ne comportent pas de limites de quantité, les portions des repas complémentaires devraient, elles, être de taille moyenne. Les « portions de taille moyenne » sont les portions habituellement servies dans les restaurants, soit : 85 à 110 grammes de viande, de poisson ou de volaille; ou 85 grammes de fromage; environ 450 grammes de salade ou de légumes, avec 30 millilitres de vinaigrette ou une à deux noix de beurre ou de margarine. Les collations, quant à elles, correspondent à peu près à la moitié d'un repas complémentaire. En outre, il n'est pas nécessaire de peser ou de mesurer les portions. Nous ne précisons les quantités qu'afin de vous donner une idée de ce qu'est une portion de « taille moyenne ».

Comment apprêter la nourriture? Les aliments des repas complémentaires pourront être grillés, bouillis, sautés, cuits au four, pochés ou même frits. Cependant, ils ne devront pas être battus ni fouettés. Conformément aux recommandations issues de la recherche sur les maladies cardiaques, nous vous conseillons fortement d'utiliser des huiles polyinsaturées ou de l'huile d'olive si vous faites revenir vos aliments à la poêle.

Quels aliments conviennent aux repas complémentaires? Vos repas et vos collations complémentaires devraient se composer d'aliments faisant partie de la liste qui suit. Ces aliments vous permettront d'équilibrer votre taux d'insuline, de réduire la sensation de faim et de perdre du poids.

Si un aliment ne figure pas sur cette liste, ne le consommez pas lors de vos repas ou de vos collations complémentaires. Le fait de manger des aliments riches en glucides lors de ces repas ou collations risque de déclencher une réaction de manque, ce qui peut contrecarrer tout le programme alimentaire ainsi que la perte de poids.

*En cas de doute, réservez ces aliments au repas-récompense.*Vous pourrez les manger à ce moment, sans inquiétude.

SAVOIR ANTICIPER : L'HISTOIRE DE MATTHEW

Quand Matthew P. est venu nous rencontrer, nous savions déjà qu'il était un homme occupé. Il avait pris rendez-vous à partir du téléphone de sa voiture et, malgré l'urgence dans sa voix, il lui serait impossible, avait-il dit, de se libérer pour nous rencontrer avant deux semaines; son emploi du temps étant trop chargé.

La nature conciliante de Matthew nous surprit dès la première rencontre. Procureur, sa belle allure robuste et sa carrure auraient pu convenir à un homme exerçant un métier plus physique. On ne pouvait cependant pas manquer de remarquer les kilos en trop (10 ou 12 peut-être).

Il nous raconta un certain nombre de choses à propos de son mode de vie et de ses antécédents familiaux : il devait passer beaucoup de temps sur la route à cause de son travail; il avait eu des problèmes de poids pendant une bonne partie de sa vie; et son père, obèse, avait d'ailleurs déjà reçu une mise en garde du médecin à l'effet que son embonpoint le tuait à petit feu. C'est ainsi qu'il nous avoua sa crainte de voir ses propres habitudes alimentaires et son poids échapper à son contrôle.

Après avoir soumis Matthew à notre Test de dépistage, nous avons décelé chez lui une dépendance modérée aux glucides. Aussi lui avons-nous recommandé de faire l'essai du Régime minceur, ce qu'il accepta. Mais après avoir pris connaissance du fonctionnement du régime, Matthew émit une réserve : « Comment pourrai-je intégrer les collations complémentaires à mon emploi du temps très chargé? ». Son horaire de la semaine comptait plusieurs rencontres d'affaires, souvent sous forme de déjeuners, et il lui revenait rarement de décider de l'endroit et du moment. Au fur et à mesure qu'il décrivait la problématique, nous nous sommes aperçus qu'il désirait en fait que nous l'autorisions à faire exception à la règle. Or, bien entendu, nous ne pouvions accéder à cette demande.

Nous lui avons plutôt rappelé qu'afin de mener à bien ce projet, le contrôle de son poids et de ses habitudes alimentaires ne pouvait être relégué au second rang. Matthew décida quand même de relever le défi.

« Je vais tenter le coup ! », trancha-t-il sur-le-champ. « Je sais que si je le veux vraiment, je peux faire en sorte que ça fonctionne ».

À la rencontre suivante, c'est un Matthew décontracté qui se présenta à nous. Nous étions encore dans le hall menant à nos bureaux, lorsqu'il commença à parler de ses exploits.

« J'y suis arrivé », dit-il, rayonnant. « C'est vraiment formidable, et pas aussi difficile que je ne l'aurais cru. Je n'ai eu de difficulté qu'à une seule occasion. »

Il avait élaboré une série de stratégies très astucieuses. Il contactait à l'avance les personnes qu'il devait rencontrer pour leur proposer des restaurants où il savait qu'il obtiendrait un repas complémentaire savoureux. Lors d'une rencontre dans une ville où il ne connaissait aucun restaurant, Matthew avait préalablement communiqué avec ses hôtes afin de leur suggérer de se rencontrer dans un restaurant japonais ; il savait qu'il pourrait y commander un repas de protéines simples (du poulet, du bœuf ou du poisson). À quelques reprises, il avait suggéré de déjeuner dans un restaurant où l'on sert des fruits de mer afin de pouvoir se délecter de crevettes, de homard ou de la prise du jour avec, en accompagnement, une grande salade.

Matthew se montrait de plus en plus ingénieux et il appréciait vraiment le fait d'enfin maîtriser la situation. Il raconta qu'au cours d'un déjeuner conférence, on servit le même plat à tout le monde. Le plat était constitué d'un mélange de plusieurs aliments dont un à haute teneur en glucides. Matthew mangea sa salade, but un soda hypocalorique, s'excusa et quitta la table. Il descendit ensuite la rue, trouva un établissement de restauration rapide et y commanda un autre soda hypocalorique ainsi que deux hamburgers au fromage. Il retira les pains des hamburgers et termina son repas complémentaire. Il rapporta s'être senti alors parfaitement bien. Enfin, de retour à la conférence, il but une tasse de café en se rappelant que son repas-récompense viendrait plus tard, en soirée.

Matthew ne s'était donc pas laissé bousculer par les événements, il avait utilisé sa vivacité d'esprit afin de rester fidèle à son programme alimentaire.

LES ALIMENTS DU REPAS COMPLÉMENTAIRE

Vos repas complémentaires pourront se constituer d'aliments contenus dans la liste qui suit. Mais souvenez-vous : vos portions devront toujours être de taille moyenne. Dans la préparation de vos repas complémentaires, les aliments pourront être grillés, bouillis, sautés, cuits au four, pochés ou rôtis. De plus, les œufs pourront être frits à l'aide d'une ou deux noix de beurre ou de margarine. Enfin, les collations complémentaires seront constituées des mêmes aliments riches en fibres, faibles en gras et en glucides, mais les portions devront être réduites de moitié.

VIANDES ET VOLAILLES

* Jusqu'à 110 grammes de l'une des viandes, des volailles ou de l'un des substituts de viande suivants à chaque repas complémentaire.

- Agneau
- Ailes de dinde
- Ailes de poulet
- Bacon (ou substituts de viande à déjeuner contenant moins de quatre grammes de glucides par portion)
- Bœuf
- Bœuf séché
- Canard
- Corned-beef
- Dinde ou pain à la dinde (sans farce ni sucre ajouté)
- Dinde fumée
- Foie (de poulet seulement)
- Hamburger
- Hamburger au fromage (avec fromage régulier ou faible en gras)
- Jambon fumé
- Pastrami
- Porc
- Poulet
- Roulades de poulet (sans farce ni sucre ajouté)
- Saucisses (ne contenant que de la viande : sans farce ni sucre ajouté)

- Saucisses fumées (au bœuf, au poulet ou autres variétés ne contenant que de la viande : sans farce ni sucre ajouté)
- Tofu
- Veau
- Viandes froides ainsi que salami et saucisson (seules les variétés entièrement faites de viandes sont acceptables : évitez les variétés farcies ou sucrées). Vous pouvez sélectionner des viandes tranchées faibles en gras et en sel.

POISSONS ET FRUITS DE MER

* De 85 à 110 grammes de l'un des poissons ou fruits de mer de la liste suivante à chacun de vos repas complémentaires. Assurez-vous d'éviter les farces, les croûtons ou la relish qui servent souvent à agrémenter certaines salades de poisson ou de fruits de mer.

- Achigan
- Aiglefin
- Crevettes
- Chair de crabe
- Éperlan
- Espadon
- Esturgeon
- Flet
- Flétan
- Homard
- Huîtres
- Maquereau
- Morue
- Palourdes
- Pétoncles
- Perchaude
- Saumon (cuit, en conserve ou frais)
- Sardines (dans l'huile ou en sauce tomate)
- Sole
- Tassergal
- Thon
- Truite

LES GRAS, LES HUILES ET LES VINAIGRETTES

* De 15 à 30 millilitres de n'importe lequel des gras, des huiles et des vinaigrettes de la liste suivante à chacun de vos repas complémentaires. Réduisez davantage les quantités si vous suivez un régime très faible en gras.

- Beurre ou margarine
- Huile d'arachide
- Huile de carthame
- Huile de maïs
- Huile de sésame
- Huile de soja
- Huile de tournesol
- Huile d'olive
- Huile végétale
- Mayonnaise (ordinaire, légère – ou succédané)
- Vinaigrettes commerciales (attention : les variétés faibles en gras sont plus riches en glucides)

ŒUFS ET PRODUITS LAITIERS

Choisir les variétés faibles en gras lorsque c'est possible.

* Jusqu'à 60 millilitres par jour de lait ordinaire ou à faible teneur en matière grasse, de crème à 11,5 % M.G. ou d'un succédané de crème faible en glucides, dans une tasse de café.

* Deux œufs (ou une quantité équivalente de succédané d'œuf) ; 60 grammes de n'importe quel fromage ; ou encore, une demi-tasse de fromage cottage ou de fromage fermier.

* On peut aussi préparer une omelette en mélangeant deux œufs (ou une portion équivalente de succédané d'œuf) avec 30 grammes de fromage.

* Les produits laitiers complémentaires comprennent :

- Crème sûre ou un substitut pauvre en cholestérol
- Œufs ou succédané d'œuf pauvre en cholestérol
- Tofu

Les variétés suivantes de fromage, ordinaires ou pauvres en gras :
(Assurez-vous qu'ils ne contiennent pas de sucre ajouté ni de vin)

- Américain
- Bleu (Stilton, Gorgonzola, Roquefort, et leurs variétés)
- Brie
- Camembert
- Cheddar
- Colby
- Cottage, ordinaire ou pauvre en gras[1]
- Edam (Pays-Bas)
- Feta
- Fromage fondu de toutes sortes : américain, suisse, préparation de fromage ou fromage à tartiner
- Fromage au piment fort
- Fromage à la crème ou succédané de celui-ci
- Fromage à effilocher
- Gouda
- Gruyère
- Havarti
- Jarlsberg
- Monterey
- Mozzarella
- Munster
- Parmesan
- Provolone
- Ricotta (ordinaire, évitez les variétés au lait écrémé)
- Romano

LÉGUMES ET SALADES

* Intégrez à chacun de vos repas complémentaires 450 grammes de n'importe lesquels des accompagnements de légumes ou de salade suivants. Les légumes peuvent être consommés crus, bouillis ou encore sautés.

- Aubergine
- Asperges

---

[1] Si vous êtes particulièrement sensible aux glucides, le fromage cottage provoquera peut-être chez vous un regain d'appétit et une perte de poids moins significative. Si tel est le cas, réservez votre consommation de ce fromage aux repas-récompenses.

- Borécole
- Câpres
- Céleri
- Champignons
- Chicorée
- Chou
- Chou-fleur
- Chou vert frisé
- Chou-rave
- Choux de toutes sortes
- Concombre
- Cornichons à l'aneth
- Courge (les variétés estivales seulement)
- Courgette
- Cressons de fontaine
- Échalotes
- Épinards
- Endives
- Fenouil
- Feuilles de moutarde
- Feuilles de navet
- Germes de haricot
- Germes de luzerne
- Gombo
- Haricots (mange-tout, verts ou jaunes)
- Laitue
- Oignons (pas plus de 30 grammes)
- Persil
- Poivron
- Pousses de bambou
- Radis
- Roquette
- Tomates (crues, une demi-tomate par repas au plus)[1]

---

[1] La tomate et ses dérivés, tel le ketchup, sont des aliments relativement pauvres en glucides avec lesquels il faut être prudent. Consommés en quantités réduites, soit pas plus d'une demi-tomate ou 15 à 30 millilitres de ketchup, ces aliments ne semblent pas provoquer d'accoutumance.

LES DESSERTS

* Vous pouvez manger un dessert à la gélatine à faible teneur en glucides agrémenté de crème fouettée maison ou d'un succédané de crème fouettée pauvre en gras et en glucides (sans sucre ajouté) lors de n'importe lequel de vos repas complémentaires.

* Lors de vos repas complémentaires, vous ne devez pas consommer les sucreries et les desserts que l'on retrouve communément dans les magasins, les supermarchés et les restaurants. Car bien que plusieurs de ces desserts portent l'inscription « pauvre en calories », ils sont souvent assez riches en glucides pour produire une réaction insulinique.

* Ne consommez pas de fruits pour dessert lors de vos repas complémentaires. C'est là une erreur fréquente qu'il vous faut essayer d'éviter de commettre.

* Gardez les desserts ordinaires pour les repas-récompenses. Ou encore, essayez les recettes de desserts destinées aux repas complémentaires à la page 275).

LES AUTRES ALIMENTS : QUELLE PLACE LEUR RÉSERVER ?

Les fibres : Une consommation adéquate de fibres est essentielle à une alimentation saine. À partir de la liste des aliments destinés aux repas complémentaires, vous pourrez vous constituer un bon menu riche en fibres pour ces deux repas. Et pour votre repas-récompense vous pourrez sélectionner n'importe quels aliments riches en fibres, y compris les légumes et les céréales. À titre d'exemple, le maïs soufflé est l'un de nos aliments favoris.

Les condiments : Lors des repas complémentaires (et des repas-récompenses) vous pouvez utiliser du bouillon, du consommé, des fines herbes, du vinaigre, de la moutarde, des olives, du poivre, du sel, de la sauce soja, de l'ail ou de la poudre d'oignon, de la sauce épicée et du raifort blanc. Vous devez toutefois limiter votre consommation des différentes variétés de ketchup et de relish – ou simplement éviter ces condiments.

Le pain et les céréales : Ne mangez pas de pain, de crêpes, de céréales ni aucun autre aliment de ce groupe lors de vos repas complémentaires. Même en quantités réduites, la plupart des pains et des céréales consommés en dehors de vos repas-récompenses produiront une augmentation de votre taux d'insuline, ce qui stimulera votre appétit et vous fera prendre du poids. Au chapitre 13, nous vous offrons un choix de recettes pour les repas complémentaires spéciaux (voir page 231).

Les boissons gazéifiées : Vous pouvez consommer autant d'eau gazeuse ou, de soda, de café noir ou de thé que vous le désirez.

Les sodas allégés qui ne contiennent pas de jus de fruit sont également permis. Prenez bien soin de lire les étiquettes : si une boisson contient plus de quatre grammes de glucides, n'en buvez pas, sauf pendant vos repas-récompenses. Vous pouvez ajouter à peu près deux cuillérées à table de jus de lime ou de jus de citron dans le thé, le café ou le club soda.

Vous préférez votre café avec du lait ou de la crème ? Vous pouvez en boire un grand verre par jour (250 ml) avec au plus 65 millilitres de lait, de crème ou de crème 11,5 % M.G. Un succédané de crème est aussi acceptable s'il contient moins de deux grammes de glucides par portion ; il faut lire l'étiquette ! Assurez-vous aussi d'avoir terminé votre café en moins de quinze minutes.

N'ajoutez du sucre à votre café que lors des repas-récompenses. Et souvenez-vous : votre portion de succédané de sucre ne doit pas contenir plus de deux grammes de glucides.

Finalement, toute boisson alcoolisée ne peut être consommée que durant vos repas-récompenses.

Les fruits : Ne consommez aucun fruit ni jus de fruit, sauf lors de vos repas-récompenses. En effet, bien que les fruits et leurs jus constituent des aliments sains, de petites quantités suffisent à faire monter considérablement le taux d'insuline. Ce taux élevé d'insuline aura presque assurément pour effet de stimuler la faim et l'envie de consommer des glucides, ce qui freinera votre perte de poids.

Il est par ailleurs permis d'utiliser de 15 à 30 millilitres de jus de lime ou de citron dans le thé, dans l'eau gazeuse ou pour cuisiner lors de vos repas complémentaires.

Lisez les étiquettes

La loi exige qu'une étiquette précise les ingrédients contenus dans la plupart des produits alimentaires préparés pour la mise en marché. L'accro aux glucides se doit de toujours lire les étiquettes. Même si vous êtes

>>>

persuadé qu'un aliment peut être consommé sans danger lors de votre repas complémentaire, vérifiez-le : vous devez savoir, hors de tout doute, si l'aliment que vous êtes sur le point de manger contient ou non des glucides.

Ayez à l'œil tout ingrédient dont le nom se termine en « -ose », tels le saccharose, le fructose et le dextrose. Ces sucres, souvent présents dans les aliments, sont à exclure des repas complémentaires.

Voici d'autres exemples d'aliments riches en glucides : le sirop de maïs, les matières sèches du maïs, la maltodextrine, l'amidon de maïs, l'amidon hydrolysé, les fruits secs ou déshydratés, le sucre et les jus de fruit, ainsi que le sucre de betterave.

En somme, il est important de lire les étiquettes avec précaution et de réserver tout aliment riche en glucides pour vos repas-récompenses.

BUVEZ DE L'EAU EN GRANDE QUANTITÉ

Buvez chaque jour entre six à huit verres d'eau ou d'autres boissons sans calories. S'hydrater revêt une importance particulière pour l'accro aux glucides, qui, s'il ne boit pas suffisamment de liquide, pourra croire qu'il a faim alors qu'en réalité son corps ne demande qu'à boire. L'eau est essentielle au maintien d'une bonne santé ; buvez-en au moins six verres par jour.

LE REPAS-RÉCOMPENSE

Le repas-récompense est d'une importance capitale dans le contrôle de la production d'insuline et de la dépendance aux glucides. Et comme il est ce moment de la journée où vous mangez les aliments que vous aimez le plus – alors même que vous êtes au régime et que vous perdez du poids – il constitue évidemment un stimulant essentiel à la poursuite du programme.

Afin que vous profitiez au maximum de votre repas-récompense, nous vous suggérons d'observer les règles suivantes :

Mangez de façon raisonnable. Le repas-récompense est censé être un festin quotidien, pas une fête. Aussi, faites-en un repas délicieux et bien équilibré.

Les légumes ne sont pas tous égaux

Les légumes sont bons pour la santé. Personne ne dira le contraire. La plupart des légumes conviennent d'ailleurs aux repas complémentaires. Cependant, certains légumes peuvent déclencher un état de manque chez les personnes souffrant de dépendance aux glucides.

Les légumes suivants contiennent plus de quatre grammes de glucides par portion moyenne. Savourez-les lors de vos repas-récompenses, mais n'y touchez à aucun autre moment.

Voici les aliments à éviter lors de vos repas complémentaires :

- Artichaut
- Avocat
- Betterave
- Brocoli
- Carotte
- Châtaignes d'eau
- Choux de Bruxelles
- Haricots de Lima
- Haricots secs
- Pois chiches
- Pois mange-tout
- Légumineuses
- Maïs
- Oignons (lorsqu'un plat en contient plus de 30 grammes)
- Pommes de terre
- Pois
- Tomates (lorsqu'un plat en contient plus d'une demie)

Bien que les oignons et les tomates soient riches en glucides, vous pouvez en ajouter des quantités limitées à vos repas complémentaires lorsque vous le désirez. Veillez toutefois à ne pas dépasser les quantités indiquées. Vous n'avez qu'à consulter la liste des légumes autorisés lors de votre repas complémentaire en vous référant à la page 114.

Comme à l'habitude, pour votre repas-récompense, il vous est permis de consommer la quantité qu'il vous plaira de ces légumes de même que tout autre aliment.

Il n'est donc nullement nécessaire de peser, de mesurer, d'échanger ni de compter quoi que ce soit. Vous devrez toutefois prévoir un bon équilibre entre les aliments riches en glucides et ceux qui en contiennent peu. Cette démarche vous permettra de maintenir votre corps en bonne santé pendant que vous réglez votre sécrétion d'insuline et que vous réduisez votre résistance à celle-ci.

Il importe de vous récompenser une fois par jour, au moment qui vous semblera le plus opportun. Le repas-récompense est un « mini-festin équilibré », pourrions-nous dire, qui ne doit pas être considéré comme un buffet à volonté. Vous aurez la liberté de choisir parmi une foule d'aliments qui sont interdits dans d'autres régimes alimentaires. Cette liberté de choisir s'explique par le fait que vous consommerez ces aliments d'une manière équilibrée, ce qui limitera la libération d'insuline. Vous serez ainsi en mesure de manger les glucides dont vous avez tant envie. La quantité de nourriture que vous absorberez dépendra de ce que vous et votre médecin aurez déterminé comme convenant le mieux à vos besoins.

LES PROPORTIONS DU REPAS-RÉCOMPENSE

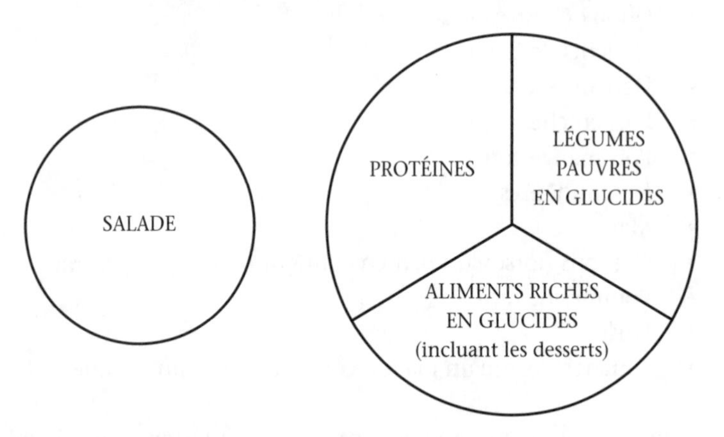

La description suivante correspond au diagramme ci-dessus. Tous les repas-récompenses commencent par une portion de 225 à 450 grammes de salade pouvant contenir les légumes (pauvres en glucides suivants) :

- Asperges
- Champignons
- Chou-fleur
- Céleri

- Concombre
- Échalotes
- Endives
- Épinards
- Germes de haricots
- Germes de luzerne
- Haricots jaunes
- Haricots mange-tout
- Haricots verts
- Laitue
- Oseille
- Persil
- Poivron vert
- Pousses de bambou
- Radis
- Roquette

Il est indispensable de commencer le repas-récompense par la salade, le succès du programme en dépend. S'il vous est impossible de manger une salade, remplacez-la par des légumes cuits, pauvres en glucides. Cependant, ces légumes étant destinés à remplacer la salade, vous devez les considérer indépendamment du tiers du repas composé de légumes pauvres en gras et sans féculents (décrit ci-après).

Le reste du repas-récompense devrait être composé de portions égales des groupes d'aliments suivants :

- Un tiers de protéines de qualité, choisies dans la liste de la page 111. Cette sélection doit inclure les aliments suivants, sans pour autant s'y limiter : fromage, œufs, produits laitiers pauvres en glucides, viande, volaille, fruits de mer, protéines végétales texturées et tofu.

- Un tiers de légumes pauvres en glucides (sans fécule) à choisir sur la liste de la page 114.

- Un tiers d'aliments riches en glucides à choisir dans la liste de la page 125. Cette sélection comprend les pains et autres féculents, les légumes contenant de la fécule, les grignotines, les fruits, les jus, les sodas, les sucreries et les desserts.

Allez-y selon votre propre jugement et assurez-vous que chaque catégorie d'aliments compte à peu près un tiers de la quantité totale de nourriture consommée pendant le plat principal du repas-récompense.

Débutez avec des portions de taille moyenne. Vous pourrez vous servir une seconde fois, à condition que vos portions correspondent aux trois groupes d'aliments mentionnés dans le diagramme.

Bien que l'on ne considère habituellement pas les boissons alcoolisées comme une source de glucides, elles peuvent parfois provoquer la production d'insuline. Il vous faudra donc équilibrer votre repas en considérant toute boisson alcoolisée comme faisant partie de la portion riche en glucides de votre repas.

Enfin, il faut garder à l'esprit que votre repas-récompense doit être équilibré. C'est là un aspect essentiel à la bonne réussite du programme. Encore une fois, votre repas-récompense n'est pas une fête. Il s'agit d'une combinaison saine d'aliments destinés à vous fournir des glucides chaque jour, sans entraîner de production excessive d'insuline durant cette journée. Nous vous rappelons qu'un repas composé de pizzas, de croustilles, de biscuits, de gâteaux et de crème glacée n'a rien d'un repas équilibré ; ce genre de nourriture n'a absolument pas sa place dans ce régime.

Ce qui importe dans ce programme est de manger de façon à fournir à votre corps des éléments provenant des différentes sources nutritives nécessaires au bon maintien de la santé. Le tout, en conservant un taux d'insuline équilibré et en réduisant la résistance à celle-ci afin de favoriser la perte naturelle des kilos superflus. Ainsi, vous devez absorber les fibres, les minéraux et les vitamines que l'on retrouve dans les salades et les légumes sans fécule. Il vous faut aussi consommer des protéines, car elles constituent d'importants matériaux de construction. Enfin, vous trouverez dans les glucides une grande part de l'énergie dont votre organisme a besoin. En outre, soyez stratégique dans la planification de votre repas-récompense, car une fois que vous aurez entamé ces chers glucides, vous aurez probablement peu d'intérêt pour les salades, les légumes et les protéines.

N'oubliez pas que la quantité d'insuline produite par votre organisme est responsable des fringales, du poids, de la pression sanguine, de la quantité de lipides et de glucides sanguins, et de la santé même de votre corps.

La majorité des gens avec qui nous avons travaillé disent trouver plus satisfaisant de réserver le repas-récompense pour le dîner. Cependant, bon nombre de participants au programme ont choisi l'heure du déjeuner pour prendre ce repas. Dans certains cas, ces personnes ont choisi ce moment parce qu'il convenait à leur horaire de travail et à leur budget. D'autres participants ont choisi de prendre leur repas-récompense au petit-déjeuner, mais il s'agit là du choix le moins fréquent.

Peu importe le moment que vous choisirez pour prendre ce repas, l'important est qu'il convienne à votre horaire de travail et à votre style de vie. Rappelez-vous aussi que le repas-récompense ne doit pas forcément être pris au même moment tous les jours. Le Régime minceur ne vous oblige pas à faire un choix entre le plaisir de manger et de fêter entre amis et la fidélité au programme. Vous pouvez faire les deux. Cependant, ne modifiez pas votre horaire sur un coup de tête. Sauf pour les occasions spéciales, continuez de prendre votre repas-récompense au moment habituel. Intégrez ce repas à votre routine quotidienne. Rappelez-vous que vous travaillez à modifier votre style de vie et que votre routine vous aidera à y arriver.

Ne prenez pas votre repas-récompense au petit-déjeuner, simplement parce qu'un bon matin vous avez l'envie soudaine de manger des crêpes. De la même façon, ne prenez pas votre repas-récompense au déjeuner parce qu'un nouveau restaurant vous semble intéressant. Nous recommandons de ne changer l'horaire de vos repas que lors d'occasions spéciales, comme le déjeuner de Noël à volonté avec les collègues ou le brunch familial des vacances.

Ne vous gênez pas pour prendre la boisson de votre choix : des boissons – diètes ou non –, du lait, votre bière favorite, du vin ou même un cocktail. Si vous en avez envie, couronnez votre repas d'un dessert dont vous raffolez et reprenez-en si vous le désirez. Mais n'oubliez pas que votre repas ne doit pas durer plus d'une heure.

Il faut vous rappeler que les régimes précédents n'ont pas su vous conduire à votre but premier, c'est-à-dire une perte de poids durable. Il y a fort à parier que si ces régimes ne vous avaient pas laissé tomber, vous n'en seriez pas à lire ce livre. Il n'y aurait aucun sens à essayer de suivre les règles de régimes qui n'ont pas fonctionné dans le passé.

Les gens qui ont le plus de succès avec le Régime minceur sont ceux qui sont bien conscients que pour la première fois de leur vie, ils soignent leur dépendance. Ces personnes sont prêtes à suivre une nouvelle méthode de régime qui a fait ses preuves à plusieurs reprises, plutôt que de continuer à suivre les règles fausses et inexactes de régimes qui ont échoué par le passé. Pour certains, le repas-récompense, qui est pourtant la partie la plus excitante du Régime minceur, représente la plus grande difficulté. Les adeptes de régimes n'ont pas l'habitude de manger ce qui leur plaît à n'importe quel moment, sans peur d'être punis. Ils se sentent coupables et parfois même inquiets et craintifs de se laisser aller aux plaisirs du repas-récompense. Rappelez-vous que le Régime minceur agit sur les causes biologiques de votre propension aux glucides et de votre embonpoint. Le repas-récompense est donc une partie essentielle du Régime pour les accros aux glucides.

Cette façon de manger à votre goût lors de vos repas-récompenses demandera une période d'adaptation, néanmoins, il vous appartient de prendre plaisir à ce repas. Dites à votre voix intérieure de cesser de vous importuner et de vous faire peur. Les anciens régimes n'ont pas fonctionné, pas plus que les règles qu'ils préconisaient. Alors, faites l'essai de notre régime en étant réceptif et constatez comme il fonctionne.

Le fait de prendre votre repas-récompense en présence d'autres personnes constitue un autre défi. Alors que vous avez finalement calmé le doute en vous, voilà que les amis et la famille enclenchent le processus à nouveau. Leurs questions, leurs doutes et leurs inquiétudes sont prévisibles et ils naissent du fait que d'autres régimes leur ont fait faux bond aussi bien qu'à vous. Mais les gens s'accrochent aux idées reçues, même lorsqu'elles ne sont pas efficaces. Nous avons établi la liste des défis les plus fréquents de ce genre à la page 173. Nous pensons qu'ils ne vous seront pas étrangers.

Lorsque vous débuterez le régime, les amis ou la famille vous feront peut-être la remarque qu'il est impossible qu'un tel repas-récompense fasse partie d'un programme amaigrissant. Vous pourriez alors profiter de l'occasion pour leur expliquer ce que vous faites. Précisez que vous expérimentez une nouvelle méthode qui vise les causes biologiques sous-jacentes aux fringales de glucides et à la prise de poids. N'ayez crainte, les sceptiques cesseront de douter lorsqu'ils remarqueront que vous perdez du poids tout en savourant des mets qui vous étaient auparavant interdits. Bien au contraire, ils voudront savoir comment eux aussi peuvent participer à ce programme remarquable. Mais jusque-là, vous n'avez pas à défendre votre démarche. Suivez le programme qui a été conçu pour vous. Laissez les autres faire et dire ce qu'ils veulent. Bien assez tôt, ils viendront vers vous pour en savoir plus à propos de la recette de votre succès.

Il existe un très vaste choix d'aliments et de mets avec lesquels vous pouvez vous récompenser. Optez pour un repas bien équilibré pouvant comprendre certains des aliments suivants :

- Pommes, purée de pommes, abricots, jus ou cidre de pommes
- Bagels, bananes, bœuf ou pain
- Gâteau, sucreries, céréales chaudes ou froides, fromages au choix, cerises, poulet, chocolat, biscuits, biscuits secs, purée ou jus de canneberges
- Danoises ou autres pâtisseries
- Muffins anglais ou œufs
- Figues, poissons au choix, boissons gazeuses aux fruits, pain doré
- Raisins secs ou muesli
- Hamburger ou hot-dogs (avec pain)
- Crème glacée
- Confitures ou gelées
- Chou frisé ou autres légumes
- Kumquat ou autres fruits
- Laitue, linguinis ou lasagne
- Macaroni ou toutes autres sortes de pâtes, matzo, pain à la viande (farci ou non d'aliments riches en glucides), lait et autres produits laitiers
- Noix variées
- Oranges ou toutes autres sortes de fruits ou d'agrumes
- Crêpes (avec sirop), pêches, poires ou pizza, tarte, maïs soufflé, croustilles, pommes de terre, bretzels, poudings ou flans
- Cailles
- Raisins secs, raviolis, riz, gâteau et pudding au riz
- Sandwichs variés, salades, sorbets, courge, farces, sucre domestique
- Dinde, tahini ou eaux toniques en tous genres
- Tangelo
- Veau, vanille ou venaison
- Gaufres, châtaignes d'eau, escalopes de veau panées, riz sauvage ou melon d'eau
- Igname, yaourt (avec fruits ou nature), pouding du Yorkshire
- Courgettes, et pourquoi pas une portion de « zuppa ingliese » (gâteau aux fruits, au rhum et à la crème) ou de « zabaglione » (mousse légère faite d'œufs, de sucre et de marsala)

N'oubliez pas : D'abord, vous *devez* terminer votre repas-récompense quotidien en moins de soixante minutes. Complétez toujours votre repas à l'intérieur de cette période de temps et tout ira pour le mieux.

Cependant, nous le répétons, il s'agit bien de soixante minutes – et pas une de plus !

Ensuite, une fois que vous avez cessé de manger, vous ne pouvez pas recommencer, et ce, même si les soixante minutes ne sont pas écoulées. Ainsi, le repas doit être pris de manière ininterrompue, en une heure ou moins. Vous devez également vous abstenir de manger entre les repas. De plus, il est extrêmement important de ne manger que des aliments faibles en glucides lors des deux autres repas de la journée.

Alors, si l'heure du repas-récompense s'est écoulée et que vous pensez soudainement à un aliment que vous auriez aimé manger, ne retournez surtout pas à table – mais ne perdez pas non plus espoir ! Rangez simplement l'aliment en question ou laissez-le à sa place en vous disant que dans moins de vingt-quatre heures, vous pourrez le savourer sans culpabilité lors de votre prochain repas-récompense.

Vous l'aurez sans doute compris, le prochain repas-récompense est toujours à moins de vingt-quatre heures. Vous pouvez donc manger chaque jour tout ce qui vous plaît. N'est-ce pas là une manière épatante de suivre un régime ? Quelle agréable façon de vivre !

Notre site Web officiel est une ressource d'une quarantaine de pages de renseignements importants concernant la dépendance aux glucides. Vous y trouverez des questionnaires, des récits personnels et des recettes. On y fait aussi la description d'autres publications traitant de la dépendance aux glucides et on y explique comment se les procurer à rabais. Enfin, on y offre des réponses aux questions les plus fréquentes ainsi que des détails en ce qui a trait aux façons de se joindre à un groupe d'aide en ligne ou à un groupe de discussion. L'accès au site est en outre gratuit. Vous trouverez notre site Web officiel à l'adresse suivante : http://www.carbohydrateaddicts.com

Lors de votre visite, vous découvrirez un service de soutien pour les personnes atteintes de dépendance aux glucides, le « CASupport[1] » (*Carbohydrate Addicts Support*). Il s'agit d'un groupe de soutien où les organisateurs et les participants sont des individus aux prises avec un problème de dépendance aux glucides et suivent l'un de nos programmes ou l'une de nos méthodes. Les membres de ce groupe offrent leur amitié et leur soutien, ils partagent leurs expériences personnelles dans des messages affichés sur Internet et ils échangent des conseils susceptibles

---

1 Le lecteur doit s'attendre à des conversations en anglais lors de l'utilisation de ces services. (N.D.T.)

de vous intéresser et de vous aider. Vous trouverez les renseignements nécessaires pour vous joindre au Groupe de soutien CASupport sur notre site Web. Vous n'aurez qu'à cliquer sur le lien affichant CASupport® (groupe de soutien, gratuit et par courriel, destiné aux accros aux glucides).

Une autre ressource importante est le « CAChat[2] » (*Carbohydrate Addict Chat*), un groupe de discussion privée, coordonné par et pour les personnes atteintes de dépendance aux glucides et suivant l'un de nos programmes ou l'une de nos méthodes. Ce « clavardoir » est un lieu de rencontre virtuel pour accros aux glucides où il vous sera possible d'interagir en temps réel avec des personnes qui deviendront de véritables amis. Les directives pour se joindre au groupe de discussion CAChat sont disponibles sur notre site Web. Vous n'avez qu'à cliquer sur le lien portant le nom de CAChat®. Vous aurez dès lors le choix de « clavarder » via le fournisseur de services interactifs America Online (AOL) ou un autre. CASupport et CAChat vous sont offerts gratuitement et ne comportent aucun frais d'adhésion, alors tout ce qu'il vous faut, c'est un accès à Internet et la volonté de faire partie d'une merveilleuse communauté d'individus désireux de s'entraider.

S'AJUSTER À UN NOUVEAU STYLE DE VIE : L'HISTOIRE DE JIMMY O.

Jimmy était un ouvrier du bâtiment. À cinquante-six ans, il affichait un harmonieux mélange de jeunesse et d'âge mûr. Ses cheveux étaient d'un brun clair parsemé de gris, son visage avait l'allure gamine, mais il était pâle et tendu.

« Mon médecin me dit que je dois perdre du poids. Il me le répète depuis des années, mais maintenant, c'est sérieux. » Il poursuivit en parlant de sa haute pression, de ses maux de dos et de son père qui était mort à l'âge de cinquante-huit ans. Puis il lança : « Je dois perdre au moins 15 kilos ».

Jimmy avait déjà fait l'essai de quelques régimes par le passé. « Je ne pouvais pas travailler en me nourrissant de sandwichs aux concombres ou de portions pour enfants. J'ai beaucoup d'appétit, alors de tels repas me laissent toujours insatisfait. Cela ne me suffit simplement pas », nous expliqua-t-il.

---

[2] Le lecteur doit s'attendre à des conversations en anglais lors de l'utilisation de ces services. (N.D.T.)

Quelles sont les recommandations diététiques reliées à la santé ?

Le National Academy of Science, l'American Heart Association, le National Cancer Institute, le U.S. Surgeon General, le National Research Council, et le Department of Agriculture des États-Unis sont tous des organismes prestigieux qui, comme plusieurs autres, ont lors de ces dernières années fourni des recommandations diététiques dans le but de prévenir les maladies les plus répandues.

Ces recommandations sont entièrement compatibles avec le Régime minceur.

METTRE EN PRATIQUE LES RECOMMANDATIONS...

Votre premier devoir est de suivre les avis diététiques de votre médecin. Dans l'éventualité où vous auriez du mal à comprendre comment harmoniser ses conseils avec le Régime minceur, consultez-le avec ce livre en main. Suivez toujours les conseils de votre médecin : c'est la première règle.

Les autres recommandations sont un peu plus complexes. Il existe une sorte de consensus entre ces organismes quant à la manière dont vous devez choisir vos aliments. En général, toutes ces institutions recommandent de réduire votre consommation de cholestérol et de gras (en particulier les graisses saturées), de sel et de sucres raffinés. Une autre recommandation fréquente est de limiter votre consommation d'alcool.

Par ailleurs, bon nombre de ces institutions recommandent fortement d'augmenter votre consommation de fibres et de sucres complexes (en particulier les produits céréaliers complets, les fruits et les légumes). On conseille aussi aux adolescentes et aux femmes adultes de mettre l'accent sur les aliments riches en calcium. Les aliments riches en fer sont aussi importants, spécialement pour les femmes.

...DANS LE CADRE DU RÉGIME MINCEUR

Nous ne saurions suffisamment insister sur la nécessité de réduire votre consommation alimentaire quotidienne de gras en tous genres. Ceci vaut aussi bien pour les repas-récompenses que pour les repas complémentaires. Alors, pour tous vos repas de la journée ou pour un seul d'entre eux, préférez les fromages faibles en gras, les viandes maigres, la volaille et le poisson aux aliments plus gras. De la même façon, choisissez des succédanés faibles en gras au lieu de la mayonnaise, du fromage à la crème, de la crème sûre, des viandes pour petit-déjeuner et de tout autre aliment riche en gras saturés. L'utilisation de l'huile d'olive et des autres huiles polyinsaturées de même que l'emploi d'accessoires de cuisine anti-adhérents et d'aérosols sont d'autres façons de réduire davantage votre consommation de gras.

Une consommation élevée de fibres et de sucres complexes compte au nombre des bonnes habitudes alimentaires. Le Régime minceur exige par contre que vous évitiez les aliments contenant des glucides, sauf lors des repas-récompenses. Ceci implique que vous fassiez un effort particulier dans la composition de vos repas : consommez des repas-récompenses équilibrés et accompagnez vos repas complémentaires de légumes ou d'une salade (mais uniquement les légumes qui sont permis lors de ce repas !).

Réduisez le plus possible votre utilisation du sel (c'est d'ailleurs ce que nous avons fait dans les recettes). Les femmes devraient manger des aliments riches en calcium et en fer. (Parmi les aliments riches en calcium, on retrouve le fromage, la crème glacée, le yaourt, les épinards, le lait et les viandes – ces dernières sont particulièrement riches en fer.) Le Régime minceur est conçu de manière à ce que votre consommation d'alcool et de sucres simples se limite au repas-récompense, ce qui vous facilite l'application de ces recommandations.

Lorsque vous planifiez votre menu de la semaine, il est essentiel de suivre les lignes directrices du régime. Cependant, il vous faut aussi équilibrer vos repas en tenant compte des recommandations diététiques des organismes reconnus. Vous ne vous en porterez que mieux.

Puis il ajouta : « Je ne peux pas non plus apporter avec moi une tasse à mesurer et une balance de cuisine au vingtième étage d'un chantier de construction, c'est bien évident. Prenez par exemple la question des valeurs... on me demandait de manger une valeur de ceci et deux de cela. Mais je ne peux pas fonctionner de la sorte. Je ne me nourris pas de valeurs, je mange de vrais repas où se trouvent toutes les valeurs réunies. D'ailleurs, il était devenu ridicule d'essayer de calculer les valeurs pendant que mes collègues commandaient des sandwichs à l'épicerie. »

Le test de dépendance aux glucides de Jimmy révéla une faible dépendance. Nous lui avons alors présenté notre programme : trois repas par jour dont deux faibles en glucides, en plus d'un repas-récompense. Nous lui avons aussi expliqué le rapport avec l'insuline. Jimmy décida de faire l'essai du Régime minceur.

Comme il était en attente du prochain chantier, Jimmy n'eut pas vraiment de mal à suivre le régime au cours des deux premières semaines. À un rythme d'un kilo et demi par semaine, sa perte de poids fut même presque trop rapide. Puis on le rappela au travail.

« Voyons maintenant comment le régime tiendra le coup sur le chantier », s'exclama-t-il en riant.

La situation ne fut toutefois pas de tout repos. Nous avons vite compris que le travail de Jimmy comportait une approche presque rituelle des périodes de repas. La journée débutait par un petit-déjeuner avec les collègues. Après quelques heures de travail, c'était le moment de la pause-café. Puis, un peu plus tard, quand sonnait midi, tout le monde allait déjeuner. Le travail reprenait ensuite avant de s'arrêter à nouveau, au milieu de l'après-midi, pour la pause-café. Et finalement, la journée terminée, chacun rentrait chez lui pour le dîner.

Ainsi, la journée de travail de Jimmy comptait cinq périodes de repas. Il n'est alors pas étonnant qu'il n'ait pas fait aussi bien lors de sa première semaine de retour au travail.

« Le petit-déjeuner ne me pose pas de problème », nous assura Jimmy, « J'adore les œufs et le bacon, et je n'ai aucun mal à me passer de pain. »

« Par contre, la pause-café du matin est une étape difficile. Je ne sais pas très bien quoi faire. Lors des deux premiers jours, je n'ai pris que du café, mais vers la fin de la semaine, j'ai aussi mangé des beignets. Pour ce qui est du repas du midi, ça va, je l'apporte de la maison. »

« Mon plus grand défi cependant, c'est la pause de l'après-midi. À ce moment de la journée, je suis fatigué, j'ai froid et j'ai faim, et la seule idée de devoir me contenter d'un café alors que les autres sont en train de manger m'est carrément insupportable. »

Malgré ses quelques écarts de régime, Jimmy perdit un kilo et demi. Or, nous savions par expérience qu'en consommant des glucides aussi souvent qu'il le désirait, Jimmy connaîtrait inévitablement un regain d'appétit, ce qui mettrait un terme à sa perte de poids.

Étant donné la perte de poids rapide de notre client, la formule A nous sembla toute indiquée. En effet, cette formule du programme répondrait aux besoins de Jimmy tout en lui permettant d'éviter l'hyperinsulinisme.

Ainsi, son petit-déjeuner demeurerait le même repas complémentaire, mais il devrait laisser tomber les beignets ; Jimmy nous assura qu'il ferait en sorte d'y arriver. Et le déjeuner serait constitué, comme à l'habitude, d'aliments complémentaires conformes au Régime minceur. La formule A offrait en outre la possibilité d'une collation complémentaire.

Le programme alimentaire de Jimmy comportait maintenant une collation lors de la pause de l'après-midi, telle une cuisse de poulet avec un cornichon à l'aneth. Jimmy proposa aussi le céleri garni de fromage à la crème, un de ses goûters favoris, ce qui nous parut tout à fait convenable.

Le programme porta ses fruits. Le petit-déjeuner et le déjeuner demeurèrent ses repas complémentaires et le dîner son repas-récompense. Et à la pause de l'après-midi, Jimmy s'offrait un peu de viande ou encore son goûter de céleri avec fromage.

Lors de la rencontre suivante, il nous raconta ce qui se passait chaque jour lorsqu'il jetait le pain de son sandwich. « Ma parole », dit-il en souriant, « je vous jure que les pigeons me reconnaissent maintenant et qu'ils se précipitent vers la poubelle la plus proche. » Sa perte de poids fut constante, sans toutefois être trop rapide. Si bien que Jimmy atteignit son objectif de 15 kilos en moins de quatre mois. Deux ans plus tard, lors de son examen annuel, son poids était toujours stable.

Manifestement, le Régime minceur lui avait réussi. « Je suis plus mince que lorsque j'étais au lycée et ma pression artérielle est identique à celle d'un jeune homme. J'ai enfin trouvé ce que je cherchais depuis longtemps ! »

Le succès – en deux étapes

Au fil des ans, les gens qui ont participé au Régime minceur nous ont fait part des stratégies qui ont facilité leur adaptation aux règles et principes directeurs du programme. L'une de ces stratégies, la plus importante sans doute, concerne la planification, les achats et la préparation des aliments en vue des repas complémentaires.

FAIRE LES COURSES POUR RÉUSSIR

- Vous avez tout avantage à sortir régulièrement faire les courses afin de vous procurer les aliments nécessaires à la composition

>>>

de votre repas-récompense et de vos repas complémentaires. En effet, faire vos achats une fois par semaine, en ayant en main votre menu pour cette période, représente une excellente façon de prendre les rênes de votre alimentation.

- Soyez prévoyant : ayez toujours à la maison un poulet ou une dinde, du thon en conserve ou du poisson frais ou surgelé, ainsi qu'une bonne quantité de légumes complémentaires. De cette façon, vous ne serez jamais pris au dépourvu.

SE PRÉPARER POUR RÉUSSIR

- Plusieurs des personnes ayant suivi notre Régime minceur avec succès ont intégré une ou deux périodes de cuisine à leur emploi du temps hebdomadaire. Il ressort de ces expériences qu'avec seulement une heure ou deux de planification et de préparation minutieuses, vous arriverez à préparer la plupart des repas complémentaires dont vous aurez besoin pour toute la semaine.

- En une heure de « cuisine intensive », vous arriverez, par exemple, à faire cuire un poulet ou une dinde et couper une quantité appréciable de légumes complémentaires (à l'exception de la laitue). Vous pourrez ensuite choisir de congeler une partie du poulet cuit pour le déguster quelques jours plus tard en salade, sauté ou autre. Rangez les légumes et les ingrédients à salade dans des contenants hermétiques et n'ajoutez la laitue à vos plats qu'au moment du repas.

Acheter les aliments dont vous avez besoin et les apprêter à l'avance, c'est soigner votre dépendance à l'aide des meilleurs repas possibles. Rappelez-vous que remédier à votre dépendance aux glucides implique que vous apportiez certains changements à votre style de vie ; la planification des repas de même que la préparation des aliments à l'avance vous aideront à y parvenir.

Jouir pleinement de ce que vous mangez est très important, c'est d'ailleurs un des aspects essentiels du Régime minceur. La satisfaction et le plaisir à table jouent assurément un rôle clé dans la réussite à long terme du programme. On peut aisément suivre le Régime minceur en ne cuisinant que peu ou pas du tout. Cependant, plusieurs des personnes auprès de qui nous avons travaillé et qui n'avaient jamais aimé faire la cuisine avant de participer au programme disent maintenant apprécier de choisir et d'acheter leurs aliments, d'essayer de nouvelles recettes et de se laisser aller aux plaisirs de nouveaux festins lors des repas-récompenses.

« C'est formidable » s'exclame l'une de nos clientes actuelles, « avant, je passais mon temps à penser à tous ces mets que je n'avais pas le droit de manger. Alors que maintenant, je passe mon temps à planifier ce que je vais manger lors de mes prochains repas-récompenses. »

« Je suis devenue vraiment créative avec mes repas complémentaires », nous confie une autre. « La semaine dernière, j'ai fait sauter quelques crevettes, des champignons et des haricots verts, puis j'ai ajouté un peu de sauce teriyaki. J'en ai apporté pour le déjeuner – deux fois de suite. Et ce fut un véritable délice ! »

« Mon mari raffole de ce régime », affirme une autre. « Bien qu'il ne suive pas le Régime minceur, grâce à mes repas-récompenses, il n'a jamais aussi bien mangé. »

Que vous choisissiez de manger au restaurant ou preniez plaisir à préparer vous-même plusieurs de vos repas, vous devrez observer *la* règle suivante : tout en respectant les principes directeurs du régime, faites-vous plaisir et consommez des aliments délicieux et nutritifs. Par-dessus tout, mangez les aliments dont vous avez le plus envie. Il s'agit là d'un aspect important du régime. Dès lors que vous appréciez vraiment votre régime et qu'il vous procure toutes les récompenses et les plaisirs dont vous avez besoin, vous n'aurez aucune difficulté à lui rester fidèle et à conserver durablement votre poids.

7

METTRE EN PRATIQUE LE RÉGIME MINCEUR

Vous savez à présent quels aliments il vous faut consommer et à quel moment les manger. Vous comprenez également comment certains changements dans vos habitudes alimentaires peuvent affecter votre métabolisme et aider votre corps à ajuster ses mécanismes de base de façon à ce que vous vous sentiez rassasié et ayez moins faim.

Bien entendu, l'objectif de toute cette démarche est de vous aider à perdre des kilos et à maintenir le poids désiré. Pour y arriver, vous devez développer un système qui vous permettra de surveiller votre poids pendant que vous suivez le Régime minceur.

DÉTERMINER VOTRE POIDS CIBLE

Une question s'impose d'emblée : combien de kilos aimeriez-vous perdre ? Lorsqu'il s'agit de perdre du poids, les patients ont souvent des attentes bien plus élevées que celles de leur médecin. Les professionnels de la santé sont d'avis qu'il est préférable de perdre un nombre raisonnable de kilos en essayant ensuite de maintenir ce poids, et qu'à l'inverse, il est dangereux pour votre santé de faire le « yo-yo » en perdant puis en reprenant fréquemment des quantités importantes de poids.

Le choix vous appartient : il vous faut décider combien vous aimeriez peser. Et ne vous fiez pas au poids que suggèrent certains tableaux de mensurations selon la grandeur et la structure osseuse ; c'est bel et bien à vous qu'il revient de décider, avec l'aide de votre médecin, quel devrait être votre poids.

Certains de nos clients savaient précisément quel était leur but ultime et ils étaient prêts à se lancer dès que le coup de départ se ferait entendre. D'autres, au contraire, ont eu à réfléchir sérieusement avant d'établir leur poids cible initial. Pour certains, l'objectif était d'abord d'atteindre un poids avec lequel ils se sentiraient à l'aise, sans qu'il s'agisse de leur poids idéal ou de leur objectif final. Tandis que d'autres, après avoir atteint l'objectif pondéral qu'ils s'étaient fixé, ont soit trouvé tout à fait acceptable leur nouveau poids, soit décidé d'aller plus loin. Cependant, quel que fût leur but, presque tous les participants ont maigri à un rythme constant et ont dit apprécier leurs repas-récompenses ainsi que leur regain d'énergie.

Ainsi, c'est à vous qu'il appartient de décider d'aller jusqu'au bout dès le départ ou encore de procéder par étapes. Certaines des personnes avec qui nous travaillons sont d'avis que l'approche qui consiste à perdre du poids en plusieurs étapes est meilleure pour l'équilibre psychologique. Elles disent se sentir plus à l'aise avec des moments de répit entre chacune des étapes : cette pause leur permet de s'ajuster mentalement et physiquement à la perte de poids, en plus de renouveler leur confiance. Quelques-unes d'entre elles sont convaincues que cette méthode leur permettra de maintenir durablement leur amincissement.

Certains participants ayant opté pour la méthode par étapes se sont sentis à l'aise avec leur poids une fois leur but initial atteint. Quelques-uns d'entre eux ont connu des améliorations de leur état de santé et de leur niveau d'énergie. D'autres se sont dit plus satisfaits de leur apparence physique. En outre, plusieurs de ces personnes ont réussi à maintenir leur poids de la première étape pendant plusieurs années sans éprouver le désir de passer à une étape subséquente.

En revanche, un grand nombre de nos participants ne souhaitent pas maigrir par étapes : ils savent ce qu'ils veulent et le plus important pour eux est d'y arriver. Toutefois, au moment de choisir votre poids cible, veillez à ce qu'il s'agisse d'un objectif raisonnable. Par exemple, vouloir retrouver le poids que vous aviez à l'adolescence n'est probablement pas un objectif très réaliste.

Évaluez d'abord la situation avec votre médecin et suivez ensuite la formule du programme qui vous conduira à votre nouvel objectif de perte de poids. Les formules C et D entraîneront une perte de poids plus rapide; puis, les formules A et B vous aideront à ralentir votre diminution de poids à l'approche de votre objectif pondéral. Ces derniers vous permettront également de faire la transition naturelle vers votre programme de maintien durable.

FAUT-IL SE PESER ?

Se peser constitue une part importante de tout programme amaigrissant. Dans le cadre du Régime minceur, vous pourrez personnaliser votre régime en choisissant la formule la plus appropriée à l'atteinte de votre objectif en vous basant sur votre perte de poids hebdomadaire. Que vous désiriez perdre du poids ou simplement le maintenir, il est essentiel de vous peser afin de mieux surveiller et contrôler la progression. Néanmoins, certains individus ont des croyances superstitieuses, voire de petits rituels personnels, lorsque vient le temps de monter sur le pèse-personne. D'autres croient qu'ils « savent » combien ils pèsent : « Je n'ai pas besoin d'un appareil pour me dire quel est mon poids; si je maigris, je le saurai bien », pensent-ils.

La pesée est pourtant essentielle puisqu'elle fournit les données à partir desquelles on peut mesurer ses progrès. Souvent encourageante, elle indique aussi si des changements doivent être apportés au régime. Il s'agit donc d'un chaînon indispensable au processus.

À quelle fréquence dois-je me peser? Même lorsque vous ne suivez pas de régime, votre poids est susceptible de connaître des variations pouvant aller jusqu'à 2 kilos par semaine. Les changements prémenstruels, les repas très salés, les températures très chaudes, par exemple, sont autant de facteurs pouvant faire varier votre poids sur une courte période de temps. De ce fait, il n'est pas suffisant de vous peser une seule fois pendant la semaine.

Pourquoi faire la moyenne de votre poids ?

Comparons les trois graphiques suivants. Le premier représente cinq poids hebdomadaires sur une période d'un mois. La tendance générale, et en particulier la pesée de la cinquième semaine (jour 26), semble plutôt décourageante, n'est-ce pas ?

Le problème est que les pesées hebdomadaires ne témoignent pas des fluctuations quotidiennes auxquelles la plupart des gens sont sujets. Si vous ne montez sur la balance qu'une fois par semaine, un poids élevé pour cette journée pourra vous donner l'impression d'une augmentation de poids pour toute la semaine alors que ce n'est en général pas le cas. À l'inverse, un résultat moins élevé pourra laisser croire que votre perte de poids est plus rapide qu'elle ne l'est en réalité.

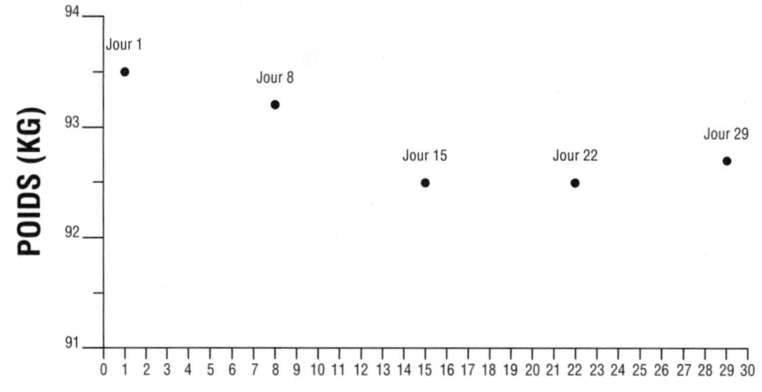

Considérons ces mêmes résultats hebdomadaires, illustrés maintenant dans le contexte des résultats quotidiens qui n'avaient pas été enregistrés dans le premier graphique.

L'addition des résultats quotidiens donne une perspective bien différente. On comprend à présent qu'au cours de la dernière semaine de régime, soit du jour 22 au jour 29, il y eut en fait une diminution notable de poids. Alors que, observé isolément, le jour 29 offre un poids élevé – un phénomène le plus souvent attribuable à des causes telles que la rétention d'eau, les changements prémenstruels, notamment – il ne reflète nullement la perte de poids réalisée pendant toute la semaine. Ainsi, en ne mesurant son poids qu'une seule fois par semaine, on risque d'obtenir une image biaisée de la variation réelle de poids pour une semaine donnée ; les données hebdomadaires du premier graphique ne rendent pas compte des poids remarquablement bas de la dernière semaine, comme le montre le second graphique.Jour 25 = 91,1 kg

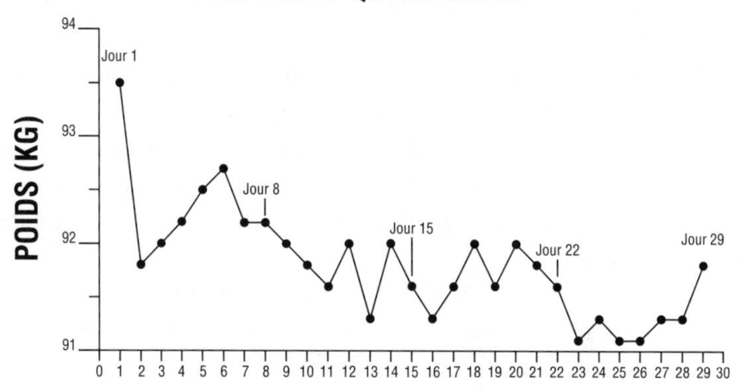

À présent, considérons les mêmes données mais représentées cette fois, par des poids hebdomadaires moyens. Ce troisième graphique illustre de la manière la plus précise qui soit l'évolution pondérale de cet individu au cours des vingt-neuf jours. Cette courbe est plus facile à accepter, n'est-ce pas ? Elle n'est pourtant qu'un reflet encore plus juste des progrès de cette personne.

L'HISTOIRE DE BOBBI

Lorsqu'ils se présentent au Centre de lutte contre la dépendance aux glucides, les gens, souvent malheureux de leur situation, n'affichent pas tous une attitude constructive. Mais Bobbi n'était pas de ce nombre, elle se montra positive dès le départ.

Elle avait quarante-six ans lors de sa première visite au Centre. Elle et son mari formaient selon elle un couple plutôt heureux. Ils avaient deux filles au lycée et Bobbi occupait un poste d'assistante administrative dans une grande société d'assurances.

L'historique des régimes qu'elle avait suivis correspondait assez bien au genre de situations auxquelles nous avions l'habitude. Elle avait suivi plusieurs régimes, avait perdu du poids mais l'avait toujours recouvré. Son poids n'avait toutefois varié que de 4 à 7 kilos en plus ou en moins. Notre Test de dépendance aux glucides la plaça presque au centre de la zone de dépendance modérée.

Pour commencer, Bobbi désirait perdre au moins 7 kilos, « mais je serais absolument enchantée d'en perdre neuf », nous avait-elle confié. Elle nous fit par ailleurs part de ses craintes quant à sa faible maîtrise de sa consommation alimentaire. Elle nous raconta que quand elle était seule à la maison, il lui arrivait de dévorer sans pouvoir s'arrêter. Elle en était venue à la conclusion que lorsqu'elle faisait ses courses, elle se procurait certains aliments en prévision des moments où elle serait seule, en essayant de se faire croire que ces choses étaient pour les autres. Plus d'une fois, elle avait attendu que tout le monde ait quitté la maison pour enfin sortir sa panoplie de friandises et se gaver devant la télévision. Ces épisodes de fringales la dérangeaient plus que tout car ils constituaient probablement l'expérience la plus agréable qu'elle ait eu depuis très longtemps et, surtout, cette envie d'engloutir certains aliments la prenait de plus en plus souvent.

Nous lui avons alors parlé du Régime minceur ainsi que du fonctionnement normal de la sécrétion d'insuline par l'organisme. Nous l'avons informée qu'il était probable qu'une dysfonction de ce système soit à l'origine d'une partie de ses comportements. Pour terminer, nous lui avons présenté les lignes directrices du régime. Bobbi quitta notre bureau pleine de détermination et certaine de perdre du poids.

Lorsqu'elle revint nous voir, tel que nous en avions convenu, deux semaines plus tard, elle se disait amèrement déçue : son poids n'avait pas du tout diminué.

Notre première réaction fut de demander à voir son tableau des pesées. Cependant, à notre surprise, elle avoua ne pas en avoir. Elle expliqua s'être pesée le premier jour, puis une semaine plus tard, et une fois encore le même jour. « N'est-ce pas suffisant », demanda-t-elle ? Au cours des autres régimes qu'elle avait suivis auparavant, elle n'avait eu à se peser qu'une fois par semaine ou pas du tout.

Bien au contraire, se peser quotidiennement est essentiel, lui avons-nous expliqué. Puis nous avons illustré l'aspect primordial de la pesée quotidienne à l'aide de l'exemple suivant.

Imaginons que le poids de Bobbi était de 70 kilos le jour où elle débuta le régime. Le poids de la plupart des gens variant de 500 grammes à 1 kilo par jour, il est probable que le poids normal de Bobbi ait en fait été de 71 kilos ; supposons-le. Le premier jour du régime, son poids se serait donc trouvé, par hasard, à son niveau le plus bas. Imaginons maintenant qu'elle ait respecté le régime comme il se doit et qu'elle se soit pesée à la fin de la semaine. Même si elle avait perdu un kilo, les résultats pourraient laisser croire qu'aucun progrès n'a été réalisé, simplement parce qu'elle se serait pesée un jour ou à un moment de la journée où la balance affichait 71 kilos.

D'autre part, il arrive que les gens utilisent leur poids comme excuse pour manger. Après une perte de poids, ils se disent : « Génial, maintenant je peux manger ! ». En revanche, lorsqu'ils prennent des kilos, c'est le raisonnement suivant qui prévaut : « À quoi bon ? Après tant d'efforts, j'ai pris du poids, je ferais aussi bien de manger. » Et si leur poids demeure stable, ils pensent que quoi qu'ils fassent, ils ne perdront pas de poids et concluent qu'il est inutile de se priver.

C'est pour cette raison que nous vous recommandons de vous peser tous les jours et de faire la moyenne de votre poids à la fin de la semaine. Cette routine aide à éviter les réactions qui sabotent vos démarches en plus de vous permettre de suivre vos progrès tout au long de la semaine. C'est d'ailleurs la façon de procéder dans le domaine scientifique : recueillir autant de données que possible afin d'en établir la moyenne et comparer les résultats sur une échelle temporelle. Cette méthode rendra compte de vos variations pondérales naturelles.

Quelques semaines plus tard, Bobbi était devenue une fervente partisane de la pesée quotidienne. « Je ne saurais vous dire à quel point c'est important. Avant, je montais sur le pèse-personne après une semaine de torture pour découvrir que j'avais gagné 250 grammes. Ou alors, je me goinfrais pendant une semaine sans que mon poids ne varie. »

«J'avais tort de ne me fier qu'à mes pesées hebdomadaires; je puis maintenant constater la tendance qui se dégage des variations pondérales au cours d'une semaine sans être trompée par celles-ci. Et cela me permet vraiment de demeurer motivée.»

Bobbi perdit 13 kilos en quatre mois. Deux ans plus tard, elle maintenait toujours son poids cible. De plus, elle continue de se peser tous les jours et calcule sa moyenne pondérale chaque semaine. Cette pratique est devenue «comme une seconde nature pour moi. Elle me permet de rester mince et en santé».

Établir la moyenne de votre poids. Afin de mesurer à quel rythme vous mincissez, vous devez faire la moyenne hebdomadaire de vos pesées quotidiennes. Cette moyenne contribue à atténuer les hauts et les bas et vous donne une image plus réaliste du rythme de votre perte de poids.

Comme l'a compris Bobbi, les pesées élevées ou basses risquent de donner l'impression d'une perte ou d'une prise de poids, alors qu'en réalité, l'inverse est peut-être en train de se produire. Alors, si certains de ceux qui trichent pendant un régime (autre que le Régime minceur) se réjouissent, lors de leur pesée hebdomadaire, en constatant que leur poids est demeuré stable, les «tricheries» qu'ils ont commises auront habituellement des répercussions sur leur poids une semaine ou deux plus tard.

Calculer votre poids hebdomadaire moyen vous permet de réduire l'écart créé par les pesées quotidiennes élevées ou basses et de faire une lecture plus précise de l'évolution réelle de votre poids. Tout phénomène naturel peut ainsi être mesuré afin de réduire les fluctuations qui faussent l'évaluation. Il en va de même pour le corps humain : il n'est pas une machine, il change et s'ajuste constamment à une multitude de facteurs.

Comment déterminer votre poids moyen

Le calcul de votre poids moyen vous permet de voir combien de kilos vous avez perdus, sans que votre lecture ne soit influencée par les petites fluctuations quotidiennes.

Afin de déterminer votre poids moyen pour la semaine, suivez les étapes 1 et 2 :

1- Additionnez tous les résultats de la semaine
2- Divisez le total par le nombre de pesées de la semaine

Exemple # 1 :

Vos pesées pour la semaine sont :
67,5 ; 67,1 ; 67,1 ; 67,5 ; 66,6 ; 66,6 ; 66,2 kilos
La somme de toutes ces pesées est 468,6 kilos
Divisez ce total par le nombre de pesées (7)
Vous pouvez utiliser une calculatrice : 468,6 ÷ 7 jours = 66,9 kilos.

Exemple # 2 :

Vous avez oublié de vous peser un jour, vous n'avez donc que six pesées pour la semaine.
Vos pesées pour la semaine sont :
63 ; 63,5, 62,6 ; 62,6 ; 62,1 ; 62,1 kilos
Voici le calcul : 375,9 ÷ 6 jours = 62,7 kilos.

Comment effectuer les pesées ?

Quel type de balance faut-il utiliser ? Le type de pèse-personne que vous avez importe moins que sa fiabilité. Il vous faut donc vérifier la régularité de votre balance en vous pesant à plusieurs reprises consécutives. Si votre poids varie de plus d'un demi-kilo à chaque fois, débarrassez-vous de votre appareil et procurez-vous-en un autre.

Si vous prévoyez faire l'achat d'une balance, nous vous recommandons de choisir un modèle avec écran numérique au quartz précisant les dixièmes de kilo. De cette manière, vous saurez si vous pesez 72 ou 71,8 kilos. Ces appareils coûtent environ quarante dollars américains, ce qui n'est pas cher payé pour l'obtention d'une lecture précise de votre poids.

Comment procéder ? Pesez-vous tous les matins à peu près à la même heure et faites-le toujours dans les mêmes conditions, soit avant ou après le petit-déjeuner, soit nu ou habillé. De plus, ne vous pesez qu'une fois par jour et ne le refaites pas avant le lendemain.

>>>

Placez la balance sur une surface plate et dure et ne la déplacez plus. Adoptez toujours la même position à chacune des pesées. Et n'essayez pas de tricher en plaçant un pied sur le bord de l'appareil pour tenter d'obtenir une lecture plus basse.

Voici ce que vous devez faire : tous les jours, à peu près au même moment, montez sur la balance, portez chaque fois la même quantité de vêtements (soyez nu si possible), lisez votre poids, inscrivez-le sur le tableau de la page suivante, puis poursuivez votre programme de la journée.

ÉVALUEZ VOS PROGRÈS

Le mariage d'un régime alimentaire agréable à une perte de poids lente mais continue fera de vos pesées quotidiennes une habitude plaisante. Si vous êtes comme la plupart des gens qui ont suivi le Régime minceur, vous en viendrez à attendre impatiemment le septième jour pour connaître votre poids moyen de la semaine. Vous apprécierez le fait d'avoir une mesure exacte de votre progression plutôt que les résultats aléatoires de la pesée hebdomadaire.

Semaine débutant le...	LUN. (poids)	MAR. (poids)	MER. (poids)	JEU. (poids)	VEN. (poids)	SAM. (poids)	DIM. (poids)	Poids moyen de la semaine

Lors de la pesée, vous devrez abandonner l'idée qu'un poids en particulier est votre « vrai poids ». Cette idée est fausse. De prime abord, cela peut sembler bizarre, mais réfléchissez-y bien : ce chiffre quotidien ne peut refléter les fluctuations mineures et imprévisibles, pas plus qu'une pesée hebdomadaire ne peut le faire. Il faut plutôt considérer votre poids du jour comme faisant partie d'une série de fractions arrivant au total de la semaine.

Que votre poids ait augmenté ou diminué, essayez de le considérer comme une simple donnée. Mieux encore, évitez de comparer votre poids de jour en jour. N'y pensez pas avant la fin de la semaine.

Notez votre poids tous les jours sur votre tableau des pesées. Au cours des semaines suivantes, continuez à vous peser, à noter votre poids et à faire la moyenne de vos résultats à tous les sept jours (voir les instructions plus haut). Après quatorze jours, vous pourrez comparer la moyenne de la deuxième semaine avec celle de la première : ce devrait être la première fois que vous comparez vos résultats.

Encore une fois, en raison des variations quotidiennes normales, ne comparez pas les journées ou les pesées seules. Le fait de porter attention à des indicateurs aussi trompeurs pourrait vous faire perdre confiance ou vous donner une impression de défaite. « Je n'arrive à rien ! », diront alors certains. D'autres personnes auront l'impression d'avoir réussi : « Je peux bien tricher un peu aujourd'hui, j'ai déjà perdu un kilo ! ».

En somme, il faut éviter d'avoir des réactions exagérées face à son poids : n'abandonnez pas votre programme alimentaire simplement parce que votre poids augmente ou diminue. Rappelez-vous que ce programme est le fruit de plusieurs années de recherches, il est le résultat d'essais, d'erreurs... et de réussites. Soyez donc fidèle au programme, évitez de tricher ou de vous faire des reproches à cause d'une simple variation momentanée de votre poids. Ayez plutôt confiance en ce que le Régime minceur fonctionnera pour vous. Il s'agit d'un programme à vie et non pas d'un régime aux conséquences éphémères.

ATTEINDRE VOTRE POIDS CIBLE

À l'approche de votre objectif pondéral, deux choses pourraient survenir : soit votre perte de poids se fera plus lente, soit elle se poursuivra au même rythme.

Si vous mincissez moins rapidement, votre poids se stabilisera sans doute lorsque vous atteindrez votre objectif ou lorsque vous serez à proximité de celui-ci. Ce changement indique qu'il s'agit pour vous d'un poids approprié et vous n'aurez qu'à poursuivre la même formule du programme afin de le conserver. Ainsi, continuez de manger comme vous le faites, mais si jamais vous sentez le besoin d'apporter des modifications au programme afin de le personnaliser, référez-vous au chapitre 5.

Un des aspects du Régime minceur que les participants semblent le plus apprécier est la possibilité de suivre un programme de maintien pondéral sensiblement identique au régime lui-même. Dans bien des cas, les gens sentent qu'après avoir maintenu leur poids cible pendant un bon moment, ils doivent augmenter leurs portions dans le cadre des repas complémentaires. Il semble que le corps s'ajuste à son nouveau poids et qu'il devient capable d'absorber une plus grande quantité de nourriture.

Cependant, nous devons vous avertir de n'ajouter que des aliments complémentaires à vos repas et vos collations complémentaires prévus à l'horaire.

VOTRE TABLEAU DE PROGRÈS

Notez votre poids chaque jour.

Ne comparez que vos moyennes hebdomadaires afin de déterminer si vous perdez du poids. Nous vous rappelons que pour obtenir votre moyenne hebdomadaire, vous devez additionner tous vos résultats de la semaine et diviser ensuite le total obtenu par le nombre de pesées. Pour plus de détails sur la manière de vous peser, référez-vous à la page 142.

Et l'exercice dans tout cela ?

Au cours des dernières années, de nombreux scientifiques ont souligné l'existence d'un rapport entre le niveau d'activité physique et la perte de poids. Si les résultats de nos recherches nous ont généralement permis de tirer des conclusions similaires, nous n'avons pas moins observé qu'un programme d'exercices rigoureux n'est pas essentiel à la réussite du régime alimentaire, comme l'ont d'ailleurs soutenu d'autres chercheurs.

Ces conclusions vous paraissent-elles curieuses ? Elles ne le sont pas vraiment. L'explication réside dans la distinction qui existe entre « exercice » et « activité physique ». De nos jours, le terme « exercice » désigne habituellement une série d'activités programmées, plus ou moins répétitives ; un régime régulier d'activités comme la course à pied, la natation ou autres séances d'entraînement rigoureux. L'« activité physique », par contre, est moins clairement définie. Par exemple, un travail qui requiert beaucoup de marche entrerait dans cette catégorie.

Ainsi, bien que l'exercice soit susceptible d'améliorer votre bien-être, votre apparence, ainsi que votre état de santé, il ne fait pas partie intégrante de notre régime. Toutefois, nous insistons sur la nécessité de maintenir un niveau modéré d'activité physique (pas nécessairement un programme d'exercices intenses), et ce, afin de profiter pleinement des bienfaits du régime.

Alors faites de la natation ou de la course si vous le désirez ; c'est très sain et vous pourriez avoir meilleure mine et vous sentir en pleine forme. Mais ne le faites pas dans le seul but d'atteindre plus rapidement vos objectifs de perte de poids. Rappelez-vous que c'est le retour à un équilibre insulinique normal qui engendre la perte de poids chez les personnes souffrant de dépendance aux glucides.

Bref, on n'a pas à s'entraîner en vue d'un marathon pour perdre des kilos. Cependant, il est bien évident que celui ou celle qui ne quitte jamais son fauteuil ne doit pas s'attendre à des miracles.

Comme toujours, suivez aussi les conseils de votre médecin en ce qui concerne l'exercice et l'activité physique.

L'ex-fumeur et ses kilos en trop :

L'HISTOIRE DE MAC

Nous avons tous vu d'anciens fumeurs se mettre à prendre du poids aussitôt après avoir écrasé leur dernier mégot. L'histoire qu'Arnold McD., connu de tous sous le nom de « Mac », nous raconta lorsqu'il vint nous voir est un exemple parfait de ce type de scénario.

Il avait cessé de fumer trois mois auparavant, sous les pressions de son médecin. Au cours des semaines suivantes, il avait pris 5 ou 6 kilos. Si l'on additionne ces derniers aux 3 kilos en trop que Mac disait avoir au départ, c'était maintenant de près de 9 kilos dont Mac voulait se débarrasser.

À l'âge de quarante-quatre ans, à l'instar de plusieurs d'entre nous, Mac se questionnait à propos de l'impact que pouvaient avoir ses

>>>

habitudes de vie sur sa santé et sa longévité. Son médecin s'était posé la même question et c'est d'ailleurs pourquoi il l'avait sommé de cesser de fumer, en plus de lui conseiller de perdre un peu de poids.

Mac avait d'abord tenté d'y arriver par lui-même. « J'avais entendu dire que certaines personnes prenaient soudainement du poids après avoir laissé tomber la cigarette. Malgré cela, je croyais que j'arriverais bien à m'occuper de cela tout seul. Mais je comprends maintenant que ce n'est pas si facile à faire », nous avait-il confié.

Curieusement, il avait ajouté : « Vous voyez, je ne crois pas manger beaucoup plus qu'avant. Je sais que c'est un peu absurde, mais c'est la vérité. »

Et c'est la raison pour laquelle il est venu nous rencontrer.

Son Test de dépendance aux glucides le plaça dans la catégorie des dépendances modérées. Cela faisait de lui un bon candidat au Régime minceur. Après lui avoir décrit le régime, nous lui avons parlé des connaissances actuelles sur les changements physiques qui surviennent lors de l'arrêt du tabac. Des transformations qui ont souvent l'effet d'accroître la propension du corps à accumuler les kilos ou, tout au moins, à les maintenir.

Mac nous avoua qu'il ne saisissait pas bien les fondements biologiques de ces phénomènes, mais il était tout de même prêt à faire l'essai du régime.

Sans doute n'était-il pas un homme de science, mais il était persuadé que nous savions ce que nous faisions. Il perdit 2 kilos dès la première semaine. Nous avons donc dû ralentir sa perte de poids afin qu'elle soit plus conforme au rythme idéal de un pour cent de diminution de la masse corporelle totale par semaine. Pour ce faire, nous lui avons recommandé d'augmenter sa consommation d'aliments complémentaires au petit-déjeuner et au déjeuner. La stratégie fonctionna bien : quelques consultations plus tard, son rythme d'amaigrissement s'était stabilisé à un kilo par semaine.

Mac perdit 9 kilos et décida d'en perdre davantage pendant qu'il y était. Lorsqu'il en eut perdu 11, son poids se stabilisa. « Je pourrais probablement maigrir encore en coupant dans mes repas complémentaires, mais je n'en ressens pas le besoin. J'ai perdu 2 kilos de plus que prévu, je n'ai pas fumé depuis un an et, à vrai dire, je ne me suis jamais trouvé aussi beau. »

Environ trois ans après sa première consultation, Mac, qui passait dans le quartier, décida d'entrer nous dire bonjour. Son poids était toujours stable et il disait ne s'être jamais si bien senti dans sa peau. D'autre part, il dirigeait des groupes de soutien aux ex-fumeurs au sein de la même organisation qui l'avait aidé à abandonner la cigarette quelques années auparavant.

8

LE RÉGIME MINCEUR AU QUOTIDIEN

Notre secrétaire avait fait entrer Elaine T. dans notre bureau, où elle nous attendait à notre retour du dîner. Première sur notre liste des rendez-vous de la soirée, Elaine en était à la fin de sa troisième semaine du Régime minceur et, visiblement, elle était mécontente.

Elaine était, à quarante et un ans, une agente littéraire accomplie. Plusieurs de ses clients avaient figuré sur la liste des best-sellers au cours des dernières années. Après avoir fait ses débuts en tant qu'écrivain en herbe, elle en était venue à la conclusion qu'elle était plus douée pour reconnaître l'écriture de qualité et pour négocier la vente de livres que pour en écrire elle-même. Elle disait que si elle aimait le domaine du livre, son travail n'en avait pas moins laissé à long terme des traces sur sa santé. La principale raison pour laquelle elle avait abandonné l'écriture était la pression que cela représentait.

« La pression », avait-elle dit en riant à demi, « vous imaginez ? Je croyais, à l'époque, qu'elle était la cause de mes maux. Mais voilà qu'aujourd'hui, tous mes efforts de négociation peuvent être réduits à néant si je ne dis pas ce qu'il faut à la bonne personne et au moment opportun. Je ne sais jamais si je m'avance au moment où je devrais me montrer hésitante ou si je me retire alors que je devrais insister. »

Dès la première consultation, Elaine nous avait parlé de la pression qu'elle vivait au travail : conférence après conférence, rencontre après rencontre avec des auteurs, des éditeurs et d'autres agents. Les déjeuners d'affaires faisaient partie de sa routine quotidienne. « Cela peut sembler exaltant, mais en réalité, c'est complètement fou. Mon gagne-pain ne tient d'ailleurs parfois qu'à un petit détail. Il n'y a personne pour m'apporter de soutien : mes parents sont décédés, je ne peux compter que sur moi-même. Si je ne conclus pas une vente, il n'y a pas de salaire au bout du compte. La pression est incroyable. »

Elle avait poursuivi : « Lors d'une rencontre, si j'en dis trop long, je risque de vendre la mèche et de gâcher toute l'affaire. En revanche, si je ne prends pas la parole, il est possible que je manque ma chance. En outre, je dois toujours faire preuve d'une grande prudence et peser chacun de mes mots. Et surtout, tout cela se déroule pendant le déjeuner. J'ai donc le plus souvent l'estomac noué et la gorge serrée. Si bien que la moitié du temps, je ne goûte même pas ce que je mange – et à un certain point, je regarde dans mon assiette pour m'apercevoir qu'elle est vide. »

À la fin de la troisième semaine de régime, Elaine avait toujours la même expression tendue et angoissée que celle qu'elle affichait lors de la première rencontre, au moment où elle avait décrit son travail. Nous avons commencé la consultation comme nous avions l'habitude de le faire, soit en faisant un retour sur la semaine qui se terminait.

« Cela n'a pas été de tout repos », nous confia Elaine. « Je m'attendais à ce que le régime soit plutôt facile à suivre – et ce fut le cas durant les deux premières semaines. Mais j'éprouve maintenant des difficultés. Ma sœur et ma belle-sœur apprécient toutes deux vraiment le régime et elles arrivent à peine à croire que ce soit si facile. Peut-être est-ce ma faute, mais je me sens toujours comme si je faisais ce qu'il ne faut pas. Je ne sais trop quoi en penser… Je n'ai simplement pas l'impression de maîtriser la situation. Je ne comprends pas pourquoi. » Elaine secoua ensuite la tête, haussa un peu les épaules et sembla se retirer dans ses sentiments de frustration.

Pendant un instant, elle sembla sur le point de pleurer, puis son visage se raidit. C'est à ce moment que nous lui avons expliqué qu'il nous fallait mieux comprendre ce qu'elle vivait afin de pouvoir l'aider. C'est pourquoi nous lui avons doucement demandé de nous faire le récit de sa journée, du début à la fin. Car en identifiant les problèmes auxquels elle avait fait face toute seule, nous serions en mesure de l'aider à surmonter ces obstacles.

Sa journée devait commencer par une rencontre à l'aéroport avec un vieil ami, qui était également un de ses clients. Il avait avec lui le canevas d'un nouveau livre passionnant et souhaitait qu'Elaine soit son agent. La situation s'annonçait plutôt bien, puisque Elaine connaissait un éditeur qui recherchait précisément ce genre d'histoire. Or, avant de partir pour l'aéroport, elle fut confrontée à une série d'incidents.

Elle fut d'abord surprise par un problème de plomberie. En effet, la cuvette des w.-c.. de son appartement coulait continuellement et, comme elle ne pouvait se permettre d'attendre le concierge de l'immeuble, Elaine décida de couper l'eau elle-même. C'est en cherchant dans le placard un outil pour fermer la valve de débit de l'eau froide que la tablette du haut lui tomba sur la tête avec tout ce qui s'y trouvait. Elle réussit néanmoins à ramener le débit de l'eau froide à un niveau modéré, mais lors du processus, elle se cassa un ongle et s'infligea une coupure à la main.

« J'avais déjà quarante minutes de retard sur mon horaire et je sentais que ça n'allait pas être mon jour. »

Bien qu'elle fût pressée par le temps, Elaine voulut malgré tout se cuisiner des œufs au bacon en guise de petit-déjeuner complémentaire afin d'utiliser le bacon décongelé qu'elle gardait dans le réfrigérateur depuis plusieurs jours. « Je savais bien qu'il aurait été beaucoup plus simple d'arrêter chez l'épicier du coin pour acheter un muffin au son et un café », expliqua-t-elle.

Elaine se rappelait avoir eu de telles réactions auparavant et elle était décidée à ne pas répéter ces même vieux comportements qui l'avaient perdue. Comme elle s'était sentie « incroyablement bien à différentes reprises » et que ses fringales de glucides avaient pour ainsi dire disparu, elle décida de mettre le bacon à cuire dans la rôtissoire pendant qu'elle prendrait sa douche. Or, elle ignorait que la valve d'eau qu'elle avait fermée alimentait aussi la douche. Elle faillit ainsi se brûler et elle sortit de la douche dans un état lamentable, à demi-lavée, les cheveux encore pleins de shampoing. Puis, oubliant complètement le bacon, elle se dirigea vers sa chambre et ouvrit l'air climatisé.

« Après m'être habillée, j'ai ouvert la porte de ma chambre pour constater qu'une odeur de graisse de bacon brûlé avait envahi l'appartement !

Avant de quitter, j'ai dû laisser la fenêtre ouverte afin d'éviter que ne sonne le détecteur de fumée, ce qui n'est pas une très bonne idée lorsque votre appartement est situé au premier étage. Décidément, l'idée du muffin au son devenait de plus en plus attrayante. J'ai pourtant tenu le coup, en partie parce que je ne voulais vraiment pas courir le risque de me retrouver aux prises avec de nouvelles fringales, mais aussi parce que j'étais terriblement en retard. »

Elaine arriva finalement à l'aéroport dix minutes avant l'arrivée prévue de son ami. Elle accusait néanmoins quinze minutes de retard après avoir marché du stationnement à l'aérogare. « Après toutes ces aventures, son avion avait au moins une heure de retard ; je fulminais et j'étais très frustrée. J'ai dû patienter près de deux heures. Et c'est durant cette attente que, exaspérée, j'ai jeté l'éponge. Plus rien ne m'importait, pas plus le régime que la nourriture, que quoi que ce soit d'autre. »

Lorsque l'ami, Steve, arriva enfin, ils récupérèrent ses bagages, prirent la voiture d'Elaine et se dirigèrent vers un restaurant pour le déjeuner. Il était alors presque treize heures. « Je me sentais à présent un peu mieux et j'étais prête à prendre un bon repas. J'avais fait exprès de choisir un restaurant où l'on servait un savoureux poulet grillé avec une salade et des haricots verts sautés dans l'huile d'olive et de l'ail en accompagnement. J'étais heureuse de pouvoir commander un délicieux déjeuner faible en glucides, mais voilà que Steve insista pour payer la note. Les prix de ce restaurant étant vraiment élevés, je me sentais mal à l'aise de commander ce que je désirais vraiment. Les salades venaient en portions si petites qu'il m'en aurait fallu deux. Le fait que j'avais moi-même choisi cet endroit compliquait davantage la situation. Si j'aurais volontiers payé pour lui, je ne voulais surtout pas que lui paye pour moi. Mais il insista... »

Elaine se contenta donc du poulet et d'une salade. Afin de ne pas abuser de son ami, elle décida de ne pas commander l'autre salade et l'accompagnement de haricots verts, trop chers. Elaine relata cet épisode comme suit : « Je me suis sentie lésée, sans compter que j'avais encore faim. Après avoir dû me passer de mon petit-déjeuner, j'étais maintenant privée d'une partie de mon repas du midi. Normalement, je n'ai plus faim après le repas, cette fois, je n'avais pas mangé les aliments auxquels j'avais droit et dont j'avais envie. J'ai alors essayé de me calmer en me disant que c'était peut-être là une occasion de perdre encore plus de poids, puis je me suis souvenue de vos conseils : je ne dois pas raisonner de la sorte. De toute façon, je me sentais si mal et irritable que rien n'y aurait fait. La tension était d'ailleurs perceptible. C'est à ce moment que

Steve entama une pointe de gâteau aux fraises. J'aurais voulu hurler! L'envie de commander une part de gâteau pour apporter et la manger lors de mon repas-récompense me traversa l'esprit. Cependant, n'aurait-il pas été déplacé de faire payer mon ami pour une portion d'un copieux dessert que j'avais l'intention de ramener à la maison?»

Elaine nous révéla ensuite que la partie «affaires» du déjeuner ne s'était pas non plus très bien passée. Tout au long du repas, elle s'était sentie très tendue, sans rien pouvoir y changer. Elle s'était aussi sentie fausse et, de toute évidence, mal à l'aise. En outre, la conversation lui avait semblé guindée.

«Puis vint enfin le moment où il dut partir», continua Elaine. «Il avait un autre rendez-vous, et je ne saurais vous dire à quel point j'étais heureuse de m'en aller. Je n'avais qu'une idée en tête : me retrouver seule. Peu après, sur le chemin du retour, ayant décidé de ce que je mangerais lors de mon repas-récompense, je suis allée faire des achats. Pour trouver ce dont j'avais besoin, il me fallut visiter au moins quatre magasins, puis j'ai acheté plus de nourriture que je ne pourrais en avaler en dix repas.»

À notre demande, Elaine fournit quelques précisions quant aux provisions qu'elle avait achetées. «Je me suis d'abord arrêtée chez l'épicier pour acheter des bagels. J'en ai pris non pas deux ou trois, mais une bonne douzaine. En achetant la douzaine, j'obtenais un bagel gratuit; je me suis dit qu'à sept dollars la douzaine, j'en méritais bien un de plus. Il me serait toujours possible de congeler le surplus en vue de mes prochains repas-récompenses. Je suis ensuite allée chez un marchand de la rue voisine pour y acheter un peu de saumon fumé, mais j'ai fini par faire tant d'achats que l'épicier n'est pas parvenu à tout mettre dans le même sac. J'ai acheté des viandes à sandwich de toutes sortes, de la dinde fumée et deux variétés de fromage. Puis j'ai traversé la rue et me suis ruée sur les biscuits fins aux brisures de chocolat. Après cela, je suis entrée dans un supermarché pour me procurer une boîte de ma crème glacée au chocolat favorite, en format d'un demi-litre. Tout cela m'a coûté une vraie fortune. J'ai bien tenté de me persuader que j'étais toujours dans les limites du régime et qu'en mangeant ce dont j'avais envie en moins d'une heure, je ne transgresserais pas les règles.»

«Cela me semble presque paradoxal. En effet, comment arriver à se convaincre que l'on perdra du poids si l'on mange autant? Et surtout, quelle dépense! J'ai sans doute déboursé cent dollars. S'il est vrai que je peux très bien me le permettre, il n'en est pas moins déraisonnable de dépenser autant d'argent pour de la nourriture. »

« J'ai terminé mon repas-récompense en moins d'une heure et, à vrai dire, je n'ai pas mangé tant que cela. Quand je pense à toute cette nourriture... C'est un peu ridicule. Je suis persuadée que quiconque m'a vue acheter autant de choses avec une telle attitude a dû croire que j'étais cinglée. Cela me fait des provisions pour la semaine, peut-être plus. Toute cette nourriture... Cela n'a pas de sens : je mange avec plaisir et en plus je perds du poids. Quelque chose ne tourne pas rond. Lorsque vous dites que nous pouvons manger ce que nous voulons, vous ne pensez sûrement pas qu'on puisse agir comme je le fais. »

Après avoir entendu Elaine nous faire le récit de sa dure journée, nous lui avons demandé de nous dire comment elle se sentait maintenant. « J'ai l'impression de ne jamais faire les choses comme il le faut, et ce, peu importe les efforts que je déploie. Même lorsque je mange les aliments que vous me conseillez de manger, j'ai le sentiment que je ne devrais pas y toucher. Ensuite, je dépense beaucoup trop d'argent, j'achète des quantités excessives de nourriture. Bref, quoi que je fasse, il y a toujours quelque chose qui tourne mal. Alors j'abandonne, je n'y arrive tout simplement pas. » Puis Elaine nous sembla soudain moins tendue, elle paraissait maintenant fatiguée et vulnérable.

Nous avons cru bon de prendre le temps de revenir avec Elaine sur ses frustrations de la journée. De toute évidence, les choses n'avaient pas très bien commencé. Une fuite d'eau incontrôlable dans la salle de bain aurait de quoi déranger la plupart d'entre nous. Cela dit, Elaine n'avait pourtant pas cherché d'alternative à son petit-déjeuner complémentaire. Nous lui avons fait remarquer que dans de telles circonstances, au lieu de s'entêter à prendre son repas à la maison, elle aurait pu opter pour un bon petit-déjeuner d'œufs au bacon à l'aéroport pendant qu'elle attendrait l'avion de son ami. Mais elle n'était pas d'accord : « Cela signifie que j'aurais été forcée de jeter le bacon que j'avais au réfrigérateur ? Je ne peux simplement pas me résigner à jeter de la nourriture. Et puis, les repas dans les aéroports sont trop chers. Je crois qu'il serait absurde de jeter de la nourriture parfaitement comestible et de payer ensuite une somme exorbitante pour obtenir la même chose à l'aéroport. »

Or, le bacon s'était tout de même retrouvé à la poubelle, comme nous le lui avons rappelé. En outre, sa situation financière et la valeur potentielle de son rendez-vous à l'aéroport justifiaient amplement cette dépense supplémentaire. Elaine reconnut finalement, bien qu'un peu à contrecœur, qu'elle avait peut-être essayé de faire trop de choses à la fois.

Plusieurs de nos clients déploient de si grands efforts pour faire tant de choses en même temps qu'ils finissent par ne pas faire celles qui leur tiennent le plus à cœur. Une partie de notre travail consiste à faire prendre conscience aux accros aux glucides que le traitement de leur dépendance doit figurer en tête de leur liste de priorités. Il est possible que cette démarche les incite, à l'occasion, à transgresser certaines des règles intégrées depuis leur enfance, comme celles qui exigent que l'on ne jette jamais de nourriture et que l'on ne gaspille pas son argent sous aucun prétexte. Ces personnes essaient parfois de tout faire à la perfection : suivre leur régime à la perfection; ne rien gaspiller; dépenser le moins possible; s'efforcer de plaire à tout le monde; s'occuper de toutes les urgences sans faire d'erreur. Généralement, plus leurs exigences sont nombreuses, plus ces individus vivent de frustrations et plus le régime qu'ils suivent risque, à long ou moyen terme, d'être relégué aux oubliettes.

Ainsi, Elaine ne pouvait réussir à tout faire, cela ne faisait aucun doute. Du moins, elle ne pouvait tout faire à la perfection. Et si elle devait y arriver, ce ne serait qu'au prix de nombreuses frustrations et au péril de sa santé.

Qu'en était-il du reste de sa journée?

Elaine était arrivée à l'aéroport avec dix minutes d'avance, mais elle avait pris du retard car il lui fallut garer sa voiture. Étant donné l'emplacement de son appartement, il lui aurait été facile de prendre un taxi, mais comme il lui en aurait coûté plus cher, elle n'a même pas considéré cette possibilité. Elaine semblait croire qu'une partie du prix du taxi était déductible d'impôt, elle continuait pourtant : « Mais cela aurait été du gaspillage de prendre un taxi, alors que ma voiture était juste à la porte ».

Nous lui avons alors demandé de songer au stress que son corps et son esprit avaient dû subir pendant cette course contre la montre. Après réflexion, Elaine admit que le coût financier de son geste ne valait probablement pas la souffrance émotive qu'elle s'était infligée. Elle ajouta cependant : « Cela ne change rien au fait qu'il m'est difficile de dépenser cet argent pour mon bien-être. Je ne sais trop... Il me semble ridicule d'avoir à me dorloter de la sorte. Je devrais plutôt être en mesure de maîtriser la situation. »

Certaines adeptes du Régime minceur acceptent mal l'idée de dépenser de l'argent pour se libérer l'esprit ou pour réduire les difficultés du quotidien et s'exposer à moins de frustrations. Pourtant, nombreuses sont celles qui, désireuses de perdre leurs kilos excédentaires, ont déjà déboursé beaucoup pour acheter des aliments ou des programmes amaigrissants.

Ainsi, Elaine avait encore une fois essayé de tout faire elle-même – et à la perfection. Or, nos années d'expérience nous ont enseigné que tôt ou tard, quelque chose doit céder : pour l'accro aux glucides, cela prend parfois la forme d'un désastre. C'est pourquoi nous avons suggéré à Elaine de réduire une partie de la pression qu'elle s'imposait avant que cette dernière ne la pousse à abandonner ses engagements envers son régime.

Elaine suivait son programme, mais elle ne vivait nullement l'expérience agréable dont tant de nos participants témoignent. Au contraire, à presque toutes les étapes de sa journée, elle semblait se trouver en conflit avec elle-même. De toute évidence, elle n'était pas pleinement récompensée pour son dur labeur. Mais il n'empêche qu'elle perdait du poids. Au terme des trois premières semaines de régime, elle avait en effet perdu 3 des 10 kilos qu'elle s'était initialement proposé de perdre. Son appétit pour les glucides ne constituait plus un problème et le désir de tricher qui l'avait presque toujours hantée pendant ses autres régimes avait tout simplement disparu. En revanche, bien que son niveau d'énergie n'eût jamais été aussi haut, elle se sentait encore indécise et crevée.

Le retour sur sa journée se poursuivit. Après la frustration que lui avait causée le retard de l'avion, Elaine avait décidé de laisser tomber son petit-déjeuner complémentaire. Cette réaction était conforme aux règles d'économie d'argent et de non-gaspillage de nourriture qu'elle avait ajoutées aux contraintes de temps et aux nécessités de son régime alimentaire.

Les exigences qu'Elaine s'imposait l'avaient affamée à un point où peu de gens auraient su se contrôler, mais – et c'est tout à son éloge – elle avait attendu jusqu'à son arrivée au restaurant. Là, avait-elle cru, on lui servirait enfin son délicieux et substantiel repas complémentaire. Mais encore une fois, et conformément à ses propres exigences, Elaine ne commanda pas le repas qu'elle désirait, car elle craignait que son ami ne dépense trop d'argent en le lui offrant.

Cette préoccupation est fréquente chez les personnes auprès de qui nous œuvrons. Comme la plupart des gens ont du mal à dépenser librement l'argent des autres, il est fréquent que l'on ne commande pas ce que l'on désire vraiment lorsque quelqu'un d'autre paie la note. Afin de remédier à cette situation, nous vous suggérons de suivre l'une des deux approches suivantes : Exprimez clairement, à plusieurs reprises s'il le faut, à la personne qui se propose de payer la note, que vous préférez payer vous-même et que vous vous sentirez plus à l'aise de cette façon. Ou alors fermez les yeux, serrez les dents et commandez exactement ce que vous voulez. Quoi qu'il en soit, vous ne devriez jamais adapter votre alimentation au budget d'une autre personne – ni d'ailleurs à votre perception de la capacité de payer de la personne ou de la générosité de son offre.

Il vous faut toujours accorder la priorité à vos besoins alimentaires. D'ailleurs, qu'on le veuille ou non, il est des circonstances où l'on ne peut s'occuper à la fois de soi et des autres. Alors si votre ami tient vraiment à vous inviter, pourquoi ne pas lui en donner la possibilité ?

La tension qu'avait subie Elaine au cours de la matinée avait affecté son après-midi, ce qui est tout à fait compréhensible. Compte tenu des nombreux combats qu'elle menait de concert, elle avait certainement épuisé ses ressources émotives. Malgré tout, elle se montra encore une fois à la hauteur, et tel que nous l'avions conseillé, elle acheta elle-même les aliments dont elle avait envie pour son repas-récompense.

Cependant, comme bien des gens en font l'expérience, ses vieilles voix intérieures ont refait surface. C'est ainsi qu'à chacun de ses achats, Elaine se blâmait et se critiquait. Or, ce n'étaient pas les achats qui posaient problème, mais bien ses pensées, lui avons-nous fait remarquer. En se laissant aller à de telles réflexions, Elaine pouvait difficilement profiter des bonnes choses qu'elle avait prévues pour son repas-récompense.

Les achats qu'elle avait faits allaient lui fournir suffisamment de nourriture pour cuisiner tous ses repas-récompenses de la semaine, et sans doute quelques-uns de ses repas complémentaires aussi. Il y avait des provisions en abondance. « Peut-être le problème est-il justement là », nous confia-t-elle, « peut-être ai-je du mal à croire que je peux consommer autant, tout en perdant du poids. Certes, je constate que mon poids diminue, mais je n'arrive pourtant pas à y croire. J'ai cette impression étrange que je vais être punie. »

Ce genre de scénario nous est très familier, nous l'avons observé maintes fois. Les individus qui, comme Elaine, ont longtemps vécu dans la privation ont du mal à jouir pleinement de leur alimentation sans en ressentir de culpabilité. Ces personnes craignent de commettre des erreurs et elles ont du mal à accepter cette nouvelle réalité, celle d'avoir la possibilité de faire les choix qui faciliteront la poursuite de leur régime et qui leur permettront de mieux s'occuper d'elles-mêmes.

Le perfectionnisme d'Elaine était un fardeau pour elle et nous voulions lui montrer comment cela nuisait à son aptitude à contrôler sa dépendance.

Ainsi, nous lui avons fait remarquer qu'elle ne pouvait pas tout faire en même temps. Il y a des moments où les exigences reliées à certaines situations entrent en conflit. Différentes petites voix intérieures se font alors entendre. L'une d'elles vous dit, par exemple, de prendre votre petit-déjeuner complémentaire, une autre vous rappelle peut-être de ne pas gaspiller de nourriture et de manger le bacon qu'il y a dans votre réfrigérateur, une autre encore vous répète que vous êtes en retard, que vous n'avez pas le temps de cuisiner et que, pour une fois, vous pourriez bien manger quelque chose qui n'est pas conforme au régime. Laquelle de ces voix écouter ?

Avec notre aide, Elaine examina les nombreuses exigences qu'elle s'imposait. Son besoin d'être parfaite et de ne pas faire d'erreurs minait sa santé, tant mentale que physique. Elle avait atteint sa limite et nous l'invitions à le reconnaître.

Au cours des mois qui suivirent, Elaine se battit sur de nombreux fronts contre son perfectionnisme ; chacune de ses réussites fut un triomphe.

Elle en vint à adopter une perspective différente : « C'est beaucoup plus facile aujourd'hui. Lorsque j'ai un doute, je me dis que je n'ai qu'une seule obligation, celle de soigner ma dépendance. Alors, si je dois dépenser quelques dollars pour m'épargner du stress, respecter une échéance ou prendre soin de moi, je n'hésite pas à le faire. Pas plus que je n'hésite à acheter la nourriture dont j'ai besoin ou à prendre le temps de la préparer. À un certain moment, je n'avais pratiquement plus d'emprise sur les choses. Aujourd'hui cependant, ma vie est beaucoup plus équilibrée. J'ai la maîtrise de ma vie et, vraiment, je ne saurais demander mieux ! »

Un week-end de festivités

Un à un, les membres du groupe d'accros aux glucides du mercredi sont entrés dans la salle. Chacun d'entre eux avait avec lui son déjeuner complémentaire et son tableau des pesées.

Fran G. se laissa glisser sur une chaise située en face de nous, puis, avant même que les autres participants n'aient rejoint leur place, elle commença à parler : «J'ai passé un week-end incroyable. J'ai réalisé un véritable exploit».

Les autres tournèrent tous la tête pour l'écouter. Fran est une femme douce qui ne s'affirme pas beaucoup et, habituellement, elle ne parle qu'après que tous les membres du groupe aient eu l'occasion de raconter leur semaine. Cette fois cependant, elle était manifestement incapable de se retenir de parler.

«Je vous assure, j'ai passé un week-end des plus incroyables», reprit-elle. Lors de la rencontre du mercredi précédent, Fran avait fait part au groupe de ses projets pour le week-end. Les occasions de manger y seraient très nombreuses, prévoyait-elle. Nous avions alors travaillé avec elle à l'élaboration de stratégies qui, tout comme ses repas-récompenses et la diminution de ses fringales, l'aideraient à respecter son programme alimentaire. Nous étions maintenant tous curieux de savoir comment elle s'en était tirée.

«Il y eut d'abord la réception «pré-mariage» du vendredi soir qui précédait la noce», commença-t-elle. «Certains d'entre nous n'avaient jamais entendu parler de ce genre de fête, mais personne ne voulait interrompre les festivités.»

«Je n'ai eu pour ainsi dire aucun mal à prendre mon repas-récompense, si ce n'est au moment du dessert, parce que mon heure de repas était déjà épuisée. Comme je savais que cela risquait de se produire, je m'étais préparée. Je n'aurais qu'à l'apporter à la maison pour le déguster le soir suivant, lors de mon repas-récompense. Or, quand on me le servit enfin, le dessert ne me plaisait pas, je n'ai donc eu aucune difficulté à m'en passer. D'autre part, si je l'avais vraiment désiré, j'aurais très bien pu demander au serveur de me l'apporter plus tôt. J'aurais aussi pu choisir de m'apporter une friandise au cas où le repas se prolongerait, mais cela ne me parut pas si important. Car à vrai dire, les sucreries m'intéressent beaucoup moins qu'auparavant, et c'est là une des caractéristiques les plus admirables de ce régime. De toute façon, je savais bien qu'il me serait possible de prendre un dessert le lendemain, si j'en avais envie.»

«Ensuite, il y a eu la fête donnée en l'honneur de la naissance du bébé d'un ami de mon mari. Comme je savais qu'on y servirait un petit-déjeuner sous forme de buffet, j'étais persuadée qu'il me serait facile de trouver tous mes aliments complémentaires. Il y avait des œufs brouillés, mais aussi, un chef faisait des omelettes sur place. J'ai donc pris une omelette au fromage accompagnée de bacon et de saucisses, en plus d'un

>>>

délicieux café auquel j'ai ajouté un peu de crème. Ce repas m'a totalement rassasiée. »

Une autre réception devait avoir lieu en soirée et je savais que je pourrais y manger tout ce dont j'aurais envie. Pour cette occasion, je porterais une robe dans laquelle je n'arrivais pas à me glisser un mois plus tôt... et je ne m'en plaindrais pas. »

Fran ne se rendit toutefois pas à la dernière partie de célibataire de la mariée ce soir-là. Elle ne précisa pas pourquoi, mais mentionna que son mari était parti tôt dans la soirée pour enterrer la vie de garçon du marié. Elle ne quitta la maison de ses amis que vers vingt-deux heures. « À ce stade de la soirée », expliqua-t-elle, « j'avais très faim ». « Je savais que je pouvais ne rien manger et retourner chez moi. J'aurais ainsi pu laisser tomber mon repas-récompense et aller tout droit me mettre au lit. Mais je tenais à profiter de mon repas, et puis, je me suis souvenue de votre recommandation : ne pas sauter de repas dans l'espoir de maigrir plus rapidement. Je me suis donc arrêtée dans un restaurant sur le chemin de la maison et j'y ai commandé exactement ce dont j'avais envie, soit un plein panier d'ailes de poulet extra-croustillantes et de la salade de choux. Bien que je ne sois arrivée à en avaler que la moitié, je me suis régalée. À la maison, j'avais de la crème glacée au congélateur, mais j'ai préféré terminer mon repas par un savoureux morceau de melon frais, après quoi je suis allée me coucher, satisfaite. »

Le dimanche avaient eu lieu la cérémonie nuptiale et le dîner. « On y servait un buffet scandinave un peu avant le dîner. Alors j'avais décidé que durant une partie du banquet, je prendrais mon repas complémentaire et durant l'autre, mon repas-récompense ; vous disiez qu'il suffisait d'attendre au moins une heure et demie entre chaque repas. Eh bien, tout se passa pour le mieux, puisque le buffet scandinave fut servi vers les six heures, tandis que le dîner proprement dit, initialement prévu pour neuf heures, ne commença qu'à dix heures. Au départ cependant, je ne savais pas au cours de quelle partie du banquet je prendrais mon repas-récompense. Puis j'ai pensé que si le buffet en valait la peine, je le prendrais à ce moment. Il faut dire qu'en général, j'apprécie plus le buffet que le dîner lui-même, surtout lorsqu'on y trouve de ces petits hot-dogs. »

« Comme il n'y avait rien de génial au buffet, j'ai pris du fromage, quelques olives, du céleri et un peu de bifteck au poivre. Il y avait une sauce, mais contenait-elle du sucre ou de l'amidon ? Je me suis renseignée auprès du traiteur qui m'a assurée qu'elle n'était composée que de sauce de soja et de quelques épices. J'en ai donc agrémenté mon bifteck. »

« Ce qu'il y a de plus fabuleux, c'est que pendant tout ce temps, je me suis sentie belle et terriblement bien. Quand arriva l'heure du dîner, je savais qu'il m'était permis de manger tout ce dont j'avais envie, en n'oubliant pas, bien sûr, de garder un œil sur ma montre afin de ne pas dépasser la période d'une heure prévue pour les repas-récompenses. Cette fois, afin de m'assurer de pouvoir profiter du dessert avant que l'heure du repas ne se soit écoulée, j'ai pris soin d'attendre un peu avant d'entamer le pain et la salade. En outre, j'ai bu une boisson alcoolisée pendant le dîner et un club soda au buffet. Le repas comme tel n'avait rien d'extraordinaire, mais il était tout de même convenable. À la fin, tandis que j'attendais qu'on coupe le gâteau, j'ai pris un ou deux biscuits et du café. On avait placé des biscuits sur toutes les tables, mais je préférais attendre le plateau de viennoises. On n'a cependant pas servi de viennoises. Je me suis donc contentée d'une part du gâteau de mariage. Puis j'ai regardé ma montre : il était déjà presque vingt-deux heures. »

Fran nous a ensuite remis son tableau des pesées. Il s'avéra qu'elle avait perdu presque un kilo au cours de la semaine précédente. « J'aimerais bien que vous me disiez combien de personnes à ce mariage ont perdu près d'un kilo cette semaine-là », lança-t-elle, visiblement heureuse.

« C'est curieux, la nourriture fait à présent beaucoup moins partie de mes préoccupations. En revanche, ce qui retient maintenant mon attention, c'est la planification », ajouta-t-elle. Puis elle conclut en disant : « Mais, vous savez, ces gens-là sont des amis de mon mari. C'est pourquoi je suis bien plus contente d'être arrivée à respecter mon régime que je ne l'ai été du mariage en général. »

TROISIÈME PARTIE

VERS UNE MEILLEURE QUALITÉ DE VIE

9

LES STRATÉGIES POUR RÉUSSIR

Parfois, il faut se battre pour réussir. Toute personne ayant déjà suivi un régime à long terme sait que des tentations inattendues risquent de faire échec au plus solide des programmes de perte pondérale ou de maintien pondéral.

Comme la plupart des gens, vous avez probablement remarqué que les obstacles à votre programme apparaissent de manière imprévisible, soudainement. L'ennemi se montre souvent au moment même où vous croyiez avoir acquis une maîtrise appréciable de votre régime. De plus, la nature des ennemis virtuels varie à l'infini : des individus, des lieux, des situations, des stress de toutes sortes, et même vos propres pensées sont des générateurs potentiels de tentations.

Un rien suffira à provoquer un arrêt soudain et définitif de votre perte de poids – à moins que vous ne réagissiez. C'est pourquoi, si vous avez vraiment l'intention de gagner la bataille contre les kilos en trop, vous devrez combattre un à un les adversaires qui surgiront.

Heureusement, avec le Régime minceur, vous êtes très bien armé pour livrer votre combat alimentaire. Alors que bien des programmes amaigrissants se contentent de vous dire « Ne trichez pas ! » ou encore « Vous *devez* rester fidèle au programme ! », nous vous offrons une aide concrète afin de traverser avec succès les épreuves qui se présenteront inévitablement à vous.

Faire le choix du Régime minceur constitue le premier pas de votre stratégie de réussite ; puisque vous êtes en train de lire cette page, vous avez déjà franchi cette étape. S'il est suivi adéquatement, le régime agira sur votre dépendance aux glucides et vous conduira à la victoire sur votre plus grand ennemi : le désordre physiologique à l'origine de vos fringales de glucides.

La seconde stratégie à votre disposition est votre repas-récompense. Ce dernier est en fait une promesse que vous vous faites à vous-même et dont vous pouvez chaque jour tirer profit. Cette promesse est la suivante : « Si j'arrive à patienter jusqu'à mon repas-récompense, je pourrai manger tout ce dont j'ai envie. Je n'aurai pas à attendre deux semaines, un mois ou jusqu'à l'atteinte de mon objectif pondéral avant d'avoir droit à la nourriture qui me plaît. »

Grâce au repas-récompense, il vous est possible de manger ce que vous désirez tous les jours, pourvu que vous respectiez les limites inhérentes à l'équilibre nutritionnel défini plus tôt. Les quantités, quant à elles, dépendent de ce que vous et votre médecin aurez décidé, comme nous l'avons déjà précisé. Ainsi, les aliments riches en glucides que vous adorez et appréciez tant font partie de votre alimentation de tous les jours. De plus, vous savez que si, pour une raison ou pour une autre, vous n'avez pas la chance de manger un mets en particulier aujourd'hui, vous aurez l'occasion d'en profiter demain. Dans ce contexte, prévoir vos repas représente plus un plaisir qu'une corvée.

Avec un tel contrôle sur votre dépendance et un plaisir de manger renouvelé chaque jour, il vous sera plus facile de mener votre bataille. À ce stade, d'autres stratégies-clés entreront aussi en jeu, à l'aide desquelles vous affronterez plus facilement les différents défis.

Tout d'abord, rappelez-vous que selon les principes directeurs du Régime minceur, il y aura chaque jour vingt-trois heures durant lesquelles vous ne devrez pas consommer d'aliments riches en glucides. Hormis à l'heure des repas, il ne faudra pas non plus grignoter d'aliments quels qu'ils soient, qu'ils contiennent ou non des glucides. Il se peut que de vieux ennemis surgissent de temps en temps, vous invitant à manger un peu de ceci ou de cela ; à consommer socialement, avec ceux qui vous entourent, et absorber ainsi des aliments qui vous sont interdits ; à prendre en secret une portion de quelque mets (« C'est juste pour m'aider à patienter », vous dira sans doute votre petite voix intérieure) ; ou encore, à prolonger votre repas-récompense au-delà de la limite des soixante minutes.

N'en faites rien. Et n'allez pas croire que vous pouvez délaisser le régime pour le reprendre ensuite. Vous auriez tort de penser que ce régime est un programme alimentaire temporaire. D'ailleurs, c'est précisément à cause de cette croyance que si peu de régimes arrivent à vous faire perdre du poids durablement. Ces régimes ne sont viables que pour une brève période de temps. Au contraire, il est essentiel de voir le Régime minceur comme un changement permanent de vos habitudes alimentaires.

Ce chapitre a pour but de vous fournir l'aide dont vous aurez besoin pour résister aux ennemis qui viendront sûrement vous inciter à manger. Il s'agit de stratégies simples qui se sont avérées efficaces chez un grand nombre de nos adeptes. Cela ne signifie pas pour autant que toutes ces stratégies s'appliqueront à votre cas : faites usage de celles qui sont appropriées à vos habitudes alimentaires et à votre style de vie, et laissez tomber celles qui ne fonctionnent pas ou qui ne s'appliquent pas à vous.

D'autre part, n'hésitez pas à modifier ces stratégies, à les adapter à vos besoins, à vos défis et à votre style de vie. Mais souvenez-vous qu'il est absolument nécessaire de toujours respecter les trois règles de base du régime, sans faute.

Il s'agit de *votre* lutte. Non seulement vous faut-il poursuivre sans relâche votre objectif de perte pondérale ou de maintien pondéral, mais vous devez également être prêt à vous battre pour l'atteindre. Nous vous proposerons des formules alimentaires qui vous aideront, comme elles ont aidé bien des gens avant vous, à cheminer en ce sens. Il faut néanmoins que vous ayez la volonté de les mettre en pratique pour vous aider à gagner la bataille de la perte de poids et maintenir votre amincissement.

MÉFIEZ-VOUS DE L'ENNEMI

Votre partenaire, vos amis, vos enfants, la réceptionniste du bureau ou l'infirmière au cabinet de votre médecin, plusieurs de ces personnes et d'autres encore vous donnent possiblement l'impression d'être de votre côté. Pourtant, il se peut que certaines d'entre elles soient des « ennemis » déguisés de votre régime. Ces personnes ont peut-être même la conviction de vous soutenir dans votre lutte pour maigrir. Or, leurs meilleures intentions produisent parfois des désastres.

L'idée d'identifier en tant qu'ennemis des parents et amis bien intentionnés vous semble peut-être dure. Toutefois, nous avons observé qu'une part importante des difficultés que traversent nos clients est imputable à leur attitude trop compréhensive ou conciliante. C'est ainsi qu'ils laissent tomber ce qui est important pour eux par égard pour les autres.

En fait, nous avons découvert que bon nombre de gens qui suivent des régimes sont trop altruistes. Ils font souvent passer leurs besoins après ceux des autres, en espérant que, d'une façon ou d'une autre, ils recevront une compensation. Par exemple, certains avaleront une portion du gâteau de tante Ida en disant : « Je ne pouvais lui refuser, elle l'avait fait expressément pour moi ! » N'empêche, le prix à payer pour un geste comme celui-là pourrait bien être un autre échec de leur régime alimentaire. Nos dossiers regorgent d'ailleurs de ces histoires d'adeptes qui, par le passé, se sont laissés tomber dans le panneau.

Plusieurs veulent accommoder les gens autour d'eux, être généreux, gentils et altruistes. Leur désir de faire plaisir aux autres finit par avoir préséance sur leurs propres besoins. La priorité est accordée à l'autre ou à sa demande plutôt qu'à la personne au régime ou à ses besoins. Et trop souvent, ces personnes se sentent de plus en plus malheureuses – et prennent de plus en plus de poids.

On peut tirer une leçon assez simple de cet exemple : tout individu qui vous incite à mettre de côté les principes ou les exigences du régime, même temporairement, doit être considéré comme un ennemi. Peut-être pas un ennemi personnel, mais celui de votre succès.

Évidemment, cela ne doit pas vous empêcher d'apprécier ou d'aimer ces personnes, qui vous veulent par ailleurs sûrement beaucoup de bien. Il ne faut pas non plus cesser pour autant de les fréquenter, d'être gentil avec elles ou de vous soucier de leurs sentiments.

Vous devez simplement vous rappeler qu'il ne faut pas laisser leurs sentiments, leurs volontés, ni leurs exigences s'interposer entre vous et l'atteinte de votre objectif pondéral.

Lorsque vos collègues vous proposent de partager leurs goûters, voyez-les comme des loups dans des costumes de moutons. Et que penser de la boîte de beignets que vous offre un matin votre patron pour vous remercier de votre bon travail de la veille ? Il s'agit en fait de la boîte de Pandore, qui attend le moment de libérer d'innombrables démons alimentaires.

Il est toujours possible d'envelopper une part de gâteau d'anniversaire – même lorsqu'on vous l'a expressément offert – dans une serviette de papier et de l'emporter à la maison. Rien ne vous empêche d'offrir vos remerciements et de mentionner que vous dégusterez cette portion de gâteau lors de votre repas-récompense. Au besoin, mettez la faute sur votre régime ou expliquez que vous avez un trouble du comportement alimentaire. Les gens comprennent ce genre de choses. Vous pourrez savourer le gâteau plus tard, lors de votre repas-récompense et, le jour suivant, dire à la personne qui l'a préparé combien il était délicieux.

De cette façon, personne n'est froissé. Vous n'aurez pas laissé vos amis et votre famille vous trahir, pas plus que vous ne vous serez trahi vous-même.

Enfin, il importe d'être fort. Après tout, c'est vous qui êtes aux commandes.

Connaissez vos ennemis !

Ayez à l'œil les amis, les collègues et les membres de votre famille qui correspondent à l'un de ces profils :

LES (PRÉTENDUS) SUPPORTERS

- Les prétendus supporters vous diront qu'ils désirent vous aider, qu'ils vous appuient dans vos démarches de perte de poids. Mais ils changeront soudainement d'attitude et vous offriront de la nourriture en cadeau.

- Ils vous taquineront au sujet de votre poids et prétendront le faire par affection pour vous.

- Ils déclareront que la poursuite d'un régime n'est qu'une question de volonté – et ils vous inciteront ensuite à manger.

LES SCEPTIQUES

- Les sceptiques affirmeront que votre poids est inscrit « dans vos gènes » et qu'il n'y a rien que vous puissiez y faire.

>>>

- Ils vous diront que votre régime ne fonctionnera jamais ou que vous maigrissez trop lentement – ou trop rapidement.

- Ensuite, ils prétendront que vous aviez plus belle apparence avant votre perte de poids.

LES FAUX JETONS

- Ils vous écouteront en hochant la tête pendant que vous leur parlez de votre régime et tenteront ensuite de vous culpabiliser à propos de tout ce que vous mangez.

- Ils insinueront que vous perdriez du poids si seulement vous le vouliez vraiment.

- Ils mangeront sous vos yeux ou laisseront la nourriture là où vous serez forcé de la voir.

LES GRANDS NÉGATIFS

- Les grands négatifs ne retiennent pas leurs coups : ils tenteront sans détour de vous convaincre de laisser tomber votre régime.

- Les grands négatifs n'essayeront en aucune façon de vous aider – leur manque d'intérêt ou de soutien peut engendrer des sentiments de colère, de douleur ou, pour bien des gens, un manque de confiance quant au choix de leur régime.

- Ils refuseront de croire que vous souffrez d'une dépendance.

Avez-vous reconnu le profil de quelque « ennemi » dans votre entourage ?

NE LAISSEZ PAS LES SCEPTIQUES VOUS ÉLOIGNER DE VOTRE BUT

Certaines personnes vous offrent immédiatement leur soutien. Par exemple, des membres de votre famille vous aideront peut-être à faire les courses afin de vous procurer les aliments nécessaires à la poursuite du régime ou d'autres, amis et collègues, se montreront compréhensifs dès le début et voudront en savoir plus sur la dépendance aux glucides.

Habituellement, par contre, les gens tenteront, consciemment ou non, de saboter vos efforts de contrôle de votre dépendance. Cette attitude peut être attribuée à l'ignorance. Mais peut-être aussi l'autre personne se sent-elle menacée ou en compétition avec vous ; les causes de ces comportements sont nombreuses.

Certains de nos clients ont très bien fait face aux remarques blessantes et au défi que représente l'incrédulité des autres. D'autres ont trouvé ennuyeux ou difficile d'avoir à subir ces ingérences et ont laissé ces épreuves miner leurs chances de réussite.

Afin de vous aider à comprendre que votre histoire n'est pas unique et qu'il est possible de répondre aux objections auxquelles vous faites face, nous avons regroupé les défis qui ont été signalés le plus souvent. Rappelez-vous que la plupart des gens qui tiennent à vous changeront progressivement : ils abandonneront leur attitude négative et deviendront plus encourageants dès lors que vous conserverez votre engagement envers votre programme.

DÉFI # 1 : «JE CONNAIS CES HISTOIRES PAR CŒUR. TU AS DÉJÀ TOUT ESSAYÉ, ALORS QU'EST-CE QUI TE FAIT CROIRE QUE CE RÉGIME FONCTIONNERA ?»

Il est vrai que la plupart d'entre nous avons déjà essayé d'autres façons de maigrir. Mais à présent nous comprenons comment fonctionne la dépendance aux glucides et nous savons que nous sommes différents des autres.

De plus, nous nous rendons compte que pour les amis et la famille, notre enthousiasme de départ ressemble beaucoup à ce qu'ils ont vu par le passé. Certains ont trouvé préférable de ne pas défendre ni expliquer leur point de vue, alors que d'autres ont su s'adjoindre le soutien des parents et amis en leur fournissant des explications. Le choix vous appartient, mais si une première tentative d'explication tombe dans l'oreille d'un sourd, peut-être sera-t-il alors préférable de cesser d'expliquer et de concentrer vos énergies sur la poursuite de votre régime.

DÉFI # 2 :
« SI TU MANGES AUTANT, TU PRENDRAS DU POIDS ! » OU « À MANGER AUTANT, TU NE PERDRAS JAMAIS DE POIDS ! »

Étant donné le fonctionnement de la plupart des régimes, cette réaction n'est guère surprenante. Cependant, ces commentaires font référence aux anciennes règles relatives à la perte pondérale, des règles qui n'ont réussi ni à vous, ni à d'autres adeptes.

Soyez patient avec les sceptiques, ils sont peut-être persuadés que leurs observations vous seront utiles. Expliquez-leur, s'il le faut, que vous êtes aux prises avec un trouble du comportement alimentaire. Mais ne manquez pas de leur dire que vous désirez donner une chance au régime.

DÉFI # 3 :
« TON AMINCISSEMENT N'EST DÛ QU'À LA DÉSHYDRATATION, CELA NE VA PAS CONTINUER. »

Voilà une réaction typique face à une perte de poids précoce. Les gens sont stupéfaits que vous ayez perdu du poids alors que vous prenez chaque jour un repas-récompense si copieux. Et comme ils n'aiment pas qu'on les surprenne avec des choses qu'ils n'arrivent pas à comprendre, bien souvent, ils essayeront d'adapter la réalité à leurs références plutôt que de tenter d'en intégrer de nouvelles.

Laissez-leur du temps. Ne laissez pas leur incrédulité vous affecter. Quand vous aurez perdu du poids depuis quelques semaines, ils seront forcés d'admettre que votre perte de poids n'est pas due à une simple élimination d'eau.

DÉFI # 4 :
« CE RÉGIME N'A AUCUN SENS, IL NE PEUT ÊTRE BON POUR TOI. »

Vous êtes mieux renseigné : vous comprenez les mécanismes du régime et vous savez qu'il est possible d'adapter presque n'importe quelles recommandations diététiques ou relatives à la santé aux paramètres du programme. Vous êtes donc à même de dire aux sceptiques que votre menu de chaque jour comprend des proportions équilibrées d'aliments provenant des quatre groupes alimentaires. Et gardez à l'esprit que le fait de perdre du poids puis de maintenir votre amincissement est l'une des meilleures choses que vous puissiez faire pour votre santé.

Si votre taux de cholestérol vous préoccupe, consultez votre médecin. Il vous sera toujours possible de suivre le Régime minceur tout en réduisant votre consommation de graisse saturée selon les recommandations de l'*American Heart Association* (Association américaine des maladie du cœur, voir page 213).

DÉFI # 5 : « TU PEUX TE PERMETTRE D'EN PRENDRE UN PEU. APRÈS TOUT, TU PROGRESSES SI BIEN ! CE PETIT RIEN DE NOURRITURE NE TE FERA PAS DE MAL. »

Prenez garde à ce genre d'attitudes, car malgré leurs visées amicales, elles sont parfois lourdes de conséquences sur votre régime.

La personne qui vous passe une telle remarque ne saisit sans doute pas que vous êtes aux prises avec un problème de dépendance. Mais vous ne devez pas oublier que même en petites quantités, les glucides, lorsqu'ils sont consommés hors de l'heure réservée à cette fin, ont toutes les chances d'entraîner une réaction de dépendance.

Éduquez votre famille et vos amis si vous le jugez nécessaire, ou donnez-vous la possibilité de dire simplement : « Non, merci. Je n'ai vraiment pas envie d'en manger en ce moment. »

Au restaurant : quelques conseils

Il peut être très plaisant de prendre son repas-récompense dans un restaurant – en n'oubliant pas que votre repas ne doit pas excéder soixante minutes. Si, en revanche, cette sortie peut sembler plus difficile à réaliser lors des repas complémentaires, il est parfois agréable de s'offrir un délicieux changement.

Manger dans la plupart des restaurants est tout ce qu'il y a de plus facile pour les adeptes du Régime minceur, à condition de bien connaître ses choix et de ne pas en déroger.

Voici quelques exemples de mets qu'il vous est possible de commander au restaurant lors d'un repas complémentaire :

- Au petit-déjeuner, les saucisses, les œufs et le bacon sont permis (mais n'oubliez pas que les patates et les tartines grillées ne sont pas permises).

>>>

- Au déjeuner, que diriez-vous d'une salade ? Une salade du chef, une salade d'épinards, une salade césar ou grecque, agrémentée d'une vinaigrette. Les salades de thon ou de poulet sont aussi permises, mais assurez-vous qu'aucune garniture contenant du sucre ou du pain n'a été ajoutée, comme c'est souvent le cas. La même précaution s'applique à la salade de choux ou de concombres car on ajoute souvent du sucre dans la préparation.

- Il vous est aussi possible de savourer un hamburger au fromage (n'oubliez pas d'enlever le pain), un peu de poisson, de poulet ou de rosbif. Ajoutez à cela une grande salade, un cornichon, quelques haricots verts ou encore, une gélatine réduite en sucre (si disponible).

- Prenez du café ou du thé avec un peu de crème, une fois par jour ; un soda allégé ou un club soda.

Profitez du moment : savourez votre repas, détendez-vous et appréciez le fait que d'autres se chargent de la cuisine.

À l'occasion du repas-récompense, dégustez un repas bien équilibré composé des aliments de votre choix et couronnez le tout de votre dessert préféré.

PRENEZ GARDE AUX AUTRES PIÈGES

Le voilà ce sac de croustilles que votre fils a laissé, ouvert, à côté du sofa. Vous lui avez pourtant demandé trois fois déjà de le ranger après s'être servi.

Il n'y a pas que des individus qui risquent de compromettre votre réussite, il y a aussi des lieux, des situations, des stress et même des pensées. En réalité, pour l'accro aux glucides, la menace est partout. Que vous soyez à la maison, au travail, au centre commercial ou à la station service, près de la distributrice de bonbons, les sources de danger ne sont jamais bien loin.

Votre expérience constitue votre meilleur guide quand il s'agit de reconnaître les éléments qui posent les plus grands risques pour vous. En effet, il est probable que vous connaissiez plusieurs des déclencheurs qui vous ont poussé à tricher par le passé. Peut-être est-ce la pizza ou un autre de vos mets favoris. La seule mention d'une certaine marque de biscuits ou de crème glacée, par exemple, peut suffire à vous mettre l'eau à la bouche.

Les éléments suivants font partie des défis qui nous sont le plus souvent mentionnés :

Les endroits : les établissements où l'on retrouve des sucreries, de la crème glacée, des en-cas ou de la pizza figurent en tête de liste. Ces aliments, riches en glucides, sont des tentations familières pour l'accro aux glucides. Si les magasins d'alimentation arrivent en général à vous attirer, les boutiques spécialisées, elles, mènent à la ruine bien des participants au régime.

La mentalité du type « juste un biscuit… » est fatale : prenez garde à la boulangerie, à l'étal de biscuits ou au café. Le marchand de fruits et légumes, quant à lui, vous expose à un autre danger, celui des fruits riches en sucre simple, le fructose. D'autre part, les voiturettes de bretzels et de crème glacée, parfois présentes dans les rues de certaines villes, sont des tentations traditionnelles pour l'accro aux glucides.

Les situations : votre patron vous remet une lettre qui doit être tapée à l'ordinateur, cinq minutes seulement avant l'heure du déjeuner. Cette tâche, imposée de la sorte, vous rend grognon et irritable. Mais cela pourrait aussi vous servir d'excuse pour enfreindre les règles et manger des aliments qui vous sont interdits.

Si vous faites les courses ou que vous cuisinez pour votre famille, la tentation de tricher peut devenir insupportable. Le cas échéant, les stratégies spéciales et les façons de prévoir décrites dans les pages qui suivent pourront vous être utiles.

Les vacances sont une récompense pour tous. Or, malheureusement, ce temps d'arrêt loin du travail ou de la maison est aussi porteur de toute une gamme de tentations. D'innombrables participants se sont vus abandonner leurs bonnes habitudes quand ils ont eu la chance de goûter à de nouveaux mets ou de renouer avec des plats favoris. Les excuses suivantes vous semblent-elles familières ? : « Cela n'arrive qu'une fois par année… » ou « Lors des vacances, c'est différent… »

Les fêtes et les célébrations de toutes sortes comportent également des risques pour votre régime. Toutefois, ironiquement, les plus grandes tentations pour l'accro aux glucides ne se rencontrent pas toujours lors des festins traditionnels : le dîner de l'Action de grâce, par exemple, s'il constitue le repas-récompense de la journée ne présente alors aucun danger particulier pour la discipline du régime. Ce sont plutôt les longues fêtes de toutes sortes – telle la célébration d'un congé spécial, au bureau – où l'on sert à manger et à boire, qui peuvent piéger même les plus disciplinés.

Le stress : une simple fatigue a le pouvoir de déclencher une fringale de grignotines. Les préoccupations ont aussi pour effet de pousser plusieurs personnes à se nourrir, presque inconsciemment, d'aliments qu'elles prennent habituellement soin d'éviter. Le stress, sous forme de pression, de frustration, de surcharge de travail ou de colère réprimée a souvent le même effet.

La solitude, l'ennui, la peur de l'échec, le sentiment d'être coincé qu'occasionnent certains événements, tout comme la douleur et la maladie sont tous des stress courants susceptibles de briser une routine de régime pourtant bien établie par ailleurs

Les pensées : notre capacité de penser nous distingue du simple règne animal. Cependant, il nous arrive quand même de perdre la tête. Et c'est à ce moment que nous nous persuadons nous-même de faire différentes choses.

Pour celui qui suit un régime, cela se traduit parfois par de petites voix qui lui suggèrent par exemple :

« J'ai été si bon, je *mérite* cet aliment » ;

« Eh bien, j'ai déjà perdu onze kilos, il n'y a pas de mal à m'offrir une petite gâterie » ;

« Je n'ai perdu que 4 kilos malgré toute cette discipline, alors qu'est-ce qu'une petite dérogation ? Qu'est-ce que ça peut changer ? » ;

« Ce sont mes vacances après tout ! » ;

« J'ai été si fort de ne pas manger de ceci, je peux bien me permettre un peu de cela... » ;

« Mais d'autres régimes l'autorisent... » ;

« Les autres y ont bien droit... ».

Ce ne sont là que quelques exemples des nombreuses excuses que chacun est capable de s'inventer.

Lorsqu'une petite voix vous dit : « Cette petite bouchée ne te fera pas de mal ! », c'est votre dépendance qui parle.

En toutes circonstances, cette idée est dangereuse. Elle est fondée sur une vieille idée reçue de la diététique selon laquelle seulement le compte des calories ingérées dans la journée importe. De plus, cette idée néglige de considérer l'éventualité que votre dépendance aux glucides ne soit déclenchée que par une petite quantité de la substance qui l'engendre.

S'il vous arrivait d'être tenté par ces petites voix, affrontez-les. Et si elles persistaient, il se pourrait que vous consommiez des glucides plus d'une fois par jour, peut-être même sans le savoir. Dans ce cas, il vous faudra revoir votre sélection de la nourriture afin d'en être certain.

Les gens, les endroits, les situations, le stress et les pensées : toutes ces formes de tentations peuvent vous trahir, affaiblir votre volonté et saboter votre régime. Dans la poursuite de vos objectifs, aucun de ces facteurs ne doit être pris à la légère. C'est pourquoi nous vous aiderons à les prévenir et à être prêt à les affronter.

Profiter de ses vacances :

L'HISTOIRE DE MARK

Mark avait remporté un succès remarquable avec le Régime minceur : quand il était venu nous voir, il avait le cafard, de l'embonpoint et il était divorcé depuis peu. Nous l'avions cependant aidé à perdre 18 kilos, et il avait peu à peu repris confiance en lui et réussi à faire le ménage dans sa vie – sans pour autant cesser de se donner au travail.

Plus d'un an après, il revint nous rencontrer. « J'aimerais faire des plans pour les vacances », nous dit-il. « Si je ne prends pas mes jours de vacances d'ici la fin de l'année, je vais devenir fou. Je ne crains plus comme autrefois de reprendre le poids que j'ai perdu, mais je ne suis pas certain de la façon dont je devrais gérer mon alimentation pendant mes vacances. »

C'est alors qu'il nous fit une déclaration importante : « Je dois dire qu'il y a une partie de moi-même qui aimerait beaucoup laisser tomber le régime durant mes vacances. »

Nous lui avons recommandé de ne pas céder à cette envie : le régime lui réussissait bien. Mark nous avait également confié que le fait de suivre ce régime ne l'incommodait en rien : « Je n'ai aucun problème avec le régime. Je ne m'en fais pas à ce sujet et, vous le savez, j'adore mes repas-récompenses. » Nous avons conseillé Mark quant aux façons d'intégrer

>>>

le Régime minceur à ses projets de vacances. Cela se passerait sans difficulté. « Vous n'avez qu'à avertir le restaurant, l'hôtel ou la ligne aérienne que vous souffrez d'un désordre physiologique et que vous devez prévoir vos repas », lui avons-nous suggéré.

Nous ne lui avons rien dit de plus. Mais, lorsqu'il est revenu une semaine plus tard, il avait en main un billet aller-retour et son itinéraire de voyage. Et surtout, il était persuadé que son voyage et son régime se dérouleraient tous deux à merveille.

« Le régime ne pose pas vraiment de problème. J'ai contacté l'hôtel et on m'a informé qu'on y servait un petit déjeuner-buffet, j'en ferai donc mon repas complémentaire du matin. Au cours de la semaine, j'aurai la possibilité de manger des œufs au bacon et même un plateau de fromages et de légumes frais. Et puis, le déjeuner complémentaire n'est jamais très difficile à trouver. »

« En revanche, pour mes dîners-récompenses, je prévois m'attaquer à un nouveau restaurant chaque jour. Alors j'attends ce moment avec impatience. »

Même le voyage en avion se déroula sans embûche. Lorsque Mark indiqua à la ligne aérienne qu'il avait des besoins diététiques particuliers, on lui servit un grand cocktail de crevettes sans frais additionnels. « Voilà un déjeuner complémentaire parfait ! », s'est-il réjoui.

À l'évidence, le voyage de Mark fut une réussite complète. Il fit le plein d'énergie et s'amusa à souhait. En outre, il se fit une compagne avec qui il passa des moments fort agréables – et il perdit un kilo au cours de son voyage.

« Que dites-vous de cela ? J'ai maigri pendant mes vacances ! »

« Soixante minutes » :

L'HISTOIRE DE MÉLANIE

Mélanie aurait été belle à n'importe quel poids. Son maquillage et sa garde-robe étaient soignés, de son visage se dégageaient douceur et ouverture. Malheureusement, avec un surplus pondéral de 20 ou 25 kilos, elle ne se sentait pas belle.

Elle était préoccupée par son poids et par son alimentation. Elle se soumit à notre Test de dépendance aux glucides et son score la plaça dans la catégorie des dépendances fortes. Peu bavarde quant à ses échecs diététiques passés – ils avaient été, semblait-il, nombreux – elle nous confia néanmoins qu'il lui avait été plus facile de jeûner complètement que de consommer ces petits repas diététiques insatisfaisants auxquels on lui disait pourtant de toute part qu'il fallait s'habituer.

Mélanie a suivi le Régime minceur comme s'il avait été conçu expressément pour elle. Durant les trois mois qui suivirent, elle perdit constamment du poids et dit se sentir en pleine forme. À un certain moment, son rythme d'amaigrissement ayant atteint 1,5 kg par semaine, nous lui avons recommandé de suivre la formule A et d'augmenter ses portions lors des repas complémentaires.

Toutefois, sa baisse de poids cessa subitement peu après la douzième semaine. Même après être passée de la formule alimentaire B à la formule C, puis à la formule D, son poids ne bougea plus. Enfin, au bout de la quinzième semaine, la balance enregistra une douteuse baisse de poids de 250 grammes.

Nous avons alors demandé à Mélanie si elle avait apporté des changements à son régime. Mais elle jura que ni les quantités ni la nature de ses repas n'avaient changé depuis le début du régime. Elle avait peut-être atteint un plateau, avons-nous alors cru, un phénomène qui se produit fréquemment avec d'autres programmes, mais qui est plus rarement constaté avec le Régime minceur.

Au terme de dix-neuf semaines, le poids de Mélanie étant toujours demeuré inchangé, nous lui avons demandé de tenir un registre quotidien des aliments qu'elle consommait. Dans le but d'obtenir une image précise de ses habitudes alimentaires, elle devait noter tout ce qu'elle mangeait, à quel endroit, en quelle compagnie, l'heure de début et de fin de ses repas, de même que tout malaise physique ou émotionnel.

Son registre nous fournit la clef de son problème. Mélanie avait pris l'habitude de prolonger son repas-récompense. Parfois elle allouait deux fois plus de temps à ce repas que la limite de soixante minutes ne le permettait. Alors même qu'elle ne semblait pas consommer de grandes quantités de nourriture lors du repas, le fait qu'elle tarde à prendre le dessert ou qu'elle prolonge son dîner d'une façon ou d'une autre faisait augmenter sensiblement sa production d'insuline. Cette habitude était la cause vraisemblable de l'interruption de sa perte de poids, pire encore, elle faisait aussi en sorte que ses fringales recommençaient.

>>>

Suite à ces observations, elle suivit à nouveau la règle des soixante minutes du repas-récompense et elle perdit un kilo la semaine suivante.

Mélanie continua de perdre du poids et elle apprit à faire des ajustements dans sa façon de vivre et son poids afin de respecter la limite de soixante minutes. Elle nous mentionna à l'avance qu'elle était préoccupée au sujet du dîner de Noël car elle savait que la tentation serait grande de dépasser la limite de temps. Mais elle s'en tira en mettant de côté quelques canapés et hors-d'œuvre. Elle tenta de s'occuper le plus possible durant la soirée et pendant qu'on servait la soupe, elle découpa la dinde. Ensuite, elle rejoignit ses amis pour un repas d'une heure sans aucune culpabilité. Elle perdit un kilo cette semaine-là, tout comme la semaine précédente et la suivante.

À certains moments, Mélanie trouvait qu'elle perdait du poids plus lentement, mais elle ne cessait de se rapprocher de son objectif. Elle continua d'observer strictement la règle d'une heure et, au bout d'un an, elle atteint son objectif de perte pondérale de vingt-cinq kilos. Mélanie se le rappelait d'une très jolie manière lorsqu'elle disait : « vingt-cinq kilos et soixante minutes, deux nombres importants à retenir ».

Faire une liste... et la vérifier à deux reprises

Suivre un régime n'est pas comme participer à un match de boxe pendant lequel un knock-out peut vous conférer la victoire finale. Au contraire, votre combat consiste à affronter l'un après l'autre plusieurs adversaires. En outre, aucun arbitre n'est là pour s'assurer que le combat est juste.

En vue de vous préparer pour le combat, faites la liste des problèmes qui sont, selon vous, susceptibles de survenir et assurez-vous de n'oublier aucun des aspects suivants :

LES GENS

- Faites une liste de vos ennemis. Qui sont-ils et que font-ils pour contrecarrer vos tentatives de perte de poids ?

LES ENDROITS

- Y a-t-il des endroits en particulier qui, dans vos routines quotidiennes, hebdomadaires ou mensuelles, vous ont amené à tricher par le passé ?

LES SITUATIONS

- Qu'en est-il des circonstances ? Sentez-vous que la tentation est plus grande à l'heure de l'apéritif, le vendredi ? Ou est-ce plutôt lors de vos sorties entre amis ? Les rencontres familiales vous occasionnent-elles des difficultés particulières ?

LE STRESS

- Vous est-il possible de prédire les tensions susceptibles de déclencher vos fringales ? Les petits désaccords ou les frustrations au travail ? L'inévitable rébellion de votre adolescent ? La pression qu'entraîne un horaire chargé ?

LES PENSÉES

- Lors de vos régimes passés, certaines craintes sont immanquablement revenues ? Comment en êtes-vous arrivé à vous convaincre qu'il n'y avait pas de mal à tricher un peu ou que cela pouvait même vous être bénéfique ?

Dans les prochaines pages, nous verrons comment élaborer les stratégies individuelles qui vous aideront à faire face à ces événements quotidiens qui menacent votre régime. Ces attaques viendront, soyez-en certain.

Mais il vous sera bien plus facile d'affronter ces épreuves et de les surmonter dans la mesure où vous y êtes préparé.

SOYEZ STRATÉGIQUE

Mettre à profit ses faux pas, erreurs et échecs passés, voilà ce qui caractérise les stratégies alimentaires gagnantes.

Peut-être avez-vous jusqu'ici considéré chacune de vos difficultés comme une défaite ; tous vos efforts anéantis. Cependant, vous pouvez maintenant tirer avantage de la richesse de l'expérience que vous avez accumulée en suivant des régimes. Les ennemis qui vous ont débouté hier peuvent aujourd'hui vous aider à atteindre de meilleurs résultats. Pour la plupart d'entre nous, le tout est d'apprendre à nous connaître davantage (non pas de nous blâmer) et de connaître nos réactions à certaines circonstances.

Sans doute vous êtes-vous trouvé, à l'instar d'autres adeptes du régime, dans des situations où quelqu'un de votre entourage avait mangé ce que vous aviez prévu pour votre repas. Peut-être était-ce la nourriture que vous aviez prévue pour le déjeuner et vous vous êtes alors retrouvé sans repas convenable. Vous découvrez que tout s'est envolé et cela vous met en colère.

« Qui donc a pris mon repas ? », demandez-vous, devant le réfrigérateur vide. Et c'est là qu'une petite voix dans votre for intérieur vous dit : « Ne te fâche pas, venge-toi ! ». Ou encore, vous haussez les épaules en vous disant que c'en est trop, puis vous déjeunez en avalant tout ce que vous voulez (ou ce qui reste), laissant tomber du même coup votre régime. Enfin, il se pourrait aussi que vous décidiez de manger peu ou pas du tout, et que vous vous sentiez affamé, frustré et trahi.

Évidemment, rien de bon ne résulte de cette situation. D'abord, vous n'avez rien appris à la personne qui a pris votre repas et, vous le savez trop bien, elle recommencera probablement. Ensuite, vous avez tourné vers vous-même la colère que vous aviez envers quelqu'un d'autre, ce qui rend le retour au régime encore plus difficile. Pire encore, vous vous percevez comme une victime.

Il s'agit là d'une réaction autodestructrice commune qui se produit quand les gens se sentent frustrés ou impuissants, ou quand ils ont l'impression de ne pas compter pour les autres. C'est l'une des mille raisons pour lesquelles il est indispensable d'avoir des stratégies pour réussir.

Perdre le contrôle

« À un certain moment, j'ai commencé à prendre le régime pour acquis », nous raconta Angela.

« Je n'arrive pas à m'expliquer pourquoi. Lorsque je suis arrivée au Centre de lutte contre la dépendance aux glucides, j'avais complètement perdu le contrôle de mon alimentation. Puis, après quelques semaines de régime, je me suis sentie invincible et c'est alors que j'ai commencé à déroger aux principes directeurs du programme. C'était comme si rien ne pouvait m'atteindre. Je n'avais pas faim, je n'étais pas fatiguée et je perdais du poids... Vous voyez ce que je veux dire ? J'avais l'impression de pouvoir faire n'importe quoi. Mais j'ai oublié que c'était le régime et ses principes, que j'avais suivis jusque-là, qui me procuraient ce bien-être. »

« J'ai d'abord commencé par prolonger mon repas-récompense. Au début, je me réservais une petite portion de gâteau ou je reprenais quelques biscuits. Au mariage de mon cousin, j'ai prolongé mon repas de trente minutes. Peu après cela, j'ai carrément arrêté de regarder ma montre. J'ai également cessé de lire les étiquettes lorsque j'achetais des aliments pour mes repas complémentaires. C'est ainsi que, bien évidemment, j'ai cessé de maigrir et que mon appétit est revenu en force. Encore une fois, j'avais faim avant l'heure du déjeuner et j'étais fatiguée en après-midi. Il y avait des semaines que je ne m'étais pas sentie de la sorte. Je perdais le contrôle et j'en était consciente. « Quand une méthode fonctionne, il ne faut rien y changer », je vous ai entendu employer cette expression. Eh bien, je comprends à présent ce que cela signifie. La méthode fonctionnait et je l'ai modifiée », admit-elle.

« C'est alors que j'ai entrepris de reprendre la situation en main. J'ai simplement décidé de ne plus rien changer à ce qui marchait bien. Je ne saurais dire pourquoi, mais je savais que ce régime était bon pour moi et je ne voulais plus subir la faim et la fatigue. J'ai donc repris le régime en suivant ses principes à la lettre. Mes repas-récompenses ne durent jamais plus de soixante minutes. Je n'achète aucune nourriture sans d'abord m'être assurée qu'elle est faible en glucides. Dans le doute, je n'achète pas le produit. De plus, au restaurant, j'accorde désormais une attention particulière à ce que je mange et je me renseigne au sujet des ingrédients que les plats contiennent. »

« Je me sens dans une forme superbe. J'ai déjà recommencé à perdre du poids, comme avant. En outre, l'impression de faim est disparue et je crois avoir plus d'énergie que ma fille. Si vous saviez combien je suis heureuse d'avoir renversé la situation ! J'ai bien failli tout gâcher, mais l'idée de perdre le contrôle à nouveau m'était insupportable. Il n'y a aucun doute, j'ai appris ma leçon, et je souhaite ne jamais refaire cette erreur. »

L'HISTOIRE DE BETH

Beth T. et son mari adoraient aller au cinéma. Ils y allaient d'ailleurs souvent. Or, bien qu'elle adorait ces sorties, Beth découvrit qu'elles étaient toujours éprouvantes pour son régime.

Elle se battait sans relâche pour contrôler son poids, tandis que son mari était l'un de ces veinards qui mangent tout ce qu'ils veulent sans jamais engraisser. Comme par hasard, l'un des endroits favoris de ce dernier pour assouvir son appétit était le cinéma. Et lorsque Beth et lui s'y rendaient, celui-ci ne manquait jamais d'acheter deux boites de friandises.

Selon nous, afin de mener à bien son régime, Beth se devait d'utiliser son expérience, aussi l'avons-nous encouragée en ce sens. Quand nous lui avons demandé quels événements avaient contrecarré ses tentatives antérieures de perte de poids, les sucreries de son mari étaient du nombre. Elle ajouta que même lorsqu'elle arrivait à se retenir de manger des friandises au cinéma, ce à quoi elle était inévitablement exposée au moment où son mari en mangeait – le craquement du papier d'emballage, le son provenant de la mastication, les odeurs et ainsi de suite – la hantaient. Ainsi, presque à coup sûr, un jour ou deux plus tard, le souvenir de ces friandises devenant irrésistible, elle se retrouvait à tricher, une demi-barre de chocolat à la main l'autre dans la bouche.

Beth nous dit que son mari la soutenait dans son régime : « Il ne m'offre maintenant plus de friandises ». Lorsque nous avons parlé de la possibilité de demander à son mari de s'abstenir d'en manger au cinéma, elle dit avoir déjà abordé la question avec lui à plusieurs reprises, mais chaque fois, la réponse avait été la même : c'était son droit de savourer quelques friandises pendant qu'il regardait un film.

Ce fut Beth qui imagina une stratégie. Au lieu de forcer son mari à laisser tomber ses friandises, elle prit les commandes de sa propre vie. Elle offrit à son époux de choisir : « Si tu regardes le film sans manger de friandises, je m'assoirai près de toi pendant toute la séance. Par contre, si tu en manges alors que je suis assise à tes côtés, j'irai m'installer ailleurs dans la salle jusqu'à ce que tu aies terminé. Ne va pas croire qu'il s'agit là d'un ultimatum ou de menaces, mon but est simplement d'éviter de m'exposer à ce qui alimente ma dépendance. »

Alors, à partir de ce moment, Beth changeait de siège quand son mari mangeait ses friandises.

Vous pensez peut-être que son mari manquait d'égards pour elle ou qu'il se montrait peu coopératif, cependant, Beth voyait les choses d'un autre œil. Elle croyait que son attitude n'était pas attribuable à un manque d'amour pour elle, mais plutôt au fait qu'il était persuadé qu'elle pouvait se contrôler si elle le souhaitait vraiment. D'autre part, elle en était venue à la conclusion qu'elle n'avait pas à tenter de modifier son comportement à lui ; après tout, il n'avait pas de problème de poids. Elle se mit alors à se concentrer sur ses propres comportements. Si son mari faisait ses choix, elle aussi était libre de faire les siens. Cette nouvelle approche de Beth ne tarda pas à porter ses fruits. Après leur sortie suivante au cinéma, elle eut un agréable sentiment de contrôle et de liberté, elle savait maintenant qu'elle n'aurait plus jamais à rester assise, à souffrir en silence, troublée par les petits craquements et les odeurs

Plusieurs, parmi les gens qui suivent un régime, font l'erreur d'essayer de s'obliger eux-mêmes et de forcer les autres à agir d'une certaine manière. Des menaces sont ainsi souvent proférées et des ultimatums lancés auxquels il n'y a pas vraiment d'issue possible : « Fais-le, sinon… ! ».

La façon dont Beth s'y est prise est sans doute la meilleure : elle a d'abord donné le choix à son mari, lequel a décidé ce qu'il voulait faire puis elle a fait ses propres choix.

PRENDRE LE CONTRÔLE

Puisque nous l'avions avertie que les reproches constituent un autre ennemi de celle qui tente de prendre en main son alimentation, Beth n'avait fait aucun reproche à son époux.

En effet, les blâmes et les menaces mènent à un cul-de-sac ; ils sont les armes du désespoir. Il vous faut éviter les dangers d'une dynamique à sens unique où vous blâmez et menacez les autres. Faites plutôt savoir à vos amis, à votre famille et à vos collègues que s'ils sont libres de faire ce qui leur plaît, vous l'êtes aussi.

Informez l'autre de ce que vous avez l'intention de faire afin d'atteindre votre objectif pondéral et de le maintenir. Puis montrez-vous à la hauteur de vos paroles. Si vous vous sentez faiblir, allez au cabinet ; passer un moment seul vous redonnera peut-être la force de résister à la tentation.

Prendre le contrôle signifie qu'un jour ou l'autre, vos amis et votre famille se rendront compte que vos paroles se traduisent par des gestes et ils finiront par croire en votre détermination à perdre du poids et à maintenir votre amincissement. Vous acquerrez alors un respect de soi comme vous n'en avez peut-être jamais eu auparavant.

PENSEZ-Y BIEN

Prendre le contrôle signifie également que vous devez bien réfléchir aux options que vous proposez aux autres avant de les leur offrir. Si, par exemple, vous avisez un membre de votre famille que vous jetterez les grignotines qu'il aura négligé de ranger, il vous faudra tenir votre promesse.

En effet, il ne suffit pas de faire des choix, il faut aussi en prévoir les conséquences. N'oubliez pas que vous luttez pour votre propre bonheur et votre réussite. Cette phrase mérite d'être répétée : *vous luttez pour votre propre bonheur et votre réussite*. Ne vous en remettez donc pas à l'idée que d'autres se font de ce qui est ou n'est pas admissible. Faites plutôt des choix qui sont acceptables pour vous et qui vous permettront de réussir.

Céder à la volonté des autres ne vous apportera rien qui vaille. Certes, faire des choix pour plaire à autrui peut vous valoir une approbation passagère. Toutefois, si vos propres besoins ne sont pas satisfaits, il y a de fortes chances que les reproches que vous vous ferez et les frustrations que vous ressentirez dépasseront largement l'approbation que vous aurez reçue des autres.

En faisant des choix pour réussir, vous n'aurez plus à vous préoccuper autant de ce que pensent les autres.

Le processus d'élaboration d'une stratégie – soit proposer des choix et anticiper les différentes suites possibles – n'est pas compliqué, mais représente tout de même une nouvelle façon de penser. En voici quelques exemples.

EXEMPLE DE STRATÉGIE # I : EN FINIR AVEC LES TAQUINERIES

Le problème : Plusieurs participants au régime disent que certains amis, collègues et membres de leur famille, qui les soutiennent par ailleurs dans leur régime, les taquinent. Ces gens à la sensibilité douteuse considèrent souvent leurs taquineries au sujet de l'embonpoint comme « de simples plaisanteries » ou comme des remarques « affectueuses ».

« Si nous te taquinons, c'est parce que nous t'aimons ! » se justifieront-ils.

La stratégie : Ne tolérez pas cette attitude. Sans hausser la voix ni vous mettre en colère, signifiez clairement à la personne que cela ne prendra pas avec vous.

Dites aussi à vos amis et à votre famille que vous apprécieriez davantage vos moments en leur compagnie s'ils s'abstenaient de vous taquiner. Ajoutez que s'ils persistaient à se moquer de vous, vous devriez partir ou changer de pièce lorsqu'ils le feront. Et comme cette décision ne nécessite pas leur approbation – il s'agit bien de ce que *vous* voulez – vous n'avez pas à vous expliquer ni à vous défendre.

Enfin, évitez de vous laisser emporter par la colère. Cette stratégie exige que vous prépariez le terrain, que vous établissiez les options et leurs conséquences potentielles pour vous et pour les autres. Ces derniers feront leurs choix : à un comportement de leur part correspondra une réaction de la vôtre. Vous agirez selon ce que vous aurez préalablement décidé, sans colère ni excuses.

Quoi qu'il advienne, vous obtiendrez ce que vous désiriez : ne plus subir leurs taquineries.

EXEMPLE DE STRATÉGIE # 2 : LE PROBLÈME DES ALIMENTS FAVORIS

Le problème : Vous avez expliqué aux membres de votre famille que vous suivez un régime et leur avez exposé son fonctionnement ou encore, vous leur avez expliqué que vous êtes aux prises avec un trouble du comportement alimentaire. Bien qu'ils disent comprendre, vos proches apportent à la maison l'un de vos aliments favoris – et ce, même si vous leur avez demandé de ne pas le faire – en lançant, par exemple : « Je sais que tu en raffoles ! ».

La stratégie : Si l'aliment contient des glucides, gardez-le pour votre repas-récompense. Dites pourquoi : « Je désire perdre du poids et c'est ma façon de le faire. C'est important pour moi. »

Dans le cas où vous désirez absolument éviter ce mets, expliquez votre décision avec honnêteté et candeur à la personne qui vous l'a apporté. Sans colère ni excuses, dites à la personne que vous savez qu'elle a apporté cette nourriture pour vous faire plaisir, mais que vous ne procédez pas ainsi dans le cadre de votre régime.

Informez ensuite cette personne qu'à l'avenir vous serez forcé de faire cadeau de cette nourriture. De cette façon, elle saura à quoi s'en tenir.

Finalement, ne prenez pas l'habitude de vous répéter encore et encore : avertissez clairement vos proches ; ils prendront leurs décisions.

EXEMPLE DE STRATÉGIE # 3 : TENTATION RELATIVE

Le problème : L'un de vos proches achète de la nourriture pour lui-même et la mange sous vos yeux, ce qui déclenche une fringale en vous.

La stratégie : Tout d'abord, essayez de réunir les membres de la famille pour discuter ouvertement du problème avec eux. Expliquer que vous avez un problème de dépendance et proposez une autre manière de faire. « Je ne veux pas être forcé de vous entendre grignoter vos friandises pendant que je fais le budget, alors vous seriez gentils de manger dans la cuisine. » Il n'est pas nécessaire de justifier vos choix, vous faites simplement ce qu'il faut pour prendre soin de vous.

Une autre stratégie à adopter face à aux tentations relatives consiste à acheter quelques friandises pour vous-même et les mettre de côté pour vos repas-récompenses. Ou encore, déclarez que toutes les friandises « abandonnées » que vous trouverez dans la maison deviennent votre propriété ou seront jetées à la poubelle.

D'autre part, il est possible d'en arriver à une entente interdisant ce type de nourriture dans la maison. Mais, il faut le dire, ce genre de collaboration n'est pas très populaire, car la plupart du temps, les membres de la famille sont d'avis qu'ils ont le droit de manger ce qu'ils veulent, sans devoir se priver à cause de votre problème. Il faudra donc vous montrer courageux.

EXEMPLE DE STRATÉGIE # 4 : TROP BON POUR S'EN PASSER

Le problème : Vous êtes à une fête et on sert votre gâteau préféré ; ou vous passez devant une boulangerie et apercevez un succulent dessert dans la vitrine ; ou une quelconque tentation alimentaire survient inopinément, soudainement.

La stratégie : Cette stratégie est simple. Il s'agit de conserver la gâterie pour votre repas-récompense. Une fois que le gâteau est servi, servez-vous une généreuse portion et emballez-la pour l'apporter à la maison. Ou achetez le dessert alléchant, mais apportez-le à la maison.

Cette stratégie est utile pour régler un vieux problème récurrent. Vous n'avez donc plus à refuser ou laisser passer un aliment qui vous fait envie, il vous suffit de l'apporter pour le déguster plus tard.

DES CHOIX ET DES CONSÉQUENCES

Personne ne connaît mieux vos habitudes que vous-même. C'est pourquoi prendre en main votre alimentation et votre poids implique que vous fassiez certains choix.

Si, par exemple, vous vous retrouvez devant le réfrigérateur lorsque vous étudiez dans la cuisine, trouvez un autre endroit pour étudier, un endroit qui ne vous fera pas penser à la nourriture.

De la même manière, dans la mesure où vous avez pris conscience que vous ne pouvez pas préparer de nourriture sans en manger en même temps, ne commencez à cuisiner qu'à l'heure des repas. Prévoyez dans ce cas des repas rapides et faciles à préparer afin de vous en tenir aux soixante minutes permises pour le repas-récompense, sans oublier de débuter le compte durant la préparation, à la première bouchée. Ainsi, vous aurez la possibilité de grignoter sans désobéir aux principes directeurs du régime. Vous pouvez également congeler plusieurs repas et les réchauffer au four à micro-ondes ou vous offrir un repas au restaurant de temps à autre.

Quelques-uns des choix et des conséquences que vous envisagerez vous surprendront sans doute. Peut-être aussi serez-vous amusé ou même effrayé par ce qui vous viendra à l'esprit.

Quoi qu'il en soit, réfléchissez-bien à chaque possibilité. Nos clients disent éprouver un sentiment de liberté et un espoir renouvelés au fur et à mesure qu'ils prennent en main leur alimentation et leur poids. Ils rapportent qu'après qu'ils se soient fait une idée claire des choix possibles et de leurs conséquences éventuelles, plusieurs tentations perdent soudainement leur pouvoir.

Faire face aux dangers

Plus tôt dans ce chapitre, nous vous avons conseillé de dresser une liste des gens, circonstances, stress et façons de penser qui vous ont poussé à tricher par le passé.

Il est maintenant temps de concevoir une stratégie pour chacun de ces obstacles afin qu'ils ne nuisent pas à l'atteinte de votre objectif d'amaigrissement durable. Les caractéristiques suivantes sont essentielles à chacune de vos stratégies :

>>>

ANTICIPER LES TENTATIONS

- Examinez chacun des éléments de votre liste (et profitez de l'occasion pour vous assurer de n'en avoir pas omis d'importants). Imaginez ou essayez de vous rappeler chacune des circonstances dans ses moindres détails. Qui sont les acteurs ? De quoi se compose la scène ? Comment se déroule l'intrigue ?

- Tentez de faire vivre le petit scénario dans votre esprit en vous concentrant sur ce qui pourrait vous conduire à rompre avec les règles du régime.

CONSIDÉRER LES CHOIX

- Vous êtes l'auteur de la pièce : en quoi changeriez-vous un acte pour que la conclusion en soit différente ?

- Rappelez-vous que votre but est de maîtriser la situation. Il vous faut donc imaginer des choix pour vous-même et pour les autres. Dans un contexte donné, vous devrez être à même de modifier les circonstances de manière à pouvoir demeurer sur place ou quitter les lieux sans mettre en péril votre régime. Lorsque vous affrontez les ennemis de votre régime, il faut vous donner des possibilités d'action qui vous aideront à faire face aux défis qui menacent votre régime.

PRÉPARER LES RÉSULTATS

- N'allez pas croire qu'il vous faut coincer le coupable. Il n'est pas nécessaire de vous forcer ni de pousser qui que ce soit à adopter une conduite particulière. Offrez plutôt des choix aux autres ainsi qu'à vous-même. Tous les choix retenus devraient mener à des conséquences acceptables.

- Il vous faut imaginer des choix qui répondront à vos besoins. Si d'autres personnes sont concernées, elles doivent être informées des choix et de leurs conséquences.

Une fois votre plan établi, installez-vous confortablement. Vous êtes prêt.

10

PERSONNALISER LE RÉGIME

Dans les chapitres précédents, nous avons examiné la question des ennemis potentiels, soit les différents individus, endroits, événements ou pressions quotidiennes qui risquent de vous écarter de votre régime.

Nous avons présenté plusieurs stratégies à mettre en œuvre afin de neutraliser leur action sur vous : anticiper les obstacles ; concevoir des choix afin de prévenir ceux qui représentent un danger pour la bonne marche de votre régime ; prévoir, pour vous et pour les autres, des solutions de remplacement aux conséquences prévisibles spécifiques à chaque situation.

Armé de ces stratégies, vous disposez désormais d'une longueur d'avance sur les gens qui suivent un régime et qui essayent de déterminer la meilleure chose à faire au moment même où ils sont sous le coup d'une tentation. Voyons maintenant plus concrètement comment ces stratégies opèrent.

Le défi approche : tante Jeanne vous apportera-t-elle son fameux gâteau aux carottes dont vous raffolez tant ? Serez-vous attiré à la vue du sac de biscuits laissé ouvert, sur une tablette du garde-manger ? Comment réagirez-vous au passage du cantinier, au travail ?

Peu importe le contexte, les quelques directives suivantes vous seront utiles.

SUIVEZ VOTRE PLAN

Une fois votre plan établi, n'en dérogez pas. N'allez surtout pas le remettre en question au moment de l'appliquer. Dites plutôt à tante Jeanne que vous ne pouvez goûter son gâteau maintenant. Rappelez-vous vos choix, et expliquez-les à tante Jeanne s'il le faut.

Vous vous êtes préparé à affronter ce défi en fonction des conséquences éventuelles que vous avez identifiées. Et vous en avez décidé ainsi alors que vous ne subissiez aucune pression, aucune tentation. En conséquence, la meilleure chose à faire consiste à vous en tenir à votre plan de match.

Si vous le jugez bon, revoyez votre stratégie, mais faites-le demain. Pour l'instant, contentez-vous de réagir comme prévu et apprenez de la situation. Vous améliorerez ainsi votre sélection de choix et de conséquences et pourrez par la suite mettre au point une stratégie encore plus efficace.

NE VOUS COMPLIQUEZ PAS LA TÂCHE

Lorsque vient le temps de développer leurs stratégies, plusieurs clients s'imposent des limites quant aux manières de contrer les menaces à leur régime ; ils ont du mal à admettre l'emploi de certaines méthodes.

Une de nos clientes nous confia qu'elle ne pouvait se résigner à se débarrasser des sacs de friandises ou de grignotines que ses enfants laissaient traîner dans la maison. Une autre nous raconta qu'elle était simplement incapable de tourner le dos à ceux qui passaient une remarque sur son poids.

De tels refus mettent en péril le succès de votre régime. En effet, les choix initiaux qu'avaient faits ces personnes – jeter la nourriture, ignorer les remarques blessantes – étaient destinés à produire un résultat, une conséquence satisfaisante. Or, ne pas respecter ces choix, c'est risquer de perdre le contrôle à nouveau.

En ne procédant pas comme vous l'aviez prévu, vous tournerez peut-être votre colère contre vous. Plus les exemptions seront nombreuses (« Je ne jette pas ces coûteuses friandises, mais je jette le maïs soufflé »), plus il vous sera difficile de demeurer fidèle à vos engagements et plus vous serez près de laisser vos pulsions prendre le dessus.

Vous ne pouvez vous battre à la fois contre vous-même et contre vos ennemis.

SOYEZ DÉTERMINÉ

N'hésitez pas à mettre votre plan à exécution. Dès l'instant où vous vous surprendrez à grignoter en lisant le journal à table, crachez votre bouchée, puis changez de chaise ou de pièce. Faites-le sans hésiter. Réagissez immédiatement. Dans la lutte contre les kilos superflus, celui qui hésite est perdu.

NE FAITES PAS DE PRISONNIERS

Un prisonnier est un ennemi que vous avez peur de détruire ou que vous ne voulez pas détruire.

Plusieurs personnes au régime tolèrent de ces prisonniers autour d'eux. Ce sont tantôt ces amis qui leur disent : « Ce régime ne fonctionnera pas », tantôt cette boîte de chocolats de luxe, rangée dans une armoire, qui menace de passer d'un repas-récompense autorisé à une tricherie d'après-midi.

Vous devez vous débarrasser de tous les prisonniers. Donnez un choix à votre ami, ou mieux encore, offrez-lui la boîte de chocolats et expulsez-les tous les deux de votre maison.

NE VOUS PORTEZ JAMAIS VOLONTAIRE

Plusieurs des personnes que nous avons accompagnées ont subi les contrecoups de leur incapacité à dire non.

Ce sont simplement des personnes trop gentilles, trop bienveillantes, qui veulent en faire trop. Elles essaient de se rendre utiles, et elles aiment se persuader qu'il n'y a pas de mal à le faire.

Cependant, cette attitude, bien que louable, engendre également un état d'esprit hasardeux où l'individu est peu à peu amené à croire qu'il est mal ou égoïste de s'occuper d'abord de soi-même. Et c'est là un risque que courent tous ceux et celles qui suivent un régime.

Prenez la position que toute recrue apprend à adopter lors de son service militaire : ne jamais se porter volontaire.

Si l'on vous demande de faire des choses qui pourraient vous empêcher de vous occuper de vous-même, dites que le moment est mal choisi ou que vous avez besoin d'y réfléchir un peu. Ou encore, répondez que vous devrez d'abord consulter votre agenda.

Faites une priorité de prendre soin de vous-même. D'ailleurs, quel bien serez-vous en mesure de faire aux autres si vous êtes en colère, frustré, vaincu et en mauvaise santé ?

GARDEZ L'ŒIL OUVERT

Vous devrez sans aucun doute affronter plusieurs ennemis. Il est donc important de ne pas concentrer toute votre attention sur une seule personne ou une seule situation au détriment du reste.

SOYEZ STRATÉGIQUE

Votre but premier n'est pas d'éliminer l'ennemi que vous rencontrez, mais bien d'assurer votre succès. Pour cette raison, vous seriez avisé de prendre un peu de recul lorsque vous vous retrouvez en situation de confrontation.

Imaginons qu'un obstacle prenne la forme d'un collègue arriviste ou d'un époux qui ne fait pas sa part à la maison. Souvenez-vous que votre objectif est d'obtenir ce que vous voulez, non pas d'inciter les autres à agir comme ils le devraient. Sachez aussi qu'il existe souvent d'autres façons d'obtenir ce que vous désirez sans leur coopération ni leur aide.

Vous auriez tort de ne vous investir que dans une seule bataille et négliger le reste de la guerre. En effet, puisque votre intention est de perdre du poids et de maintenir durablement votre amincissement, vous devez conserver une vue d'ensemble de vos objectifs et concentrer vos énergies sur ce qui vous aidera à atteindre ces objectifs. Une tâche qui nécessite une attention constante.

STRATÉGIES À COURT TERME

Au cours de nos nombreuses années de travail au Centre de lutte contre la dépendance aux glucides, nous avons remarqué que certains schèmes se répètent plus souvent que d'autres. Tout le monde ne maigrit pas au même rythme et les défis ne sont pas les mêmes pour tous. Néanmoins, quelques thèmes reviennent fréquemment.

Quelques-uns des défis les plus courants sont exposés ci-après. Chacun d'eux est accompagné d'une stratégie à mettre en œuvre pour lui faire échec.

DILEMME # 1 : «JE NE MAIGRIS PAS DU TOUT»

D'abord, un rappel : n'allez pas comparer deux pesées quotidiennes et conclure ensuite que vous ne perdez pas de poids. La seule façon de déterminer si vous avez maigri est de comparer les poids hebdomadaires d'une semaine à une autre.

Si, après avoir scrupuleusement suivi les principes du Régime minceur pendant trois semaines ou plus, votre poids demeure malgré tout inchangé, il est alors probable que votre corps soit en train de s'ajuster. En effet, l'organisme ralentit parfois son métabolisme afin de conserver de l'énergie.

Cela se produit souvent après une perte de poids rapide ou une diète liquide, mais moins fréquemment dans le cadre du Régime minceur. Ce phénomène est donc parfois attribuable à la pratique de régimes répétés. Les régimes hypocaloriques qui ne vous fournissent pas suffisamment d'énergie alimentaire peuvent plus tard être responsables de vos «plateaux pondéraux», soit des périodes pendant lesquelles votre corps fait une utilisation plus efficace des calories (nous les appelons aussi «plateaux d'efficacité»). Les plateaux pondéraux sont la réponse de l'organisme à ce qu'il perçoit comme une situation de famine. D'autre part, les pertes de poids trop rapides que vous avez pu connaître auparavant, la pratique de régimes yo-yo ou, chez quelques-uns, une propension naturelle sont autant d'explications de l'impossibilité pour certaines personnes de maigrir au début du Régime minceur.

Cependant, ne désespérez pas pour autant, car le Régime minceur s'attaque à ces plateaux d'efficacité et vient en aide aux métabolismes ralentis. Grâce aux repas-récompenses, votre organisme sentira qu'il ne s'agit pas d'une situation de famine, votre métabolisme s'ajustera alors en conséquence et vous commencerez à perdre du poids. En choisissant la formule alimentaire adéquate – probablement C ou D – vous devriez bientôt vous mettre à maigrir.

De plus, ne manquez pas de boire au moins six verres d'eau chaque jour.

Tenez bon. Les cas où un plateau dure un mois ou plus sont très rares. Même si une seule semaine de plus peut parfois sembler une éternité, vous pouvez y arriver. D'ailleurs, ceux qui abandonnent le régime à ce stade se rendent souvent compte peu après qu'ils étaient sur le point de commencer à perdre du poids et, invariablement, ils regrettent leur geste.

N'oubliez pas que le Régime minceur est un programme à vie. Alors donnez-lui un peu le temps de corriger les outrages que vous lui avez malgré vous fait subir par le passé. Une attente qui n'est peut être pas si pénible au fond si l'on considère que pendant cette période vous n'êtes aucunement privé de vos aliments favoris. En effet, vous mangez chaque jour tout ce que vous désirez lors de votre repas-récompense.

Profitez bien de vos repas-récompenses, respectez les principes du régime, et la perte de poids viendra.

DILEMME # 2 : «J'AI CESSÉ DE MAIGRIR»

Le régime se déroulait bien, vous étiez satisfait de vos progrès, puis quelque chose changea soudain.

Vous n'avez pas triché ni modifié votre consommation alimentaire, néanmoins, vous avez cessé de maigrir – peut-être même avez-vous repris un peu de poids. Vous vous sentez bien, vous avez de l'énergie et vous ne ressentez pas la faim, mais vous êtes malgré tout préoccupé, voire contrarié.

Qu'est-ce qui se passe ?

Encore une fois, vous avez atteint un plateau d'efficacité (voir Dilemme # 1). Votre corps conserve l'énergie, il utilise avec une plus grande efficacité les calories absorbées, provoquant du même coup une pause dans votre processus de perte de poids.

En revanche, ces plateaux d'efficacité ne sont que temporaires. Ces signes de ralentissement que montre votre métabolisme s'expliquent souvent par les échecs des régimes que vous avez essayés antérieurement. De plus, les plateaux d'efficacité sont chose fréquente chez les adeptes de régimes qui ont connu un amaigrissement rapide lors d'un récent régime ou qui sont des habitués des régimes yo-yo. Enfin, la cause est parfois aussi d'ordre génétique, puisque certains individus héritent d'une propension à s'accrocher à leurs kilos superflus.

Quelques-uns de nos clients ont une longue et pénible expérience des régimes. La conséquence ? Leur organisme est devenu super-efficace. Or, ces personnes ont découvert qu'il leur est profitable de diminuer les quantités d'un de leurs repas complémentaires quotidiens ou même d'en sauter un à l'occasion. Alors, si vous désirez aider votre corps à franchir un plateau d'efficacité, vous pouvez sauter un repas complémentaire ici et là.

Cependant, lorsque vous le ferez, assurez-vous de ne *jamais* sauter votre repas-récompense. Ce dernier est un élément essentiel du programme : sa fonction n'est pas seulement de vous nourrir, mais de vous donner du plaisir aussi.

Nous vous rappelons ici qu'il est primordial de terminer votre repas-récompense à l'intérieur des limites de soixante minutes et de le prendre d'une traite. Ce qui signifie que vous ne pouvez quitter la table et revenir plus tard pour finir votre repas – c'est aussi valable pour le dessert. Bref, votre repas doit se dérouler de façon continue pendant soixante minutes au maximum.

À n'importe quel moment de la journée, vous pouvez acheter les aliments que vous désirez pour vos repas-récompenses ou pour cuisiner – mais sans y goûter ! Ces aliments sont exclusivement réservés à votre heure de repas-récompense.

Votre repas-récompense se doit d'être complet et équilibré, il devrait contenir des aliments provenant des quatre groupes alimentaires.

Assurez-vous également de boire six verres ou plus d'eau ou d'un autre liquide acalorique.

Si vous en avez envie, prenez une tasse de café ou de thé par jour. Vous pouvez y ajouter du lait mais pas de sucre, sauf durant votre repas-récompense. Bien que vous soyez libre de boire tout le café qu'il vous plaira lors de votre repas-récompense, prenez soin de ne pas consommer plus d'un café par jour avec du lait à l'extérieur de votre repas-récompense et de terminer le breuvage en moins de quinze minutes.

D'autre part, aucun de vos repas complémentaires ne doit contenir de glucides cachés. Et c'est important, car même une petite quantité risque d'entraîner la libération de l'insuline qui, elle, peut produire un désastre. Une adepte du Régime minceur découvrit un jour que le fromage cheddar à tartiner contenait du sucre. Elle l'exclut immédiatement de ses repas complémentaires et recommença peu après à perdre du poids.

Mais par-dessus tout, il vous faut demeurer confiant. Tenez bon ! Très peu de nos clients sont restés bloqués à un plateau d'efficacité au-delà de quelques semaines.

Bien que le moment où vous vous trouvez à ce stade puisse vous paraître une éternité, vous êtes capable de traverser ce plateau. Votre organisme se réajustera graduellement, puis, en suivant la formule C ou D, vous vous remettrez à maigrir. Comme le Régime minceur n'est pas un programme d'amincissement rapide et qu'il est conçu pour traiter votre dépendance aux glucides, il faut lui laisser du temps. Alors, continuez d'être fidèle aux principes du régime et soyez tenace.

DILEMME # 3 : «VOILÀ QUE JE REPRENDS DES KILOS!»

Premièrement, soyez honnête envers vous-même : si vous ne respectez pas les principes du régime, vous le savez. Advenant ce cas, remédiez tout de suite à la situation et revenez au régime – il produira les résultats que vous désirez.

Par contre, si vous n'êtes pas conscient de tricher, vérifiez à nouveau les contenus de vos repas complémentaires à la recherche de glucides cachés. Un de nos clients découvrit que la salade de thon à son restaurant favori contenait de la chapelure, un aliment interdit à cause de sa teneur en glucides, ce qui déclenchait chez lui des fringales.

Nous avons remarqué qu'une fois les glucides cachés éliminés de la diète, la perte de poids reprend. En outre, au terme des deux semaines qui suivront, vous aurez sans doute perdu les kilos que vous aviez repris au cours du plateau – et peut-être même plus.

Ensuite, demeurez actif ou devenez-le, car il a été démontré que les gens inactifs maigrissent plus difficilement.

Finalement, veillez à ne jamais dépasser les soixante minutes allouées pour le repas-récompense, une règle essentielle à la réussite du régime, suivez la formule C ou D jusqu'à ce que vous ayez recommencé à maigrir et consommez toujours votre salade au début de votre repas-récompense.

PRENDRE L'ENGAGEMENT : L'HISTOIRE DE DONNA

Avant même de l'avoir rencontrée pour la première fois, nous avions pu nous faire une petite idée de Donna : à trois reprises, elle avait annulé et repris un rendez-vous au Centre.

Le jour où elle s'est enfin présentée, elle est arrivée à toute allure, ses paquets et sa serviette dans les mains, une écharpe à demi attachée autour du cou. Elle était en retard, semblait tourmentée et prête à s'effondrer. Ce qu'elle fit d'ailleurs, en quelque sorte, mais dans une chaise confortable. D'emblée nous lui avons demandé qu'est-ce qui l'amenait au Centre.

« Ma vie est hors de contrôle », répondit-elle. « Et je ne parle pas d'une partie seulement, comme mon poids, mais bien de toute ma vie. Je sais que vous ne pouvez résoudre tous mes problèmes d'un coup, mais je dois commencer quelque part et si j'arrivais à perdre durablement un peu de poids, j'aurais l'impression de progresser vers le mieux. »

Dans un style quelque peu désordonné, Donna nous raconta son histoire. Elle et son conjoint éprouvaient certaines difficultés financières et se querellaient fréquemment à ce propos. N'ayant pas de profession, elle travaillait généralement dans le domaine de la vente. Au cours des derniers mois cependant, elle n'avait gagné que 200 dollars par semaine de travail de vingt-cinq heures.

«Je n'ai pas d'habileté particulière et je suis si grosse que ma santé en est affectée. J'ai quarante ans et j'ai l'impression qu'il n'y a plus grand-chose à faire», conclut Donna.

Elle avoua avoir environ 35 kilos en trop, mais mentionna que son médecin estimait quant à lui son surpoids à 45 kilos au-dessus de son poids idéal. D'après son score au Test de dépendance aux glucides, Donna fut classée dans le groupe des dépendances modérées. Toutefois, ses résultats étaient quelque peu ambigus en raison de ses hésitations – oui ou non ? – à de nombreuses questions.

Nous lui avons longuement expliqué en quoi consistait le régime, en insistant sur son efficacité à neutraliser les déclencheurs liés au stress et aux émotions. Le Régime minceur ne réglerait pas tous ses problèmes, l'avons-nous avertie, mais sans doute l'aiderait-il à contrôler son poids.

Donna nous écoutait poliment, mais elle ne semblait pas pleinement attentive. Elle nous informa bientôt que son emploi du temps était trop incertain pour que nous puissions tout de suite fixer un rendez-vous pour la semaine suivante, elle le ferait par téléphone dans les prochains jours. Elle ne le fit jamais.

Quelques mois plus tard, nous avons croisé Donna dans la rue. Elle semblait avoir pris du poids et toujours aussi pressée et désorganisée. Elle nous dit qu'elle avait maintes fois pensé à nous contacter, mais qu'elle était trop débordée. C'était il y a deux ans.

Nous ne l'avons pas revue depuis. Donna avait plusieurs engagements – et celui envers sa perte de poids ne faisait pas partie de ses priorités.

DILEMME # 4 : «J'AI ATTEINT MON POIDS CIBLE, MAIS J'AI CESSÉ DE MAIGRIR. QUE FAIRE ?»

Vous avez atteint votre objectif pondéral et maintenez depuis votre poids : il n'y a pas lieu de changer quoi que ce soit.

Si vous êtes comme la plupart des personnes qui suivent le Régime minceur sur une longue période, vous êtes satisfait. Vos fringales d'aliments qui font engraisser sont terminées, votre consommation de glucides est maintenant raisonnable et les épisodes de perte de contrôle appartiennent au passé.

Le régime vous a aidé à vous constituer un programme alimentaire qui convient à vos besoins biologiques. Voyez maintenant à ce qu'il réponde à vos attentes : n'hésitez pas à consommer les aliments dont vous avez envie lors de vos repas-récompenses. Cela vous évitera de vous sentir privé par la suite – et augmentera par le fait même vos chances de réussite.

À ce stade, votre consommation et votre dépense énergétiques sont équilibrées et les effets de vos expériences diététiques antérieures ont été contrebalancés par le Régime minceur. La constance avec laquelle se déroule ce dernier est rassurante, son rythme aisé et ses résultats indéniables en témoignent.

Ne vous laissez pas aller. Le maintien pondéral exige que vous continuiez de surveiller ce que vous mangez, chaque jour, sans exception. Si le programme vous aide, vous devez l'aider aussi.

Il faut toujours vous en tenir aux principes du régime : les aliments contenant des glucides peuvent être consommés pendant une seule période de soixante minutes par jour – n'en consommez pas à l'extérieur de cette heure. Ainsi, les gâteries vous sont permises, mais uniquement lors de votre repas-récompense. Soyez vigilant, car un écart momentané, aussi petit fut-il, peut vous nuire grandement.

Pesez-vous chaque jour, sans faute, notez votre poids et faites la moyenne hebdomadaire de vos pesées. Des habitudes indispensables au succès du régime.

Vous connaîtrez peut-être de nouvelles pertes pondérales lors d'une normalisation subséquente de votre métabolisme. Si vous perdez 500 grammes ou plus que ce que vous désirez, passez à la formule la plus appropriée, telle qu'elle est indiquée dans le Guide du Régime minceur (page 96).

Vous avez pris 500 grammes, 1 kilo ? Surtout, ne paniquez pas. N'entreprenez pas non plus un jeûne ni un autre régime alimentaire. À mesure que vous avancerez dans le programme, vous comprendrez qu'il y a un processus normal d'ajustement de votre profil pondéral. Consultez le Guide (page 96) chaque semaine afin de choisir la formule la plus appropriée à vos besoins du moment.

Rappelez-vous que le corps humain n'est pas une machine qui fonctionne toujours au même rythme. En réalité, et pour des raisons encore relativement obscures, il peut passer d'un mode de gain pondéral à un mode de perte pondérale. En revanche, une chose est tout à fait claire : il serait dangereux de réagir à un léger gain pondéral en modifiant radicalement votre alimentation. Continuez plutôt le programme et mettez-y du vôtre.

Donnez la chance à votre organisme d'atteindre son équilibre. De plus, comme il s'agit d'un programme pour la vie, les haut et les bas sont inévitables.

Les saisons, par exemple, sont susceptibles de causer des fluctuations pondérales, avec des gains à l'automne et en hiver et des pertes au printemps et en été. La meilleure approche consiste à vous détendre, être patient, respecter les principes du régime, vous peser tous les jours, calculer votre moyenne hebdomadaire, et profiter de la vie.

DILEMME # 5 : «JE PERDS TROP DE POIDS»

Oui, cela se produit : alors que vous êtes tout près de votre poids cible, votre poids fluctue légèrement, tantôt à la hausse tantôt à la baisse, et vous vous retrouvez parfois en-dessous de votre objectif pondéral.

Ou encore, vous n'êtes pas arrivé à votre poids cible, mais vous maigrissez à un rythme de plus d'un kilo par semaine.

D'abord, soyez honnête envers vous-même : suivez-vous à la lettre les principes du régime ? Nous avons maintes fois eu des clients qui, désireux de maigrir plus rapidement, enfreignaient les règles en sautant des repas ou en s'imposant des restrictions supplémentaires. Il importe cependant que vous vous conformiez aux principes directeurs du régime, et ce, sans les modifier à l'aide de vos propres règles. Consultez chaque semaine le Guide du Régime minceur (page 96) et suivez la formule alimentaire qui convient à votre rythme d'amaigrissement et à vos besoins.

DILEMME # 6 : «J'AI PERDU LE CONTRÔLE»

Tout allait très bien – vous maigrissiez et ne ressentiez pas la faim – et à un certain moment, vous vous êtes dit qu'une petite quantité d'aliments riches en glucides à l'extérieur des repas-récompenses ne pourrait vous faire de tort ou qu'il n'y avait rien de mal à allonger de quinze ou vingt minutes votre repas-récompense. Après tout, avez-vous peut-être pensé, tout allait si bien, vous pouviez vous le permettre.

Ou encore, votre poids en étant à un point mort, vous avez commencé à vous décourager. Puis vous vous êtes dit que puisque vous ne maigrissiez plus, à quoi bon appliquer à la lettre les principes du régime. La situation pouvait-elle vraiment être pire ? Vous ne perdiez pas de poids de toute façon. Mais vous pouvez à présent en mesurer les conséquences.

Il y a de fortes chances que vous fassiez maintenant l'expérience d'un ou de plusieurs des effets suivants :

- Peut-être ressentez-vous la faim à nouveau ou avez-vous recommencé à avoir des fringales de glucides ;
- Il est possible que vous ne maigrissiez plus ou que vous ayez repris quelques kilos ;
- Vous vous sentez peut-être fatigué, démotivé, soucieux ou irritable ; vous avez peut-être de la difficulté à accomplir votre travail.

La plupart de nos clients ont dit de ces expériences qu'elles ont servi à leur rappeler la faim, la fatigue, le sentiment de manque de contrôle qu'ils avaient vécus avant de débuter le Régime minceur.

Si vous avez enfreint les principes du régime et que vous ressentez la faim, la fatigue, l'inquiétude ou l'impression de perte de contrôle, il est probable que vous soyez maintenant prêt à revenir à votre programme. Mais comment revient-on au régime ? D'abord, il ne faut pas hésiter : recommencez immédiatement à suivre votre régime !

- Si l'écart ne consistait qu'en un simple incident (ou deux), ou que cela n'a pas duré plus d'un jour, retournez à la formule alimentaire que vous suiviez avant la faute. Au terme de chaque semaine, réévaluez votre formule en consultant le Guide (page 96).
- Par contre, si vous vous êtes écarté des principes directeurs du régime pendant deux jours ou plus, ou à plusieurs reprises, reprenez avec la formule de base. Peu importe la formule que vous suiviez avant vos manquements au programme, suivez la formule de base pendant deux semaines et prenez note de vos poids quotidiens. À la fin de cette période, consultez le Guide

du Régime minceur (page 96) afin de déterminer quelle formule convient le mieux à vos besoins.

Certains croient qu'ils devraient revenir à la même formule qu'ils suivaient au moment de la faute. Ils le peuvent, mais *seulement* si l'écart de conduite était un acte isolé ou s'il n'a duré qu'un jour. Car les manquements aux principes, lorsqu'ils se poursuivent plus longtemps, risquent de provoquer des changements dans la manière qu'a votre organisme de réagir au régime. Ainsi, pour les manquements de longue durée, vous augmenterez vos chances de réussite en recommençant le programme avec la formule de base.

Enfin, il importe qu'au lieu de songer au passé, vous vous concentriez sur le présent et l'avenir. Rappelez-vous que ce régime alimentaire est le vôtre. Il vous conduira à vos objectifs parce qu'il a été conçu pour vous et qu'il s'adapte à vos besoins. Maintenant, si vous avez omis de lire certaines pages de cet ouvrage, reprenez depuis le début – ne prenez pas cette lecture à la légère. Ce livre est votre guide dans le traitement de votre dépendance aux glucides, alors lisez-le attentivement ; il ne suffit pas d'en lire quelques extraits ici et là. Et plutôt que de perdre votre temps à vous blâmer pour votre dépendance, investissez vous à apprendre plus sur celle-ci.

La collation complémentaire

Il y a deux séries de circonstances dans lesquelles on doit ralentir sa perte de poids : (1) lorsque l'on continue à maigrir après avoir atteint son poids cible ; (2) lorsque le taux hebdomadaire de perte pondérale excède 1 % du poids corporel (soit environ 500 grammes par tranche de 45 kilos).

Dans chacun de ces cas, il faudra ajouter une collation complémentaire à votre programme.

La sélection des aliments : Les aliments de cette collation seront les mêmes que ceux permis pour les repas complémentaires.

Les portions : Les portions seront d'environ la moitié des portions moyennes spécifiées pour les repas complémentaires, par exemple :

>>>

- de 45 à 60 grammes de viande, de poisson ou de volaille ; ou
- 30 grammes de fromage ; ou
- 1 œuf ; et
- 225 grammes de légumes avec un peu d'huile ou une noix de beurre, ou une salade agrémentée d'une quantité réduite de vinaigrette.

L'horaire des collations : La collation complémentaire sera prise une fois par jour à n'importe quel moment de la journée. Cependant, la plupart des gens préfèrent la prendre au cours de l'après-midi ou en soirée.

La collation doit être considérée comme un mini-repas. Il ne faut donc pas la prendre à la hâte, mais bien s'asseoir et la savourer.

Surtout, on ne doit jamais y ajouter d'aliments riches en glucides tels que les fruits ou jus de fruits, le pain, les pâtes ou les sucreries – *Jamais*.

MENER LE BON COMBAT

Vous êtes prêt à affronter les obstacles qui se présenteront à vous, et vous avez élaboré des stratégies pour neutraliser les ennemis qui se trouveront sur votre route.

Vous avez décidé de suivre un régime qui, se servant de votre organisme, réduira votre réaction de dépendance aux glucides. En outre, vous êtes désormais libre de manger tout ce dont vous avez envie une fois par jour.

Tous les ingrédients sont donc réunis pour vous permettre de prendre en main votre alimentation, votre poids et votre vie. Ne vous tracassez pas avec ce que demain vous réserve, appliquez-vous à suivre le régime un jour à la fois. Et n'oubliez pas que pour plus de 80 % des accros aux glucides qui sont venus nous voir au Centre de lutte contre la dépendance aux glucides, le Régime minceur s'est avéré une solution durable au problème du surpoids.

Il en fera autant pour vous, vous verrez !

11

SE RÉVEILLER MINCE

Enfant et, plus tard, jeune femme, Rachael n'avait qu'un rêve. Ce dernier lui revenait, encore et toujours.

« Je rêvais que je me réveillais, un matin, avec l'apparence d'une personne normale, mince. Ce matin – alors que j'écris ces lignes – comme tous les matins depuis sept ans, mon rêve est devenu réalité.

« Je me réveille en sachant qu'aujourd'hui, lorsque je croiserai un groupe d'enfants, je ne subirai pas leurs railleries. »

« Je n'ai désormais plus peur de défendre mes intérêts dans les magasins ou dans la file d'attente des cinémas, et les enfants ne me traitent plus de « gloutonne » ni de « grosse pleine de soupe » devant des étrangers, en public. À 135 kilos, j'étais embarrassée par les vitupérations que l'on m'adressait, honteuse de ma condition. »

« Lorsque je passe devant les vitrines des magasins, il m'arrive encore de m'arrêter et de m'étonner de l'image qui m'est réfléchie. Mon mari, Richard, sourit quand il m'aperçoit, encore surprise par cette femme mince qui me regarde. »

« Au fil des dernières années, je me suis rendu compte qu'en ce qui a trait aux vêtements, la taille 6 ans faisait généralement l'affaire. Les chaises, quant à elles, ne sont plus un problème, car je sais que je ne risque plus d'y rester prise. À la fin d'une journée chargée, je ne me retrouve pas inévitablement exténuée, comme avant. Aujourd'hui, je me déplace librement, sans même penser à mes mouvements. Et pour la première fois de ma vie, je me sens – je suis – sexy. »

« Chaque jour, je me réveille enthousiaste, vivante et reconnaissante. Le simple fait de m'habiller, de me glisser dans des vêtements élégants ou de constater ma nouvelle apparence dans un miroir me fait l'effet d'un miracle. »

« Jamais cependant je ne considérerai ce bonheur comme un droit acquis. »

QUATRIÈME PARTIE

MENUS ET RECETTES

POUR REPAS COMPLÉMENTAIRES

12

MENUS

pour les repas complémentaires

Les exemples de menus qui suivent ont été rassemblés afin de vous guider dans le choix des aliments que vous consommerez lors de vos repas complémentaires, en accord avec les principes du Régime minceur. Vous trouverez les recettes de plusieurs des plats mentionnés ci-après dans la section des recettes, au prochain chapitre.

Vous remarquerez que nous n'avons pas fourni de menus pour vos repas-récompenses (qui, pour des raisons pratiques, sont tous des dîners dans cette liste de menus). Pourquoi ? Parce que vous pouvez manger n'importe quoi durant ces repas, littéralement. Vous avez droit à toute la nourriture dont vous avez envie, qu'elle soit riche ou à faible teneur en glucides. Dès lors, vous pouvez consulter n'importe quels livres de recettes. Il n'en tient qu'à vous. Cependant, n'en oubliez pas moins de faire de ces festins des repas équilibrés et nutritifs.

Cette liste de menus que nous vous proposons n'est nullement exhaustive. Ainsi, libre à vous de combiner ces éléments entre eux et de créer – selon vos goûts, vos aptitudes et votre inspiration – vos propres plats riches en fibres, faibles en gras ou réduits en glucides. Une seule condition : respecter les règles de base du régime.

Intégrer les recommandations officielles des services de santé au Régime minceur

Le chef du Service fédéral de la Santé publique des États-Unis (*Surgeon General of the United States*) a publié un rapport sur la nutrition et la santé.

Le Département de l'Agriculture et le Département américain de la Santé et des Services sociaux des États-Unis ont diffusé un rapport sur les règles à suivre en matière de nutrition.

L'Association américaine des maladies du cœur (*American Heart Association*) offre un programme alimentaire aux Américains.

Ces documents, qui présentent des recommandations diététiques, ont été conçus dans le but d'aider à prévenir une ou plusieurs des maladies suivantes : les maladies cardiovasculaires, les cancers, les diabètes, l'obésité, l'ostéoporose, les maladies du foie et les maladies du rein.

Ces recommandations – en particulier celles qui concernent les choix d'une diète faible en glucides et/ou en lipides – sont entièrement compatibles avec le Régime minceur et s'y intègrent facilement. Les pages qui suivent contiennent des suggestions qui vous permettront d'intégrer aisément ces recommandations au Régime minceur.

Veuillez toutefois prendre note que seul votre médecin est autorisé à déterminer quelles recommandations diététiques vous conviennent. Alors, vous devriez consulter votre médecin avant d'intégrer toute recommandation diététique à votre régime.

Les menus pour repas complémentaires que nous vous présentons ici sont établis d'après un modèle d'alimentation quotidienne constitué de deux repas complémentaires et d'un repas-récompense. Ainsi, si votre formule alimentaire comporte une salade (formule C ou D), une collation complémentaire (formule A), ou un seul repas complémentaire par jour, vous devrez faire les ajustements qui s'imposent.

LES RECOMMANDATIONS ACTUELLES SUR LA SANTÉ ET LA NUTRITION[1]

RECOMMANDATION	POUR INTÉGRER LA RECOMMANDATION AU RÉGIME MINCEUR
1. Réduire la consommation de gras (surtout les gras saturés) et de cholestérol.	1. Choisissez du lait et des fromages ou des succédanés de produits laitiers et d'œufs à faible teneur en matières grasses et en cholestérol quand cela est possible. Préférez les enduits anti-adhésifs en aérosol et les margarines à faible teneur en matières grasses et en cholestérol, au beurre. Choisissez les volailles, les poissons et les viandes les plus maigres. Utilisez des substituts de bacon, de saucisses et de mayonnaise pauvres en graisses et en cholestérol. Évitez les huiles tropicales; préférez les huiles d'olive et végétales polyinsaturées.
2. Atteindre et maintenir un poids corporel santé au moyen d'une diète où la consommation alimentaire (apport calorique) correspond à la dépense énergétique.	2. Le Régime minceur vous aidera à atteindre et maintenir votre poids idéal en normalisant la façon dont votre organisme utilise les calories que vous ingérez. Demeurez actif physiquement, et ne consommez

[1] Condensé de : The U.S. Surgeon General's *Report on Nutrition and Health*; The U.S. Department of Agriculture and the Department of Health and Human Services : *Report on Dietary Guidelines for Americans*; American Heart Association : *Eating plan for Healthy Americans*.

jamais, jamais d'aliments riches en glucides à l'extérieur des 60 minutes de votre repas-récompense quotidien.

3. Augmenter la consommation de sucres complexes et de fibres en consommant des aliments complets, céréales entières, des fruits et des légumes.

3. Le Régime minceur est un régime riche en fibres. Assurez-vous de manger une salade et des légumes variés lors de vos repas complémentaires. Vos repas-récompenses doivent également comprendre des quantités appréciables de fruits et de légumes et des aliments complets.

4. Réduire la consommation de sodium en choisissant des aliments relativement pauvres en sodium et en limitant la quantité de sel ajoutée lors de la préparation des repas et à table.

4. À chacun de vos repas, il vous sera possible de remplacer vos aliments favoris par des équivalents pauvres en sodium, tels les fromages et autres produits laitiers pauvres en sel. Les produits fumés et salés sont à éviter. Si vous le désirez, limitez les quantités de sel ajoutées à vos plats, lors de la préparation et à table.

5. Les personnes particulièrement vulnérables aux caries dentaires devraient limiter leur consommation d'aliments riches en sucres.

5. Le Régime minceur réduit automatiquement votre consommation d'aliments riches en sucres sauf une fois par jour, soit lors de votre repas-récompense. Si vous êtes sensible aux caries, vous êtes libre de choisir de manger moins d'aliments contenant des glucides durant ce repas.

6. Les femmes devraient augmenter leur consommation d'aliments riches en calcium, en particulier les produits laitiers pauvres en gras.

6. Lors des repas complémentaires, optez pour du fromage pauvre en gras, du poisson en conserve, comme le saumon et les sardines (avec les os) ou le maquereau. Les épinards et les légumes verts (chou frisé, feuilles de moutarde) ainsi que les huîtres et le tofu sont riches en calcium et pauvres en glucides. Lors de vos repas-récompenses, savourez ces aliments riches en calcium et du lait écrémé, du brocoli, des amandes.

7. Les femmes en âge de procréer devraient consommer des aliments riches en fer.

7. Vos repas complémentaires peuvent comprendre du bœuf maigre, de l'agneau, du poulet, de la dinde, des haricots verts et des champignons. Au repas-récompense, consommez, entre autres, des pommes de terre, du maïs soufflé, des pâtes alimentaires, des fruits, des raisins secs ou du riz.

PREMIER JOUR

PETIT-DÉJEUNER

Pain doré antifringale* (page 233)
Cappuccino glacé (page 281), café, thé ou soda allégé

DÉJEUNER

Poisson au citron et aux herbes (page 242)
Brocolis vapeur ou épinards au beurre (ou margarine pauvre en gras)
Pain antifringale* (page 231)
Café, thé ou soda allégé

DÎNER

Votre repas-récompense : en bref, mangez ce dont vous avez envie.

DEUXIÈME JOUR

PETIT-DÉJEUNER

Muffins antifringales légers et aérés* (page 232)
Cappuccino (page 281), thé, café ou soda allégé

DÉJEUNER

Poulet mariné aux herbes
Salade du jardin (page 270), avec vinaigrette de votre choix
(pages 273 et 274)
Mousse au citron (page 281)
Thé glacé (sans sucre), café glacé ou soda allégé

DÎNER

Le moment est venu de prendre un autre repas-récompense.
Mais n'oubliez pas de le compléter en moins de soixante minutes.

---

* Les recettes marquées d'un astérisque sont des recettes antifringales (pauvres en glucides), conçues spécialement pour l'accro aux glucides. Les variétés ordinaires de ces aliments ou recettes sont trop riches en glucides pour être consommées lors des repas complémentaires. Ainsi, durant votre repas complémentaire, veillez à ne *jamais* substituer une variété ordinaire de l'aliment à la recette proposée.

TROISIÈME JOUR

PETIT-DÉJEUNER

Omelette au fromage et aux oignons (page 253)
Saucisses (ou substitut de saucisse sans cholestérol)
Thé, café

DÉJEUNER

Salade de thon (page 257)
Salade du jardin (page 270), avec huile et vinaigre
Thé glacé au citron (sans sucre), café ou soda allégé

DÎNER

Votre repas-récompense peut se constituer de n'importe quelle nourriture, même une nourriture riche en glucides, comme le pain, les pâtes, le riz, les haricots, les pommes de terre et les fruits.

QUATRIÈME JOUR

PETIT-DÉJEUNER

Œufs brouillés (ou substitut sans cholestérol)
Saucisses de porc pauvres en gras (page 251) ou substitut sans cholestérol
Tranches de concombre
Café, thé ou soda allégé

DÉJEUNER

Salade de poulet (page 257)
Fromage brie ou cheddar
Crudités (céleri et poivrons verts ou rouges coupés en lanières, radis et haricots verts) avec la trempette crémeuse et épicée (page 230) ou une vinaigrette
Café, thé ou soda allégé

DÎNER

Prenez un repas-récompense équilibré : consommez des aliments provenant des quatre groupes alimentaires.

CINQUIÈME JOUR

PETIT-DÉJEUNER

Crêpes antifringales* (page 233)
Saucisses épicées (page 252) ou substitut pauvre en gras
Thé ou café

DÉJEUNER

Salade du chef (page 256) avec vinaigrette de votre choix
(pages 273 et 274)

DÎNER

Vous pouvez accompagner votre repas-récompense de bière, de vin ou de spiritueux, mais le breuvage doit être terminé dans les soixante minutes allouées pour le repas.

SIXIÈME JOUR

PETIT-DÉJEUNER

Pain à la cannelle antifringale* (page 232)
Thé ou café

DÉJEUNER

Dinde tranchée ou ailes de dinde
Tranches de concombre, radis et olives
Cornichons à l'aneth

DÎNER

Que diriez-vous d'une salade, suivie de pâtes alimentaires aux boulettes de viande, puis d'un succulent dessert ? Il n'en tient qu'à vous !

SEPTIÈME JOUR

PETIT-DÉJEUNER

Omelette Western (page 253)
Cappuccino (page 281), café, thé ou soda allégé

DÉJEUNER

Filets de poisson et soufflé sauce tartare (page 244)
Légumes et vinaigrette (page 264)
Pain antifringale* (page 231)
Cocktail glacé aux fraises (page 282)
Café, thé ou soda allégé

DÎNER

Votre repas-récompense peut être pris à n'importe quel moment de la journée, pas seulement au dîner. Toutefois, rappelez-vous de ne manger qu'une fois par jour des aliments riches en glucides.

HUITIÈME JOUR

PETIT-DÉJEUNER

Gâteau antifringale au café et à la cannelle* (page 275)
Café, thé ou soda allégé

DÉJEUNER

Légumes au fromage fondu (page 269)
Salade d'épinards (page 271), vinaigrette de votre choix (pages 273 et 274)
Pain antifringale* (page 231)
Café, thé ou soda allégé

DÎNER

Essayez, dans la mesure du possible, de conserver le même horaire de repas chaque jour ; ne variez que lors d'occasions spéciales.

NEUVIÈME JOUR

PETIT-DÉJEUNER

Œufs brouillés (ou substitut sans cholestérol)
Bacon (ou substitut sans cholestérol)
Café, thé ou soda allégé

DÉJEUNER

Poulet rôti ou grillé
Salade du jardin (page 270) avec vinaigrette de votre choix (pages 273 et 274)
Café, thé ou soda allégé

DÎNER

Si vous grignotez tout en préparant votre repas-récompense, le compte à rebours commence dès la première bouchée, et à partir de ce moment, vous avez soixante minutes pour terminer votre repas.

DIXIÈME JOUR

PETIT-DÉJEUNER

Blintz antifringales* (page 280)
Café, thé ou soda allégé

DÉJEUNER

Côtelettes d'agneau
Haricots verts frais, avec trempette Cool Summer* (page 229)
Café, thé ou soda allégé

DÎNER

Mangez autant que vous le désirez, vraiment ! Après tout, il s'agit bien de votre repas-récompense. Alors mangez et profitez-en !

ONZIÈME JOUR

PETIT-DÉJEUNER

Œufs et salami (ou substituts pauvres en cholestérol)
Café, thé ou soda allégé

DÉJEUNER

Salade de fruits de mer (page 258)
Morceaux de céleri et de poivron vert, et tranches de concombre avec vinaigrette crémeuse aux fines herbes (page 274)

Café, thé ou soda allégé

DÎNER

Votre repas-récompense vous attend. Prenez-le, sans culpabilité !

DOUZIÈME JOUR

PETIT-DÉJEUNER

Fromage cottage (ordinaire ou pauvre en matières grasses)
Tranches de concombre fraîches
Café ou thé

DÉJEUNER

Poulet au paprika (page 241)
Céleri garni de fromage à la crème (ordinaire ou pauvre en matières grasses)
Salade du jardin (page 270) avec vinaigrette de votre choix (page 273 et 274)
Café, thé ou soda allégé

DÎNER

Soyez créatif quant à vos repas-récompenses. Rendez-vous par exemple dans un exotique restaurant ethnique ou procurez-vous un nouveau livre de recettes. Expérimentez et amusez-vous !

TREIZIÈME JOUR

PETIT-DÉJEUNER

Omelette au jambon et au fromage (page 254)
Café, thé ou soda allégé

DÉJEUNER

Hot-dogs (ordinaires ou pauvres en lipides, au poulet)
Choucroute
Salade du jardin (page 270) avec vinaigrette de votre choix (pages 273 et 274)
Thé glacé ou soda allégé

DÎNER

Si vous terminez votre repas-récompense en moins de soixante minutes, ne recommencez pas à manger ensuite : ce repas doit être pris d'une traite.

QUATORZIÈME JOUR

PETIT-DÉJEUNER

Soufflée pour petit-déjeuner* (page 255)
Cappuccino (page 281???), café, thé ou soda allégé

DÉJEUNER

Crevettes épicées aux champignons (page 247)
Haricots verts vapeur, avec beurre (ou margarine pauvre en cholestérol)

DÎNER

Ne sautez pas votre repas-récompense en espérant ainsi maigrir plus vite, vous auriez tort. Le régime produira les résultats que vous souhaitez si vous lui laissez le temps qu'il faut.

13

RECETTES

pour les repas complémentaires

L'un des aspects fondamentaux du Régime minceur consiste à ne manger qu'une fois par jour des aliments riches en glucides, soit pendant l'heure réservée au repas-récompense. En outre, les collations entre les repas sont interdites, alors que la consommation d'aliments riches en fibres, pauvres en lipides et en glucides est encouragée lors des repas complémentaires, comme il est expliqué dans le Guide du Régime minceur (page 96).

Les recettes qui suivent vous sont proposées dans le but de faciliter la planification de vos menus ; elles ne constituent pas les seules recettes permises pour vos repas complémentaires. (N'hésitez pas à consulter les exemples de menus à la page 216.)

Lors de la planification de vos repas, si vous avez des doutes concernant la teneur en glucides d'un aliment, référez-vous à la table des aliments (page 111).

Rappelez-vous, vos repas complémentaires doivent comprendre des portions moyennes (de 80 à 110 grammes environ) de viande, de poisson ou de volaille ; ou 60 grammes de fromage, et autour de 450 grammes de légumes ou de salade avec jusqu'à 30 millilitres de vinaigrette ou une noix ou deux de beurre ou de margarine. Les mets complémentaires seront grillés, bouillis, sautés, cuits au four, pochés, rôtis ou frits. Cependant, aucune chapelure ni pâte à frire ne doit être utilisée.

Il vous est aussi permis de prendre un dessert pauvre en glucides lors de votre repas complémentaire. Mais réservez les fruits à votre repas-récompense.

Les recettes sont organisées en plusieurs sections : les hors d'œuvre (page 225), les pains et les pâtisseries (page 231), les plats principaux (page 235), les légumes et les salades (page 259), et les desserts et les breuvages (page 275).

Là où nous l'avons jugé approprié, nous avons ajouté aux ingrédients ordinaires d'une recette leurs équivalents pauvres en lipides et en cholestérol. Cela permettra d'ajuster ces recettes aux régimes pauvres en lipides et en cholestérol.

De plus, prenez note que plusieurs des plats principaux donnent de deux à trois portions – vous remarquerez l'indication au début de chaque recette. Si vous préparez ces recettes pour vous seul, vous pourrez soit réduire les ingrédients de moitié, soit réfrigérer les portions restantes pour vos repas subséquents. Vous choisirez peut-être d'apporter ces plats au travail et de les réchauffer au four à micro-ondes, comme le font tant d'adeptes du Régime minceur.

Enfin, n'oubliez pas, les suggestions de recettes que vous trouverez dans les prochaines pages sont destinées à vos repas complémentaires. Mais durant votre heure quotidienne de repas-récompense vous n'êtes nullement tenu de vous limiter à des aliments complémentaires.

HORS D'ŒUVRES

CANAPÉS AU SAUMON

Donne 10 canapés

30 g (1 once)	saumon en conserve, égoutté
30 g (1 once)	fromage à la crème ou substitut pauvre en gras, ramolli
5 ml (1 c. à thé)	aneth ou persil frais, haché
1	concombre
	quelques feuilles de laitue pour tapisser le fond d'une assiette de service (facultatif)
	quelques tiges de céleri, du radis et des olives noires ou vertes pour garnir (facultatif)

1. Mélanger le saumon, le fromage à la crème et l'aneth. Placer au réfrigérateur au moins 1 heure.
2. Entre-temps, peler et couper le concombre en 20 tranches. Sécher à l'aide d'un papier essuie-tout.
3. Étaler le mélange de saumon sur la moitié des tranches de concombre, puis couvrir avec les tranches restantes pour créer de petits sandwichs.

Si vous le désirez, servez sur un nid de laitue et garnissez de tiges de céleri, de radis et d'olives noires ou vertes.

CANAPÉS À LA DINDE, AU FROMAGE ET AU CONCOMBRE

Donne 10 canapés

60 g (2 onces)	dinde tranchée mince
60 g (2 onces)	fromage tranché mince, suisse, munster ou cheddar
1	concombre
	moutarde de Dijon
	quelques feuilles de laitue pour tapisser le fond d'une assiette de service (facultatif)
	quelques petits cornichons à l'aneth et olives noires ou vertes pour garnir (facultatif)

1. Couper la dinde et le fromage en petits morceaux.
2. Peler et couper le concombre en 20 tranches. Sécher à l'aide d'un papier essuie-tout.
3. Tartiner d'un peu de moutarde la moitié des tranches de concombre. Déposer quelques morceaux de dinde et de fromage sur chacune d'elles.
4. Couvrir avec les tranches restantes de manière à obtenir de mini sandwichs.

Si vous le désirez, servez les canapés sur un nid de laitue, et accompagnez de cornichons à l'aneth et d'olives noires ou vertes.

GARNITURES DE FROMAGE À LA CRÈME POUR CÉLERI

Ces mélanges crémeux garnissent délicieusement les branches de céleri ou les feuilles de laitue croquantes.

GARNITURE 1 : Poisson et concombre

Donne environ 125 ml (1/2 tasse)

45 g (1 1/2 onces)	fromage à la crème ou substitut pauvre en gras, ramolli
8 ml (1 1/2 c. à thé)	crème sure ou substitut pauvre en gras
30 g (1 once)	thon en conserve, saumon en conserve ou anchois
	poudre d'ail ou poivre moulu au goût
30 ml (2 c. à table)	concombre haché
10	branches de céleri ou 5 feuilles de laitue croquantes

Bien mélanger ensemble le fromage à la crème et la crème sure. Émietter le thon ou le saumon, ou hacher les anchois. Incorporer le poisson au mélange avec la poudre d'ail ou le poivre et le concombre haché en remuant. Garnir les branches de céleri avec le mélange ou envelopper celui-ci dans les feuilles de laitue croquantes.

GARNITURE 2 : Fromage italien aux fines herbes

Recette pour plusieurs repas ou pour une réception. Si vous le désirez, réduisez les ingrédients de moitié.

Donne environ 125 ml (1/2 tasse)

45 g (1 1/2 onces)	fromage à la crème ou substitut pauvre en gras, ramolli
8 ml (1 1/2 c. à thé)	crème sure ou substitut pauvre en gras
60 ml (1/4 tasse)	parmesan ou romano râpé
1 ml (1/4 c. à thé)	marjolaine
1 ml (1/4 c. à thé)	origan
	poudre d'ail ou poivre moulu au goût
10	branches de céleri ou 5 feuilles de laitue croquantes

Combiner tous les ingrédients, à l'exception de la laitue et du céleri, et bien mélanger. Garnir les branches de céleri avec le mélange ou envelopper celui-ci dans les feuilles de laitue croquantes.

GARNITURE 3 : Cheddar et moutarde

Cette recette donne une quantité suffisante de canapés pour plusieurs services.

Donne environ 125 ml (1/2 tasse)

45 g (1 1/2 onces)	fromage à la crème ou substitut pauvre en gras, ramolli
60 ml (1/4 tasse)	cheddar râpé
8 ml (1 1/2 c. à thé)	crème sure ou substitut pauvre en gras
5 ml (1 c. à thé)	moutarde de Dijon ou moutarde préparée
10	tiges de céleri ou 5 feuilles de laitue croquantes

Bien mélanger ensemble tous les ingrédients, à l'exception de la laitue ou du céleri. Garnir les branches de céleri avec le mélange ou envelopper celui-ci dans les feuilles de laitue croquantes.

FROMAGE AU TOFU ET À L'AIL

Servez ce fromage à teneur réduite en matières grasses comme hors-d'œuvre avec des morceaux de légumes tels que la courge d'été, la courgette et le concombre. Ou savourez-le au déjeuner, servi en tranches, sur un nid de laitue, comme mets principal.

Donne 310 ml (1 1/4 tasse)

250 ml (1 tasse)	tofu écrasé
60 ml (1/4 tasse)	basilic, persil ou thym frais, haché
4	gousses d'ail
19 ml (1 c. à table + 1 1/2 c. à thé)	jus de citron ou de lime frais
34 ml (2 c. à table + 1 1/2 c. à thé)	crème sure ou substitut faible en gras
2 - 3 gouttes	de sauce Tabasco (facultatif)
	poivre moulu, au goût (facultatif)
180 ml (3/4 tasse)	fromage romano fraîchement râpé

1. Envelopper le tofu dans une serviette propre et tordre pour en extraire le surplus d'humidité. Écraser le tofu à la fourchette.
2. Au mélangeur ou au robot culinaire, hacher moyennement fin le basilic et les gousses d'ail.
3. Incorporer le tofu et le fromage râpé au mélange et mélanger jusqu'à l'obtention d'une consistance lisse. Verser le mélange dans un bol, couvrir et réfrigérer plusieurs heures.
4. Retirer du réfrigérateur. Façonner le mélange en une bûche d'environ 15 cm de longueur. Envelopper dans une pellicule de plastique et réfrigérer pour la nuit.

TREMPETTE AU SAUMON FUMÉ

Utilisez cette trempette comme garniture sur des branches de céleri ou servez-la avec des morceaux de légumes crus (poivrons, courges d'été, concombres, chou-fleur), ou tartinée sur des feuilles de laitue, roulées en cylindre.

Donne environ 180 ml (3/4 tasse)

2	tranches de saumon fumé (environ 30 g ou 1 once)
85 g (3 onces)	fromage à la crème ou substitut faible en gras, ramolli
30 ml (2 c. à table)	mayonnaise ou substitut faible en cholestérol

1. Émietter le saumon fumé.
2. Dans un bol, combiner le fromage à la crème et la mayonnaise, bien mélanger. Ajouter le saumon émietté en remuant. Garnir les branches de céleri ou servir avec des légumes crus.

TREMPETTE À LA MOUTARDE ET AU TOFU

Cette trempette épicée, excellente source de protéines, accompagne bien les légumes vapeur ou crus.

Donne environ 125 ml (1/2 tasse)

125 ml (1/2 tasse)	tofu écrasé
90 ml (6 c. à table)	moutarde de Dijon ou moutarde préparée
90 ml (6 c. à table)	huile d'olive ou végétale polyinsaturée
45 ml (3 c. à table)	vinaigre de vin blanc
2 sachets	d'édulcorant artificiel

Combiner tous les ingrédients dans un mélangeur ou un robot culinaire et mélanger jusqu'à l'obtention d'une consistance crémeuse et homogène.

Servez avec des légumes vapeur tels l'asperge ou le haricot vert, ou avec des légumes crus comme le fenouil, les champignons, le céleri, l'échalote, la courge d'été, la courgette, le navet ou le concombre.

TREMPETTE *COOL SUMMER*

Servez-la avec des branches de céleris, des tranches de concombres, des lanières de poivrons verts ou rouges, des champignons, ou des morceaux de chou-fleur. Ou mélangez-la à du chou haché finement pour créer une salade de chou au goût frais.

Donne environ 125 ml (1/2 tasse)

125 ml (1/2 tasse)	crème sure ou substitut faible en gras
10 ml (2 c. à thé)	basilic frais haché finement
ou 5 ml (1 c. à thé)	basilic sec
1 ml (1/4 c. à thé)	poudre d'ail

Combiner tous les ingrédients, bien mélanger.

SAUCE-TREMPETTE À LA MOUTARDE ET AU RAIFORT

Cette trempette est savoureuse avec les légumes, mais on peut aussi la servir comme sauce avec le poulet rôti, les poissons ou les viandes.

Donne environ 250 ml (1 tasse)

125 ml (1/2 tasse)	crème sure ou substitut faible en gras
125 ml (1/2 tasse)	moutarde de Dijon
10 ml (2 c. à thé)	raifort (ou selon votre goût)

Bien mélanger ensemble la crème sure, la moutarde et le raifort. Couvrir et mettre au réfrigérateur.
Servez avec des légumes crus ou vapeur, en particulier avec des haricots verts, des pointes d'asperges, des branches de céleri, des poivrons rouges ou verts, et des tranches de fenouil, de courge d'été, de courgette ou de concombre.

SAUCE-TREMPETTE CRÉMEUSE ÉPICÉE

Servez-la en trempette, avec des légumes ou de la volaille, ou comme sauce à salade.

Donne environ 250 ml (1 tasse)

250 ml (1 tasse)	fromage cottage ordinaire ou à faible teneur en matières grasses
30 ml (2 c. à table)	lait entier ou écrémé
15 ml (1 c. à table)	raifort
1 ml (1/4 c. à thé)	poivre moulu
3 gouttes	de sauce Tabasco

Mélanger les ingrédients dans un mélangeur ou un robot culinaire. Battre jusqu'à consistance crémeuse. Couvrir et réfrigérer.
Utilisez comme trempette avec des légumes vapeur, tels que les haricots verts et les asperges, ou avec des légumes crus en morceaux, tels que les champignons, les poivrons rouges ou verts, la courge d'été, la courgette, le concombre et le fenouil.

SAUCE-TREMPETTE PARFUMÉE AUX HERBES

Dégustez cette sauce avec des morceaux de poulet ou des légumes crus, ou allongez-la avec un peu d'eau et servez-la sur une salade du jardin.

Donne environ 250 ml (1 tasse)

125 ml (1/2 tasse)	mayonnaise
60 ml (1/4 tasse)	crème sure ou substitut faible en gras

30 ml (2 c. à table)	jus de citron frais
30 ml (2 c. à table)	persil haché frais
15 ml (1 c. à table)	échalotes hachées
15 ml (1 c. à table)	estragon haché finement
ou 5 ml (1 c. à thé)	estragon sec
15 ml (1 c. à table)	ciboulette hachée fraîche
ou 5 ml (1 c. à thé)	ciboulette sèche
1	petite gousse d'ail, hachée finement
1	filet d'anchois, haché finement (facultatif)
	sel et poivre moulu, au goût (facultatif)

1. Combiner la mayonnaise, la crème sure et le jus de citron, et bien mélanger. Incorporer le persil, les échalotes, l'ail, et la ciboulette (et les anchois) en remuant. Bien mélanger et assaisonner de sel et de poivre, selon votre goût.
2. Couvrir et placer au réfrigérateur pendant plusieurs heures, si possible, afin de permettre à la saveur de se développer.

PAINS ET PÂTISSERIES

PAIN ANTIFRINGALE

Un substitut inhabituel mais non moins délicieux aux pains riches en glucides. Savourez-le avec du beurre, de la margarine ou des confitures à teneur réduite en glucides.

Donne un petit pain (environ 10 X 17 cm) ou 2 ou 3 portions

3	œufs
3 ml (1/2 c. à thé)	crème de tartre
60 ml (1/4 tasse)	fromage cottage ordinaire ou à 1 % de M.G.
30 ml (2 c. à table)	farine de soja[1]
1 sachet	d'édulcorant artificiel
	huile végétale polyinsaturée, beurre ou huile en aérosol

1. Préchauffer le four à 150 °C (300 °F). Graisser un petit moule à pain avec du beurre, de l'huile végétale polyinsaturée ou de l'huile en aérosol.

[1] On peut se procurer de la farine de soja dans tout bon magasin d'aliments naturel.

2. Battre les blancs d'œufs au batteur électrique pour obtenir une consistance mousseuse. Ajouter la crème de tartre et battre jusqu'à l'obtention d'un mélange ferme mais non moins humide.
3. Combiner les jaunes d'œufs, le fromage cottage, la farine de soja et l'édulcorant et incorporer au mélange de blancs d'œufs. Ne pas mélanger exagérément.
4. Verser le mélange dans le moule et mettre au four préchauffé pour 40 à 45 minutes ou jusqu'à ce que le pain soit doré et reprenne sa forme après une pression.

VARIATIONS :
Pour réaliser un pain à la cannelle, mélangez 3 ml (1/2 c. à thé) de cannelle à la farine de soja avant d'ajouter cette dernière aux autres ingrédients.

Enfin, pour obtenir un pain aux oignons et à la sarriette, faites revenir 60 ml (1/4 tasse) d'oignons dans du beurre, de l'huile végétale polyinsaturée ou de la margarine. Refroidissez et épongez l'excédent de matière grasse à l'aide d'un papier essuie-tout. Incorporez les oignons au mélange avant de verser le tout dans le moule.

MUFFINS ANTIFRINGALES LÉGERS ET AÉRÉS

Cette recette vous donnera un muffin aéré au goût semblable à celui d'un chausson. Consommez chaud ou froid, accompagné de beurre, de margarine, de fromage à la crème ou de confitures à teneur réduite en glucides.

Donne 8 muffins ou 4 portions

8 ml (1/2 c. à table)	huile végétale polyinsaturée
4	œufs
3 ml (1/2 c. à thé)	crème de tartre
60 ml (1/4 tasse)	fromage cottage ordinaire ou à 1 % de M.G.
30 ml (2 c. à table)	farine de soja
1 sachet	d'édulcorant artificiel

1. Préchauffer le four à 150 °C (300 °F). Enduire des moules à muffins d'un peu d'huile végétale (ou beurre, margarine ou huile en aérosol).
2. Séparer soigneusement les œufs, de sorte qu'aucune partie des jaunes ne se retrouve avec les blancs.

3. Au batteur électrique, faire monter les blancs d'œufs en neige. Ajouter la crème de tartre et continuer de battre jusqu'à consistance ferme.
4. Mélanger les jaunes d'œufs, le fromage cottage, la farine de soja et l'édulcorant, puis incorporer au mélange de blancs d'œufs. Bien mélanger.
5. Remplir au 2/3 chaque moule à muffin. Mettre au four et faire cuire environ 30 minutes ou jusqu'à ce que les muffins soient dorés et reprennent leur forme après une pression.

VARIATION :
Pour obtenir des muffins aux épices, mélangez 3 ml (1/2 c. à thé) de cannelle, 3 ml (1/2 c. à thé) de gingembre moulu et 0,5 ml (1/8 c. à thé) de poudre de clous de girofle avec la farine de soja avant de l'incorporer aux jaunes d'œufs.

PAIN DORÉ ANTIFRINGALE

Donne 1 portion

1	œuf
5 ml (1 c. à thé)	crème
2	tranches de pain antifringale (page 231)

1. Dans un bol, battre légèrement l'œuf et la crème
2. Graisser une poêle à frire (ou un gaufrier) avec au plus 5 ml (1 c. à thé) d'huile végétale, de beurre, de margarine ou d'huile en aérosol et la mettre sur le feu jusqu'à ce qu'elle soit chaude mais non fumante.
3. Tremper les tranches de pain dans le mélange, déposer dans la poêle et faire dorer de chaque côté.

Servez ce succulent petit-déjeuner chaud avec du beurre ou de la margarine et une portion de notre sirop antifringale aux fruits (voir ci-après), de confitures à faible teneur en glucides, de sirop à faible teneur en glucides ou une pincée de cannelle.

CRÊPES ANTIFRINGALES

Servez ce petit régal avec du beurre ou de la margarine et un peu de sirop aux fruits (voir ci-après). Ce petit-déjeuner s'accompagne bien de bacon, de saucisse, de jambon ou d'un substitut de viandes à déjeuner faible en cholestérol.

Donne 2 portions ou 4 à 6 crêpes de 8 cm de diamètre

2	blancs d'œufs
3 ml (1/2 c. à table)	crème de tartre
1	jaune d'œuf
250 ml (1 tasse)	fromage cottage ordinaire ou à 1 % de M.G.
15 ml (1 c. à table)	farine de soja
1/2 sachet	d'édulcorant artificiel
	beurre, margarine ou huile végétale polyinsaturée, pour le graissage du moule

1. Faire monter les blancs d'œufs en neige. Ajouter la crème de tartre et continuer de battre jusqu'à consistance ferme.
2. Mélanger les jaunes d'œufs, le fromage cottage, la farine de soja et l'édulcorant. En remuant, incorporer lentement le mélange aux blancs d'œufs.
3. Graisser légèrement une poêle à frire (ou un gaufrier) avec au plus 5 ml (1 c. à thé) d'huile végétale, de beurre, de margarine ou d'huile en aérosol et la mettre sur le feu jusqu'à ce qu'elle soit chaude mais non fumante.
4. Verser la pâte dans la poêle chaude de manière à former des crêpes d'environ 8 cm de diamètre. Faire cuire environ 2 minutes ou jusqu'à ce que ce soit doré, puis renverser la crêpe et faire dorer l'autre côté.

SIROP ANTIFRINGALE AUX FRUITS

Ce sirop complète merveilleusement les crêpes (ci-dessus) et le pain doré (page 233).

Donne 250 ml (1 tasse)

125 ml (1/2 tasse)	eau
125 ml (1/2 tasse)	confitures à faible teneur en glucides (par exemple, fraises, framboises, prunes ou marmelade)

Faire chauffer l'eau dans une casserole. Ajouter les confitures à l'eau frémissante, une cuillère à table à la fois, en remuant constamment. Chauffer 2 ou 3 minutes à feu moyen.

Note : Utilisez n'importe quelle marque de confiture à faible teneur en glucides, à condition qu'elle contienne moins de 4 grammes de glucides par portion moyenne.

CRÊPES-REPAS ANTIFRINGALES

Pour transformer ces crêpes minces en un plat principal, garnissez-les de l'une des recettes suivantes : céleri, chou-fleur ou épinards à la crème (page 262), champignons à la crème (page 268) ou légumes gratinés (page 269).

Donne 4 crêpes ou 2 portions

2	œufs
1 ml (1/4 c. à thé)	crème de tartre
30 ml (2 c. à table)	fromage cottage à petits grains ou à 1 % de M.G.
15 ml (1 c. à table)	crème sure
	huile végétale polyinsaturée ou vaporisateur d'huile en aérosol,

1. Séparer soigneusement les œufs, de sorte qu'aucune partie des jaunes ne se retrouve avec les blancs.
2. Dans un bol, battre les blancs d'œufs et la crème de tartre jusqu'à l'obtention d'une consistance ferme.
3. Combiner le fromage cottage, les jaunes d'œufs et la crème sure, bien mélanger. En remuant, incorporer lentement le mélange aux blancs d'œufs.
4. Graisser légèrement un gaufrier ou une poêle à frire avec un peu d'huile végétale, de beurre, de margarine ou d'huile en aérosol et mettre à chauffer à feu moyen.
5. Verser environ 30 ml (2 c. à table) de pâte dans la poêle chaude pour chaque crêpe. Cuire à feu moyen jusqu'à ce que le dessous soit doré, puis renverser la crêpe et faire dorer l'autre côté.

VOLAILLE, POISSONS, VIANDES ET ŒUFS

POULET À LA LIME ET À L'AIL

Voici un excellent dîner, léger lorsqu'on le sert avec une salade, mais plus copieux lorsqu'on l'accompagne de crêpes au chou-fleur (page 262) et de salade de chou (page 259).

Donne 4 portions

4	grosses demi-poitrines de poulet, sans la peau
60 ml (1/4 tasse)	bouillon de poulet ou de légumes
1 gousse	d'ail
	jus d'une demi-lime

1. Ajuster la lèchefrite de manière à ce que la viande rôtisse à 12, 15 cm environ de l'élément chauffant.
2. Disposer les morceaux de poulet dans une casserole peu profonde. Verser le jus de lime et le bouillon sur le poulet; bien enduire les morceaux sur toutes leurs faces.
3. Trancher l'ail et le parsemer sur le poulet.
4. Faire rôtir le poulet 15 à 20 minutes, jusqu'à ce que le jus qui s'écoule de la chair du poulet soit clair lorsqu'une fourchette y est enfoncée. Ne pas trop cuire.

Servez seul ou rehaussez d'une sauce comme la sauce-trempette à la moutarde et au raifort (page 229).

POULET CROUSTILLANT

Délicieux chaud comme froid. Doublez la recette, si vous le désirez, et utilisez le surplus pour préparer d'autres plats.

Donne 2 portions

4	morceaux de poulet
15 ml (1 c. à table)	huile de sésame, d'olive ou végétale polyinsaturée
15 ml (1 c. à table)	sauce soja
1 gousse	d'ail, hachée finement
15 ml (1 c. à table)	gingembre frais haché finement

5. Préchauffer le four à 175 °C (350 °F).
6. Assécher les morceaux de poulet à l'aide de papier essuie-tout.
7. Dans un bol, bien mélanger l'huile, la sauce soja, l'ail et le gingembre (au choix). Tremper les morceaux de poulet dans le mélange, tout en remuant.
8. Disposer les morceaux de poulet sur une plaque à biscuit. Faire cuire 45 minutes ou jusqu'à ce que le jus qui s'écoule de la chair du poulet soit clair lorsqu'une fourchette y est enfoncée.

Bien que ce poulet soit fort délicieux servi seul, on peut aussi l'accompagner de la sauce-trempette crémeuse épicée (page 230).

POULET GRILLÉ (SAUCES VARIÉES)

Le poulet grillé nature se sert d'une multitude de façons, chaud ou froid. Avec les portions non consommées, vous pouvez faire une salade de poulet le lendemain.

Donne 2 portions

2	quarts de poulet (cuisses et poitrines)
15 ml (1 c. à table)	huile végétale polyinsaturée, beurre ou margarine
1 gousse	d'ail tranchée en deux
5 ml (1 c. à thé)	jus de citron
	sel et poivre au goût

1. Ajuster la lèchefrite de manière à ce que la viande rôtisse à 12,15 cm environ du gril. Préchauffer le grilloir.
2. Rincer le poulet et assécher à l'aide d'un papier essuie-tout. Écorcher le poulet si désiré. Enduire la peau ou la chair du poulet de beurre ou d'huile. Frotter les morceaux de poulet avec l'ail. Arroser de jus de citron et assaisonner de sel et de poivre, au goût.
3. Placer le poulet dans une casserole peu profonde, le côté charnu vers le bas. Faire griller environ 15 minutes en arrosant de temps à autre avec le jus qui se sera accumulé au fond de la casserole.
4. Renverser les morceaux de poulet et faire griller l'autre côté 15 à 20 minutes ou jusqu'à ce que le jus qui s'écoule de la chair du poulet soit clair lorsqu'une fourchette y est enfoncée.

Servez seul ou avec une sauce, comme la sauce hollandaise (voir recette ci-après), la sauce-trempette à la moutarde et au raifort (page 230), sauce-trempette crémeuse épicée (page 230) ou la sauce-trempette parfumée aux herbes (page 230).

SAUCE HOLLANDAISE

Cette version de la sauce hollandaise – faite d'œufs entiers ou d'un substitut faible en cholestérol, au lieu des seuls jaunes d'œufs – est un accompagnement classique pour les volailles, les poissons, les viandes et les légumes cuits au naturel.

Donne 250 ml (1 tasse)

2	œufs (ou substitut faible en cholestérol)
30 ml (2 c. à table)	jus de citron
80 ml (1/3 tasse)	beurre non salé ou margarine, fondu et chaud
	quelques gouttes de sauce Tabasco ou une pincée de piment rouge moulu

Combiner les œufs (ou le substitut), le jus de citron et la sauce Tabasco (ou le piment rouge moulu) et mélanger brièvement au batteur électrique. En battant à vitesse moyenne, incorporer peu à peu le beurre ou la margarine fondu. Aussitôt terminé, retirer le batteur du mélange.

Normalement, on sert la sauce hollandaise dès qu'elle est prête, néanmoins, on peut la laisser reposer jusqu'à dix minutes dans un bain-marie.

POULET À LA SAUGE ET AU PARMESAN

Ce plat relevé est délicieux chaud comme froid, on peut donc facilement en apporter pour le repas du midi.

Donne 2 portions

2	quarts de poulet
125 ml (1/2 tasse)	bouillon de poulet
1 ml (1/4 c. à thé)	sauge
	poivre noir moulu, au goût
60 ml	fromage parmesan ou romano fraîchement râpé

1. Préchauffer le four à 175 °C (350 °F).
2. Rincer le poulet et placer dans une casserole peu profonde. Verser le bouillon sur le poulet, puis parsemer de sauge et d'un peu de poivre. Recouvrir d'un couvercle ou de papier d'aluminium et faire cuire environ 45 minutes.
3. Retirer le couvercle et saupoudrer le poulet du fromage râpé. Laisser cuire encore 15 minutes ou jusqu'à ce que le jus qui s'écoule de la chair du poulet soit clair lorsqu'une fourchette y est enfoncée.

POULET SAUCE AUX CHAMPIGNONS

Vous trouverez nourrissant et satisfaisant ce plat de poulet sauce crémeuse aux champignons pauvre en cholestérol.

Donne 2 portions

2	demi-poitrines de poulet, sans la peau
30 ml (2 c. à table)	huile d'olive ou huile végétale polyinsaturée
250 ml (1 tasse)	champignons frais tranchés
30 ml (2 c. à table)	oignons hachés
1 gousse	d'ail hachée finement
500 ml (2 tasses)	crème sure ou substitut faible en cholestérol
30 ml (2 c. à table)	romarin émietté ou basilic
	poivre noir moulu, au goût
250 ml (1 tasse)	bouillon de poulet ou de légumes

1. Faire chauffer l'huile dans une poêle à frire jusqu'à ce qu'elle soit chaude mais non fumante.
2. Ajouter les demi-poitrines et faire cuire en tournant fréquemment, jusqu'à ce qu'elles soient dorées et que le jus qui s'écoule de la chair du poulet soit clair lorsqu'une fourchette y est enfoncée.
3. Retirer le poulet de la poêle et le mettre de côté. Mettre les champignons, les oignons et l'ail dans la poêle et faire revenir jusqu'à ce que les champignons aient rendu leur jus.
4. Remettre le poulet dans la poêle. Incorporer la crème sure en remuant, puis le romarin (ou le basilic) et le poivre noir, au goût.
5. Remuer le bouillon et laisser mijoter à feu très doux 3 ou 4 minutes.

POULET MARINÉ AUX HERBES

Cette recette s'accompagne merveilleusement des concombres à la crème sure (page 263). Obtenez des résultats tout aussi savoureux en substituant des ailes de poulet ou de dinde aux morceaux de poulet.

Donne 2 ou 3 portions

125 ml (1/2 tasse)	huile d'olive ou huile végétale polyinsaturée

60 ml (1/4 tasse)	vinaigre d'estragon
5 ml (1 c. à thé)	sauce soja
45 ml (3 c. à table)	persil frais haché
ou 15 ml (1 c. à table)	persil séché
2	feuilles de laurier
10 ml (2 c. à thé)	basilic ou origan séché
1 ml (1/4 c. à thé)	moutarde séchée
1 ml (1/4 c. à thé)	poivre noir moulu
3-4	morceaux de poulet, sans la peau

1. Dans un bol de verre, combiner tous les ingrédients, à l'exception du poulet, et mélanger jusqu'à l'obtention d'un mélange homogène. Ajouter le poulet et remuer afin que chaque morceau soit bien enduit du mélange. Couvrir ou transférer le tout dans un sac de plastique à fermeture-pression. Réfrigérer pour la nuit ; remuer ou retourner le sac de temps à autre.
2. Préchauffer le four à 175 °C (350 °F).
3. Mettre le poulet et la marinade dans une casserole.
4. Cuire au four environ 45 minutes. Retourner les morceaux de poulet une fois durant la cuisson. Enfoncer une fourchette dans un morceau de poulet pour en vérifier la cuisson : le poulet est prêt lorsque le jus qui s'écoule de sa chair est clair.

POULET MARINÉ À LA MOUTARDE ET À L'AIL

Donne 2 ou 3 portions

3 gousses	d'ail hachées finement
30 ml (2 c. à table)	moutarde de Dijon
60 ml (1/4 tasse)	vinaigre de vin rouge
180 ml (3/4 tasse)	huile d'olive
3-4	morceaux de poulet

1. Dans un pot muni d'un couvercle, combiner l'ail, la moutarde et le vinaigre et agiter vigoureusement afin de bien mélanger.
2. Écorcher le poulet et disposer les morceaux dans un bol suffisamment grand pour les contenir facilement. Verser la marinade sur le poulet
3. Préchauffer le four à 175 °C (350 °F).
4. Mettre le poulet et la marinade dans une casserole.

5. Cuire au four environ 45 minutes. Retourner les morceaux de poulet une fois durant la cuisson. Enfoncer une fourchette dans un morceau de poulet pour en vérifier la cuisson : le poulet est prêt lorsque le jus qui s'écoule de sa chair est clair.

POULET AU PAPRIKA

Donne 3 ou 4 portions

30 ml (2 c. à table)	beurre ou margarine
30 ml (2 c. à table)	huile d'olive ou huile végétale polyinsaturée
15-30 ml (1 à 2 c. à table)	paprika doux
125 ml (1/2 tasse)	oignons hachés
125 ml (1/2 tasse)	poivrons verts ou rouges hachés
1	poulet de 1 à 1,3 kg, coupé en morceaux
500 ml (2 tasses)	bouillon ou consommé de poulet
5 ml (1 c. à thé)	farine
375 ml (1 1/2 tasse)	crème sure ou substitut faible en cholestérol

1. Faire fondre le beurre ou la margarine dans une grosse poêle à feu doux. Ajouter l'huile et le paprika et faire chauffer jusqu'à ce que le liquide soit chaud mais pas fumant. Incorporer les oignons et les poivrons et faire revenir environ 2 minutes.
2. Pousser les oignons d'un côté de la poêle et ajouter les morceaux de poulet, côté charnu vers le bas. Faire cuire environ 3 minutes, jusqu'à ce que la peau commence à dorer.
3. Retourner les morceaux et faire dorer l'autre côté, environ 3 minutes.
4. Incorporer le bouillon de poulet en remuant. Couvrir et laisser mijoter de 45 à 60 minutes, jusqu'à ce que le poulet soit tendre et que le jus qui s'en écoule soit clair lorsqu'une fourchette y est enfoncée. Placer le poulet dans une assiette.
5. Ajouter la farine à la crème sure en remuant, puis verser lentement le mélange dans la poêle.
6. Couvrir la poêle et laisser mijoter à feu doux pendant 3 minutes. Remuer, couvrir à nouveau et laisser mijoter encore 2 minutes. Ne pas porter à ébullition.
7. Verser le mélange crémeux sur les morceaux de poulet.

BURGERS À LA DINDE ET AUX HERBES

Donne de 4 à 6 portions

680 g (1 1/2 livres)	dinde hachée crue
1	œuf
45 ml (3 c. à table)	sauce soja
30 ml (2 c. à table)	marjolaine ou basilic
6 ml (1 1/2 c. à thé)	poudre d'oignon ou d'ail
	poivre noir, au goût (facultatif)
4 - 6	tomates tranchées (facultatif)
4 - 6	feuilles de laitue (facultatif)
4 - 6	cornichons à l'aneth (facultatif)

1. Préchauffer le grilloir.
2. Dans un bol, mélanger la dinde, l'œuf, la sauce soja, la marjolaine, la poudre d'ail et le poivre noir (au choix). Faire de 4 à 6 burgers.
3. Faire griller les burgers environ 10 minutes, en les retournant une fois durant la cuisson.

Si vous le désirez, couvrez chaque burger d'une tranche de tomate. Servez sur une feuille de laitue et accompagnez d'un cornichon à l'aneth.

VARIATIONS :

Faites des « burgers » au fromage en couvrant chaque galette d'une tranche de fromage cheddar, suisse ou d'un substitut à faible teneur en matières grasses.

Ou optez pour un mode de cuisson différent : huilez généreusement l'intérieur d'une poêle à frire avec de l'huile végétale ou un vaporisateur d'huile en aérosol et faites chauffer la poêle jusqu'à ce qu'elle soit chaude mais non fumante. Ajoutez les burgers et faites-les cuire, en les retournant une fois durant la cuisson, jusqu'à ce qu'un jus clair s'en échappe lorsque vous y enfoncez une fourchette.

POISSON AU CITRON ET AUX HERBES

Donne 4 portions

4	filets poisson à chair ferme (tels : perchaude, morue, baudroie, flet)

30 ml (2 c. à table)	huile d'olive ou huile végétale polyinsaturée
60 ml (1/4 tasse)	céleris hachés
30 ml (2 c. à table)	oignons hachés
15 ml (1 c. à table)	aneth ou basilic frais
ou 5 ml (1 c. à thé)	sec
15 ml (1 c. à table)	persil frais haché
8 ml (1 1/2 c. à thé)	zeste de citron râpé
30 ml (2 c. à table)	jus de citron
	sel et poivre noir, au goût (facultatif)

1. Préchauffer le four à 175 °C (350 °F). Huiler légèrement un plat à cuisson avec de l'huile d'olive ou de l'huile végétale polyinsaturée.
2. Rincer les filets de poisson et assécher à l'aide d'un papier essuie-tout.
3. Faire chauffer l'huile dans une poêle à frire à feu moyen. Faire revenir les céleris et les oignons une dizaine de minutes environ. Ajouter le persil, le basilic, le zeste de citron et le jus de citron en remuant. Assaisonner de sel et de poivre, au goût.
4. Disposer les filets de poisson dans le plat à cuisson huilé. Étendre le mélange herbes et citron sur les filets. Cuire de 30 à 40 minutes ou jusqu'à ce que le poisson soit devenu opaque et qu'il s'émiette facilement avec une fourchette.

POISSON À LA CRÈME SURE

Donne 4 portions

4	filets poisson à chair ferme (tels : morue, perche, sole, flet, baudroie)
5 ml (1 c. à thé)	paprika
3 ml (1/2 c. à thé)	poivre noir moulu
3 ml (1/2 c. à thé)	sel
250 ml (1 tasse)	crème sure ou substitut faible en gras

1. Préchauffer le four à 175 °C (350 °F). Huiler légèrement un plat à cuisson avec de l'huile d'olive ou de l'huile végétale polyinsaturée.
2. Rincer les filets de poisson et assécher à l'aide d'un papier essuie-tout.
3. Parsemer chaque filet d'un peu de paprika, de poivre et de sel.

4. Placer les filets de poisson dans une casserole non adhésive et recouvrir de la crème sure.
5. Couvrir la casserole et mettre au four préchauffé. Faire cuire de 20 à 30 minutes, ou jusqu'à ce que la chair s'émiette facilement avec une fourchette.

FILETS DE POISSON ET SOUFFLÉ SAUCE TARTARE

Très savoureux chaud comme froid. Pour un déjeuner d'été, accompagnez d'une rafraîchissante salade du jardin.

Donne 2 à 3 portions

30 ml (2 c. à table)	huile d'olive, beurre fondu ou margarine
2 (environ 340 g ou 3/4 livre)	filets de poisson (tels : sole, perchaude, flet et autres poissons à chair blanche)
1	blanc d'œuf
0,5 ml (1/8 c. à thé)	crème de tartre
60 ml (1/4 tasse)	sauce tartare (page 244)
	poivre noir, au goût

1. Préchauffer le grilloir. Huiler une casserole réfractaire avec un peu d'huile d'olive, d'huile végétale polyinsaturée ou d'huile en aérosol.
2. Rincer les filets de poisson et assécher à l'aide d'un papier essuie-tout.
3. Battre le blanc d'œuf et la crème de tartre jusqu'à l'obtention d'une consistance ferme. Incorporer doucement à la sauce tartare. Ne pas trop mélanger. Mettre de côté.
4. Disposer les filets de poisson dans la casserole huilée. Badigeonner d'huile, de beurre ou de margarine et poivrer, au goût.
5. Faire griller le poisson 4 à 5 minutes de chaque côté. Le poisson est prêt lorsqu'il s'émiette facilement à la fourchette.
6. Verser le mélange de blanc d'œuf sur le poisson et faire griller 1 à 2 minutes de plus, jusqu'à ce que le mélange soit doré et gonflé.

SAUCE TARTARE

Donne environ 60 ml (1/4 tasse) ou 2 portions

60ml (1/4 tasse)	mayonnaise ou substitut faible en cholestérol

1 ml (1/4 c. à thé)	vinaigre à l'estragon
1 ml (1/4 c. à thé)	persil frais haché finement
15 ml (1 c. à table)	cornichon à l'aneth haché finement

Combiner tous les ingrédients, bien mélanger.

SOUFFLÉ AU POISSON

Servez ce plat consistant et succulent avec la sauce hollandaise (page 237).

Donne 3 portions

1	œuf
225 g (1/2 livre)	poisson à chair blanche (tels : morue, sole, flet)
10 ml (2 c. à thé)	beurre
5 ml (1 c. à thé)	farine de soja
155 ml (1/2 tasse + 2 c. à table)	crème riche
1 ml (1/4 c. à thé)	sel
15 ml (1 c. à table)	ciboulette fraîche, grossièrement hachée
	poivre blanc moulu

1. Préchauffer le four à 175 °C (350 °F).
2. Huiler 3 moules à tartelettes ou ramequins avec un peu d'huile d'olive, d'huile végétale polyinsaturée ou d'huile en aérosol.
3. Soigneusement séparer le jaune du blanc de l'œuf et mettre de côté.
4. Hacher finement le poisson au mélangeur ou au robot culinaire.
5. Faire chauffer le beurre dans une casserole à feu moyen. Une fois le beurre fondu, ajouter la farine de soja et 30 ml (2 c. à table) de crème en remuant. Retirer la casserole du feu et incorporer le jaune d'œuf en mélangeant bien. Saler et poivrer, puis ajouter le poisson et mélanger. Laisser refroidir.
6. Battre le blanc d'œuf jusqu'à l'obtention d'une texture ferme. Battre les 125 ml (1/2 tasse) de crème jusqu'à consistance ferme. Incorporer le blanc d'œuf et la crème fouettée au mélange au poisson en remuant.
7. Remplir une grande casserole d'environ 3 cm d'eau.
8. Verser le mélange dans les 3 ramequins huilés. Placer les ramequins dans la casserole. Mettre la casserole au four et faire cuire environ 20 minutes, jusqu'à ce que les mousses soient cuites.

DARNES DE SAUMON SAUCE AU CITRON

Donne 2 portions

125 ml (1/2 tasse)	céleri haché
45 ml (3 c. à table)	huile d'olive ou huile végétale polyinsaturée
30 ml (2 c. à table)	jus de citron frais
5 ml (1 c. à thé)	zeste de citron ou d'orange râpé
30 ml (2 c. à table)	basilic ou aneth frais, haché finement
2	darnes de saumon, environ 225 g (1/2 livre) chacune

1. Préchauffer le four à 160 °C (325 °F).
2. Combiner le céleri, l'huile, le jus de citron, le zeste de citron et le basilic dans une poêle à frire. Faire revenir 2 minutes à feu moyen ; le céleri doit demeurer croquant.
3. Disposer les darnes de saumon dans une casserole peu profonde. Verser le mélange au céleri sur le poisson. Couvrir et faire cuire au four de 20 à 30 minutes. Le poisson est prêt lorsqu'il est devenu opaque et qu'il s'émiette facilement avec une fourchette.

DARNES DE SAUMON POCHÉ AUX FINES HERBES

Un plat raffiné et nourrissant, néanmoins faible en matières grasses, qui ne demande que quelques minutes de préparation.

2 portions

250 ml (1 tasse)	bouillon de poulet
125 ml (1/2 tasse)	eau
3 ml (1/2 c. à thé)	aneth frais haché
1 ml (1/4 c. à thé)	graines d'aneth
1	feuille de laurier
2	darnes de saumon, environ 225 g (1/2 livre) chacune

1. Combiner le bouillon de poulet, l'eau, l'aneth frais, les graines d'aneth et les feuilles de laurier dans une casserole suffisamment grande pour contenir les darnes de saumon. Le mélange devrait tout juste recouvrir le poisson ; au besoin, ajouter de l'eau. Faire bouillir le mélange.
2. Ajouter le saumon et poursuivre la cuisson. Lorsque le mélange recommence à bouillir, réduire le feu et faire mijoter doucement encore

4 ou 5 minutes, jusqu'à ce que le poisson s'émiette facilement à la fourchette.
Présentez le saumon dans des assiettes garnies de tranches de cornichon et de citron. Nappez avec la sauce hollandaise (page 237) ou accompagnez de choux-fleurs au fromage (page 259).

TRUITES AU BACON

Accompagnez ce classique anglais avec une salade du jardin ou une salade de chou (page 259).

Donne 2 portions

4	tranches de bacon maigre
2	petites truites arc-en-ciel fraîches, nettoyées (450 g à 675 g ou 1 livre à 1 1/2 livres chacune)
15 ml (1 c. à table)	persil ou aneth frais, haché
1 ml (1/4 c. à thé)	sel (facultatif)
0,5 ml (1/8 c. à thé)	poivre noir

1. Préchauffer le four à 190 °C (375 °F).
2. Aligner les tranches de bacon dans une casserole.
3. Étendre les truites, ouverture vers le bas, sur le bacon. Parsemer de persil ou d'aneth, assaisonner de sel et de poivre.
4. Bien recouvrir la casserole de papier d'aluminium. Cuire de 20 à 25 minutes, jusqu'à ce que le poisson s'émiette facilement à la fourchette.

Servez dans des assiettes chaudes. Parsemez de persil ou d'aneth haché.

CREVETTES ÉPICÉES AUX CHAMPIGNONS

Un plat succulent, froid comme chaud. Mangez une portion aujourd'hui et gardez-en une autre pour demain. Servez avec une rafraîchissante salade du jardin ou utilisez comme garniture dans la crêpe-repas antifringale (page 235).

Donne 2 portions

225 g (8 onces)	crevettes moyennes
45 ml (3 c. à table)	huile d'olive
125 ml (1/2 tasse)	céleri haché

125 ml (1/2 tasse)	champignons frais, hachés
2 - 3 gouttes	de sauce Tabasco
	sel (au goût)

1. Décortiquer et déveiner les crevettes.
2. Faire chauffer l'huile d'olive à feu vif dans une poêle à frire jusqu'à ce qu'elle soit chaude mais sans la faire brûler.. Ajouter le céleri et faire revenir environ 3 minutes.
3. Réduire le feu à intensité moyenne. Incorporer les crevettes et les faire sauter jusqu'à ce qu'elles soient devenues roses, environ 5 minutes. Ajouter les champignons, remuer. Augmenter l'intensité du feu et faire sauter encore 2 minutes. Ajouter la sauce Tabasco et le sel, au goût.

CREVETTES GRILLÉES À L'INDIENNE

Donne 2 portions

225 g (8 onces)	grosses crevettes
30 ml (2 c. à table)	beurre ou margarine
3 ml (1/2 c. à thé)	safran moulu
1 ml (1/4 c. à thé)	gingembre moulu
1 ml (1/4 c. à thé)	cumin moulu
1 ml (1/4 c. à thé)	coriandre moulue
1 ml (1/4 c. à thé)	sel
	jus d'un demi-citron

1. Placer la lèchefrite à 7 ou 8 cm du gril. Préchauffer le grilloir.
2. Décortiquer et déveiner les crevettes.
3. Faire fondre le beurre dans une petite poêle à frire, puis ajouter le safran, le gingembre, le cumin, la coriandre, le sel et le jus de citron.
4. Disposer les crevettes dans une casserole réfractaire, en une seule couche. Badigeonner les crevettes du mélange au beurre.
5. Placer la casserole au four et faire griller 4 minutes. Retourner les crevettes et poursuivre la cuisson de 2 à 4 minutes de plus, jusqu'à ce que les crevettes soient d'un beau brun doré.

BIFTECK AU POIVRE

Ajouter 1 à 2 tranches de fromage américain et créez un sandwich au bifteck et fromage... sans le pain bien sûr.

Donne 2 portions

225 g (1/2 livre)	surlonge ou bifteck de flanc, paré
30 ml (2 c. à table)	huile d'olive
45 ml (3 c. à table)	oignon haché
1 gousse	d'ail, hachée finement
2	poivrons verts ou rouges, en lanières, épépinés
125 ml (1/2 tasse)	champignons frais tranchés
15 ml (1 c. à table)	sauce soja

1. Assécher la viande à l'aide d'un papier essuie-tout.
2. Faire chauffer l'huile dans un wok ou une sauteuse. Ajouter les oignons et faire brunir à feu moyen, environ 10 minutes. Incorporer l'ail et les poivrons et faire sauter encore 3 minutes.
3. Ajouter le bœuf et faire cuire en remuant constamment, jusqu'à ce que la viande brunisse.
4. Incorporer les champignons et poursuivre la cuisson pendant 2 minutes. Assaisonner avec la sauce soja, puis faire cuire encore une minute en remuant constamment.

BIFTECK MARINÉ À LA JAPONAISE

Donne 2 portions

340 g (3/4 livre)	surlonge ou bifteck de flanc, paré
30 ml (2 c. à table)	sauce soja
1 gousse	d'ail, hachée finement
3 ml (1/2 c. à thé)	gingembre frais haché finement
1/2 paquet	édulcorant artificiel

1. Couper d'abord le bifteck en lanières, puis en morceaux d'environ 4 à 6 cm. Placer dans un bol.
2. Combiner tous les autres ingrédients en mélangeant bien. Verser le mélange sur la viande, remuer. Laisser mariner environ une heure en

remuant de temps en temps de manière à bien enduire tous les morceaux de bifteck.
3. Préchauffer le grilloir.
4. Disposer les morceaux de viande, en une seule couche, dans une casserole. Faire griller à 7 ou 8 cm de l'élément chauffant environ 5 minutes. Badigeonner la viande du mélange, retourner les morceaux, badigeonner à nouveau, puis faire cuire de 3 à 5 minutes de plus, jusqu'à ce que la cuisson vous convienne.

MOUTON EN BROCHETTES

Donne 2 portions

45 ml (3 c. à table)	jus de citron frais
30 ml (2 c. à table)	huile d'olive
5 ml (1 c. à thé)	sauce soja (facultatif)
1 ml (1/4 c. à thé)	origan séché
1 ml (1/4 c. à thé)	thym séché
1 gousse	d'ail, hachée finement
340 g (3/4 livre)	agneau maigre en cubes
1/4	poivrons verts, épépinés, en morceaux de 3 cm de diamètre

1. Dans un bol, combiner tous les ingrédients, à l'exception de l'agneau et des poivrons verts, et bien mélanger. Ajouter l'agneau et remuer de manière à bien l'enduire du mélange. Couvrir, réfrigérer et laisser mariner quelques heures ou toute la nuit, en remuant de temps à autre.
2. Préchauffer le grilloir.
3. Enfiler les cubes de viande et les morceaux de poivron alternativement sur les brochettes.
4. Faire griller les brochettes environ 3 minutes de chaque côté.

BOULETTES DE VIANDE FARCIES AU FROMAGE

Délicieux avec de la salade de chou et une laitue croquante. Ces boulettes de viande sont faciles à emballer et à emporter au travail pour le déjeuner (gardez cependant à l'esprit qu'elles doivent être, comme toute viande, réfrigérées).

Donne 2 à 3 portions

15 ml (1 c. à table)	huile d'olive ou huile végétale polyinsaturée
30 ml (2 c. à table)	oignon coupé en cubes
225 g (8 onces)	bœuf maigre haché ou dinde maigre hachée
15 ml (1 c. à table)	sauce soja
1 ml (1/4 c. à thé)	sauge sèche
115 g (4 onces)	cheddar, suisse ou substitut pauvre en gras, coupé en 8 morceaux

1. Préchauffer le four à 160 °C (325 °F).
2. Graisser un plat à rôtir avec l'huile d'olive ou l'huile végétale polyinsaturée ou encore un vaporisateur d'huile en aérosol.
3. Chauffer de l'huile dans une poêle à frire, à feu moyen, jusqu'à ce qu'elle soit chaude mais non fumante. Ajouter l'oignon, faire sauter et dorer environ 10 minutes.
4. Mélanger l'oignon, le bœuf, la sauce soja et la sauge. Séparer le mélange en 8 portions. Prendre un morceau de fromage et l'enrober d'une partie du mélange pour former une boulette de viande. Répéter l'opération 8 fois.
5. Placer les boulettes de viande dans le plat à rôtir et cuire trente minutes au four.

VARIATION :
Si vous le désirez, vous pouvez aussi faire frire les boulettes de viande dans une poêle où vous aurez versé au préalable 30 ml (2 c. à table) d'huile.

SAUCISSE DE PORC MAIGRE

Se prépare doux ou relevé mais se déguste sans hydrates de carbone et sans gras.

Donne de 20 à 24 bouchées. 1 portion = 2 à 3 bouchées

900 g (2 livres)	porc maigre dégraissé haché menu
15 ml (1 c. à table)	sauge sèche
5 ml(1 c. à thé)	sauce soja
3 ml (1/2 c. à thé)	poivre noir moulu
3 ml (1/2 c. à thé)	basilic sec
3 ml (1/2 c. à thé)	clous de girofle moulus
3 ml (1/2 c. à thé)	noix de muscade moulues
15 ml (1 c. à table)	huile végétale

1. Mettre tous les ingrédients ensemble sauf l'huile et bien mélanger. Séparer le mélange en 20 ou 24 portions et former avec chacune d'elles une bouchée de 4 cm de diamètre environ.
2. Enduire la poêle d'huile végétale ou utiliser un vaporisateur d'huile en aérosol. Chauffer à feu moyen jusqu'à ce qu'elle soit chaude mais non fumante. Déposer le nombre de bouchées désirées dans la poêle et faire cuire à volonté.
3. Retourner une fois au cours de la cuisson pour dorer chaque côté.
4. Congeler les bouchées restantes pour un usage ultérieur.

VARIATION :
Pour préparer une saucisse extra maigre, vous pouvez utiliser de la dinde hachée mélangée avec un œuf au lieu du porc.

SAUCISSES ÉPICÉES

Donne de 20 à 24 bouchées

900 g (2 livres)	porc maigre dégraissé haché menu
5 ml (1 c. à thé)	sauce soja
8 ml (1 1/2 c. à thé)	sauge sèche
5 ml (1 c. à thé)	oignon en poudre ou en flocons
3 ml (1/2 c. à thé)	poudre d'ail
3 ml (1/2 c. à thé)	basilic sec
3 ml (1/2 c. à thé)	clous de girofle moulus
3 ml (1/2 c. à thé)	poivre noir moulu
3 ml (1/2 c. à thé)	poivre de Cayenne
ou 3 - 6 gouttes	de Tabasco

1. Mettre tous les ingrédients ensemble sauf l'huile et bien mélanger. Séparer le mélange en 20 à 24 portions. Former avec chacune d'elles une bouchée de 4 cm de diamètre environ.
2. Enduire la poêle d'huile végétale ou utiliser un vaporisateur d'huile en aérosol. Chauffer à feu moyen jusqu'à ce qu'elle soit chaude mais non fumante.
3. Déposer les bouchées dans la poêle et faire cuire à volonté.
4. Retourner une fois au cours de la cuisson pour dorer chaque côté.
5. Congeler les bouchées restantes pour un usage ultérieur.

Si vous désirez une saucisse extra maigre, remplacez le porc par de la dinde mélangée avec un œuf.

OMELETTE WESTERN

Donne 2 portions

30 ml (2 c. à table)	beurre non salé ou margarine
30 ml (2 c. à table)	poivrons verts en dés
30 ml (2 c. à table)	oignon en dés
30 ml (2 c. à table)	tomate en dés
60 ml (1/4 tasse)	jambon ou dinde maigre, en cubes
15 ml (1 c. à table)	ciboulette ou persil frais (facultatif)
3	œufs ou substitut d'œuf pauvre en gras
15 ml (1 c. à table)	lait
	poivre noir (facultatif)
30 g (1 once)	cheddar, munster, ou substitut de fromage pauvre en gras, tranché mince

1. Chauffer le beurre ou la margarine dans une poêle à frire.
2. Ajouter le poivre vert et l'oignon, faire sauter à feu moyen jusqu'à ce que les poivrons ramollissent et l'oignon deviennent dorés, environ 7 minutes.
3. Jeter la tomate et le jambon. Ajouter au besoin le persil ou la ciboulette.
4. Mettre à feu élevé et cuire le mélange pendant une minute.
5. Retirer le mélange de la poêle en prenant soin d'y laisser le surplus de beurre et d'huile.
6. Mélanger les œufs, le lait et le poivre noir (au choix) et battre légèrement. Verser le mélange dans la poêle. Cuire à feu moyen jusqu'à ce que les bords frémissent. Repousser les bords vers le milieu pour permettre au mélange d'œufs de se répandre au-dessous.
7. Quand les œufs sont devenus plus fermes, déposer le mélange de viande et de légumes ainsi que le fromage sur une moitié de l'omelette. À l'aide d'une spatule replier le second côté de l'omelette sur le premier. Sceller les bords de l'omelette et la déposer ensuite dans une assiette de service. Couper en deux pour servir.

OMELETTE OIGNON FROMAGE

Ce plat fameux est servi chaud avec une saucisse de porc maigre (page 251), du bacon ou encore un substitut de viande à déjeuner pauvre en gras.

Donne 2 portions

3	œufs ou substitut d'œuf pauvre en gras
30 ml (2 c. à table)	lait
30 ml (2 c. à table)	beurre non salé ou margarine ou d'huile en aérosol
30 ml (2 c. à table)	oignon émincé
30 g (1 once)	fromage cheddar, gruyère ou munster tranché mince

1. Mélanger les œufs et le lait et battre ensuite légèrement.
2. Chauffer le beurre dans une poêle à frire. Ajouter l'oignon et faire sauter jusqu'à ce qu'il devienne doré, environ 5 minutes.
3. Verser le mélange d'œufs dans la poêle. Cuire à feu moyen jusqu'à ce que les bords frémissent. Repousser les bords vers le milieu pour permettre au mélange d'œufs de se répandre au-dessous.
4. Quand les œufs sont devenus plus fermes, mettre le fromage sur une moitié de l'omelette. À l'aide d'une spatule, replier le second côté de l'omelette sur le premier. Sceller les bords de l'omelette et la déposer ensuite dans une assiette de service. Couper en deux pour servir.

VARIATION :
Pour obtenir une omelette viande et fromage, vous pouvez remplacer l'oignon par du jambon, de la dinde, de la saucisse, du bacon ou un substitut de viande pauvre en gras.

FLAN AU FROMAGE

Oui, vous pouvez manger de la quiche ou, du moins, une variante sans croûte, le flan. Préparez-le à l'avance pour le petit-déjeuner ou apportez-en une part avec vous pour déjeuner. Si vous désirez faire un repas exceptionnel, de style français, ajoutez des tranches de concombre cru dans de la crème sure légère.

Donne 6 portions

15 ml (1 c. à table)	beurre ou huile végétale polyinsaturée ou vaporisateur d'huile en aérosol
375 ml (1 1/2 tasse)	crème légère ou épaisse
250 ml(1 tasse)	fromage râpé suisse, gruyère, parmesan ou cheddar
10 ml (2 c. à thé)	oignon émincé

1 ml (1/4 c. à thé)	sel
1 ml (1/4 c. à thé)	paprika (facultatif)
4	œufs

1. Préchauffer le four à 160 °C (325 °F). Graisser un moule à tarte avec un peu de beurre, d'huile végétale ou un vaporisateur d'huile en aérosol.
2. Verser la crème dans une casserole et chauffer jusqu'au point d'ébullition (de petites bulles se formeront sur les bords). Réduire à feu doux et ajouter le fromage. Quand le fromage est fondu, ajouter l'oignon, le sel et le paprika (au choix).
3. Retirer la casserole du feu et laisser refroidir brièvement. Battre chaque œuf dans le mélange séparément jusqu'à ce qu'il soit parfaitement incorporé.
4. Verser le mélange dans le moule et cuire environ 45 minutes dans le four préchauffé. La crème devrait être prête lorsqu'elle est ferme.

VARIATION :
Pour obtenir une quiche lorraine mais sans croûte vous pouvez ajouter 4 tranches de bacon cuit émiettées au mélange dans le moule.
Pour préparer un flan aux asperges, blanchissez environ 115 g de pointes d'asperge. Coupez-les en morceaux d'environ 2 cm et incorporez-les au mélange dans le moule.
Pour préparer un flan au jambon, tranchez 60 g de jambon et ajoutez au mélange dans le moule.
Enfin, pour réaliser un flan aux épinards, jetez une 125 ml (1/2 tasse) d'épinards cuits dans le mélange du flan avant de verser dans le moule.

SOUFFLÉ POUR PETIT-DÉJEUNER

Ce plat est savoureux en soi ou peut-être servi avec du bacon, du jambon, de la saucisse ou un substitut de viande pauvre en gras.

Donne 2 portions

2	blancs d'œuf
3 ml (1/2 c. à thé)	crème de tartre
250 ml (1 tasse)	fromage cottage ordinaire ou pauvre en gras
1	jaune d'œuf
1/2 paquet	d'édulcorant artificiel

1. Préchauffer le four à 150 °C (300 °F). Graisser un moule à gâteau de 20 cm de diamètre avec un peu de beurre, d'huile végétale ou un vaporisateur d'huile en aérosol.
2. Battre les blancs d'œuf jusqu'à ce qu'ils montent en neige avec un batteur électrique. Ajouter la crème de tartre et battre pour former des pics fermes. Mélanger le fromage cottage, le jaune d'œuf et l'édulcorant artificiel, bien remuer. Incorporer doucement aux blancs d'œuf en veillant à ne pas mélanger trop vivement.
3. Verser le soufflé dans le moule à gâteau beurré et cuire dans le four préchauffé de 25 à 30 minutes.
4. Allumer le grill, faites brunir le soufflé sur le grill de 2 à 3 minutes en restant vigilant afin qu'il ne brûle pas.

SALADE DU CHEF

La salade du chef, un repas nourrissant qui se suffit en soi et se révèle être un excellent choix pour vos déjeuners faibles en hydrates de carbone.

Donne 2 portions

375 ml (1 1/2 tasse)	laitue romaine, Boston, endives ou feuilles d'épinards, échiquetée
125 ml (1/2 tasse)	poulet cuit coupé à la julienne ou dinde cuite
125 ml (1/2 tasse)	jambon coupé à la julienne ou un substitut pauvre en gras
125 ml (1/2 tasse)	fromage à pâte ferme coupé à la julienne, cheddar, suisse, gruyère, munster, gouda ou édam
1/2 boîte	d'anchois égouttés
	feuilles de laitue pour garnir l'assiette
2	œufs durs coupés en deux
	radis et olives vertes ou noires pour garnir

1. Mettre ensemble la laitue, le poulet, le jambon, le fromage et les anchois.
2. Garnir une assiette ou un bol avec des feuilles de laitue. Ajouter la salade et les œufs durs. Décorer avec les radis et les olives. Assaisonnez à votre goût. Refroidir.

Servez avec une vinaigrette, au goût (voir pages 273-274).

SALADE DE POULET, DE DINDE OU DE THON

Donne 1 portion

250 ml (1 tasse)	poulet ou dinde en cubes ou 1/2 tasse thon à l'eau en boîte, égoutté
250 ml (1 tasse)	céleri en dés
30 ml (2 c. à table)	mayonnaise ou substitut pauvre en gras
30 ml (2 c. à table)	persil sec
5 ml (1 c. à thé)	olives vertes tranchées (facultatif)
5 ml (1 c. à thé)	aneth séché (facultatif)
	Tabasco (facultatif)
30 ml (2 c. à table)	échalotes tranchées
	Feuilles de laitue pour garnir l'assiette (facultatif)

1. Mélanger ensemble tous les ingrédients sauf la laitue. Refroidir jusqu'au moment de servir.
2. Garnir une assiette de service avec des feuilles de laitue (au choix), placer la salade dessus et servir.

SALADE DE THON ET DE JAMBON À LA DIABLE

Donne 2 portions

60 g (2 onces)	jambon maigre finement tranché
125 ml (1/2 tasse)	thon à l'eau en boîte, égoutté
1	œuf dur tranché
30 ml (2 c. à table)	mayonnaise ou substitut pauvre en gras
10 ml (2 c. à thé)	aneth mariné tranché
5 ml (1 c. à thé)	échalotes tranchées
5 ml (1c. à thé)	jus de citron
	Feuilles de laitue pour garnir (facultatif)

1. Mélanger ensemble tous les ingrédients, sauf la laitue, dans un bol. Refroidir jusqu'au moment de servir.
2. Garnir une assiette de service avec des feuilles de laitue (au choix), verser la salade dessus et servir.

SALADE DE FRUITS DE MER, VINAIGRETTE À L'ANETH

Cette salade est rapide à préparer, les fruits de mer qui entrent dans sa composition se prêtant bien à la cuisson au four à micro-ondes.

Donne 3 portions

VINAIGRETTE :

45 ml (3 c. à table)	huile d'olive
15 ml (1 c. à table)	jus de citron
10 ml (2 c. à thé)	aneth frais, haché
5 ml (1 c. à thé)	moutarde de Dijon
	poivre noir, au goût

SALADE :

225 g (8 onces)	crevettes moyennes
115 g (4 onces)	pétoncles géants
115 g (4 onces)	saumon ou autre poisson à chair ferme, coupé en morceaux de 3 cm
60 ml (1/4 tasse)	concombre haché grossièrement
60 ml (1/4 tasse)	céleri ou fenouil tranché
30 ml (2 c. à table)	échalotes
	feuilles de laitue (facultatif)

1. Dans un pot muni d'un couvercle, combiner tous les ingrédients de la vinaigrette et bien agiter.
2. Décortiquer et déveiner les crevettes.
3. Cuisson au four à micro-ondes : Placer les crevettes et les pétoncles dans un plat de verre peu profond. Couvrir de pellicule plastique et cuire à haute intensité environ 2 minutes. Répéter le procédé pour le poisson.
4. Cuisson conventionnelle : Porter une casserole d'eau à ébullition. Ajouter les crevettes et les pétoncles, puis éteindre le feu et laisser reposer environ une minute, jusqu'à ce que les fruits de mer soient devenus opaques. Égoutter.

Placer le poisson dans une marmite à vapeur contenant environ 3 cm d'eau. Couvrir et faire cuire environ 5 minutes, jusqu'à ce que le poisson s'émiette facilement avec une fourchette.

5. Mettre tous les fruits de mer dans un bol. Ajouter le concombre et le céleri (ou fenouil) et les échalotes. Verser la vinaigrette, puis mélanger

doucement mais intégralement. Couvrir et réfrigérer au moins une heure afin que se développe la saveur.
6. Servir sur un nid de laitue.

LÉGUMES ET SALADES

SALADE DE CHOU

Cette salade de chou, qui rivalise avec n'importe quelle autre salade, est un très bon accompagnement pour les déjeuners chauds ou froids.

Donne 2 portions

125 ml (1/2 tasse)	crème sure ou substitut faible en cholestérol
30 ml (2 c. à table)	eau
5 ml (1 c. à thé)	vinaigre de cidre
250 ml (1 tasse)	chou râpé
3 ml (1/2 c. à thé)	graines de céleri
	édulcorant artificiel
5 ml (1 c. à thé)	basilic ou romarin séché (facultatif)

Mélanger la crème sure et l'eau. Ajouter le vinaigre en remuant bien. Incorporer le chou et mélanger. Incorporer les graines de céleri et l'édulcorant artificiel, au goût, et mélanger. Si désiré, assaisonner avec le basilic ou le romarin.

CHOU-FLEUR AU FROMAGE

Un plat aux saveurs se mariant à merveille.

Donne 3 ou 4 portions

1	petit chou-fleur, coupé en fleurettes
45 ml (3 c. à table)	mayonnaise ou substitut faible en cholestérol
60 g (2 onces)	cheddar râpé
	poivre noir, au goût

1. Dans une casserole, verser un centimètre d'eau, déposer le chou-fleur et couvrir. Porter à ébullition et faire cuire 5 minutes.

2. Éteindre le feu. Égoutter. Badigeonner les légumes de mayonnaise et parsemer de fromage râpé. Couvrir et laisser reposer 5 minutes.

CHOU AU GRATIN

Complète bien le jambon et le bœuf en tranches, tout comme le bifteck mariné à la japonaise (page 249).

Donne 2 portions

375 ml (1 1/2 tasse)	chou râpé
60 ml (1/4 tasse)	crème riche
1/2 sachet	d'édulcorant artificiel
1 ml (1/4 c. à thé)	sel
1 ml (1/4 c. à thé)	paprika
45 ml (3 c. à table)	parmesan râpé

1. Préchauffer le four à 160 °C (325 °F). Beurrer un petit plat à cuisson avec le beurre.
2. Placer le chou dans le plat à cuisson.
3. Mélanger la crème, l'édulcorant, le sel et le paprika, puis verser sur le chou. Remuer doucement.
4. Couvrir le plat et faire cuire environ 45 minutes.
5. Retirer le plat du four et allumer le grilloir.
6. Recouvrir le chou de fromage râpé et faire griller 2 ou 3 minutes, jusqu'à ce qu'il ait fondu.

CHOU SAUTÉ

Le chou sauté, riche en vitamines et en calcium, est succulent et copieux lorsqu'il est servi avec une salade mixte. Il est également délicieux, et plus léger, servi simplement avec un peu de crème sure.

Donne 2 portions

15 ml (1 c. à table)	huile d'olive ou huile végétale polyinsaturée
625 ml (2 1/2 tasses)	chou râpé
3 ml (1/2 c. à thé)	ail haché finement ou une pincée de poudre d'ail
1 ml (1/4 c. à thé)	sel

125 ml (1/2 tasse)	crème sure ou substitut faible en cholestérol
	poivre noir ou poivre blanc

7. Préchauffer le four à 190 °C (375 °F). Huiler légèrement un plat à cuisson.
8. Faire chauffer le reste de l'huile dans un poêlon. Ajouter le chou, l'ail, le sel, et le poivre. Faire sauter à feu moyen 3 à 4 minutes.
9. Transférer le mélange dans le plat à cuisson huilé. Verser la crème sure sur le mélange. Faire cuire environ 15 minutes.

SOUFFLÉ AU CHOU-FLEUR

Ces soufflés agrémentent à merveille les déjeuners ou dîners de poisson, viande ou salade.

Donne 10 soufflés individuels ou 3 à 4 portions
(2 à 3 soufflés = 1 portion)

15 ml (1 c. à table)	huile d'olive ou huile végétale polyinsaturée
45 ml (3 c. à table)	oignon râpé
500 ml (2 tasses)	fleurettes de chou-fleur
2	œufs
5 ml (1 c. à thé)	poudre à pâte
15 ml (1 c. à table)	farine
5 ml (1 c. à thé)	sel
	moutarde de Dijon (facultatif)

1. Préchauffer le four à 160 °C (325 °F).
2. Graisser 10 moules à muffins avec un peu d'huile végétale polyinsaturée ou d'huile en aérosol, ou garnir de moules en papier.
3. Faire chauffer l'huile d'olive dans une poêle à frire. Faire brunir les oignons, environ 5 minutes. Assécher à l'aide d'un papier essuie-tout.
4. Mélanger les oignons, le chou-fleur, les œufs, la poudre à pâte, la farine et le sel dans un mélangeur ou un robot culinaire. Verser le mélange dans les moules à muffins, en remplissant chacun au 2/3.
5. Faire cuire au four 20 minutes, jusqu'à ce que les soufflés soient gonflés et d'un brun doré.

Note : Si vous mélangez les ingrédients à la main ou utilisez un batteur électrique, veillez à tailler finement le chou-fleur et à battre les œufs avant de les ajouter aux autres ingrédients.
En accompagnement, servez de la moutarde de Dijon, si vous le désirez.

CRÊPES AU CHOU-FLEUR

Le secret de la réussite de cette recette est de bien laisser dorer la crêpe avant de la retourner. Accompagnez avec de la moutarde, de la crème sure ou un substitut faible en cholestérol.

Donne 8 crêpes de 6 cm
2-3 crêpes = 1 accompagnement, 4 crêpes = 1 petit-déjeuner

250 ml (1 tasse)	fleurettes de chou-fleur
1	œuf
15 ml (1 c. à table)	oignons râpés
3 ml (1/2 c. à thé)	poudre à pâte
8 ml (1 1/2 c. à thé)	farine de soja
3 ml (1/2 c. à thé)	sel

1. Au robot culinaire ou au mélangeur, hacher finement le chou-fleur. Ajouter les autres ingrédients, à l'exception de l'huile, et mélanger brièvement.
2. Huiler légèrement un gaufrier ou une poêle à frire avec un peu d'huile végétale ou de l'huile en aérosol. Faire chauffer la poêle jusqu'à ce qu'elle soit chaude mais non fumante.
3. Faire des crêpes de 6 cm en utilisant environ 30 ml (2 c. à table) de pâte par crêpe. Bien faire dorer les crêpes de chaque côté avant de servir.

VARIATION :
Pour obtenir des crêpes au fromage, placez une tranche de fromage (cheddar, américain ou jalapeno) sur chaque crêpe chaude.
Servir chaud avec de la moutarde.

CÉLERI, CHOU-FLEUR OU ÉPINARDS À LA CRÈME

Ce plat est un véritable passe-partout : vous pouvez le préparer à partir d'une grande variété de légumes – tels que les épinards, le chou-fleur, les haricots verts ou jaunes, le céleri – et l'assaisonner de multiples façons.

Essayez, par exemple, la muscade avec les épinards, le basilic avec le chou-fleur ou la ciboulette avec les haricots.

5 ml (1 c. à thé)	beurre ou margarine
30 ml (2 c. à table)	oignons coupés en dés
125 ml (1/2 tasses)	céleris tranchés ou inflorescences de chou-fleur
ou 500 ml (2 tasses)	d'épinards frais.
60 ml (1/4 tasse)	eau
20 ml (1 c. à table comble)	crème sure ou substitut faible en cholestérol
	poivre noir, au goût

1. Faire chauffer le beurre dans un poêlon. Ajouter et faire brunir les oignons, environ 5 minutes.
2. Incorporer le céleri et l'eau. Couvrir et laisser mijoter 5 minutes.
3. Retirer le couvercle. S'il reste de l'eau, augmenter l'intensité du feu de manière à ce qu'elle s'évapore.
4. Lorsque toute l'eau s'est évaporée, incorporer la crème sure en remuant.
5. Poivrer, au goût.

Note : Vous pouvez aussi utiliser des choux-fleurs ou des épinards surgelés. La quantité d'épinards sera alors de 125 ml (1/2 tasse).

CONCOMBRES À LA CRÈME SURE

Servez ce plat comme accompagnement avec le soufflé au poisson sauce tartare (page 244), avec presque tout autre poisson ou avec de la volaille.

Donne 2 portions

1	concombre moyen
60 ml (1/4 tasse)	crème sure ou substitut faible en cholestérol
5 ml (1 c. à thé)	échalotes hachées finement
10 ml (2 c. à thé)	vinaigre de cidre ou vinaigre de vin blanc
	poivre noir moulu, au goût

1. Peler le concombre et le couper en tranches minces. Placer dans un bol et mettre de côté.

2. Combiner les autres ingrédients et bien mélanger. Verser le mélange sur les tranches de concombre et remuer délicatement.

VINAIGRETTE POUR LÉGUMES

Cette savoureuse recette s'utilise autant comme sauce pour vos légumes que vinaigrette pour vos salades. Les légumes suggérés ici sont crus, mais vous obtiendrez des résultats tout aussi délicieux avec des légumes légèrement cuits, comme les haricots verts et les asperges.

Donne 3 ou 4 portions

VINAIGRETTE :

125 ml (1/2 tasse)	huile d'olive ou huile végétale polyinsaturée
30 ml (2 c. à table)	jus de citron
23 ml (1 1/2 c. à table)	huile de sésame
15 ml (1 c. à table)	basilic
15 ml (1 c. à table)	origan
15 ml (1 c. à table)	sauce soja
	poivre noir moulu, au goût

LÉGUMES :

125 ml (1/2 tasse)	fleurettes de chou-fleur
125 ml (1/2 tasse)	concombres tranchés
125 ml (1/2 tasse)	olives vertes ou noires dénoyautées
125 ml (1/2 tasse)	champignons frais
125 ml (1/2 tasse)	poivrons verts ou rouges
125 ml (1/2 tasse)	céleri tranché

Combiner les ingrédients à vinaigrette, bien agiter. Disposer les légumes dans un plat, les arroser de la vinaigrette. Réfrigérer pour la nuit.

HARICOTS VERTS À L'AIL ET AU CITRON

Une de nos recettes favorites. Nous la préparons à l'avance et en mangeons à plusieurs reprises au cours de la semaine. Les aliments semblent avoir encore plus de saveur après un ou deux jours.

Donne 4 portions

680 g (1 1/2 livres)	haricots verts
60 ml (1/4 tasse)	huile d'olive ou huile végétale polyinsaturée
1/2 gousse	d'ail hachée finement
30 ml (2 c. à table)	jus de citron
1 ml (1/4 c. à thé)	sel

Couper les bouts des haricots. Verser environ 3 cm d'eau dans une marmite à vapeur et y placer les haricots. Cuire à la vapeur de 10 à 15 minutes, ou jusqu'à ce que les haricots soient devenus tendres. Retirer les haricots de la marmite et vider celle-ci de son eau. Ajouter l'huile d'olive et l'ail aux haricots et faire chauffer brièvement. Incorporer le jus de citron et le sel en remuant bien. Servir chaud ou froid.

HARICOTS VERTS ET CHAMPIGNONS SAUTÉS

Afin d'intégrer ce plat à un repas à préparation rapide, faites cuire les haricots à l'avance. Arrêtez la cuisson alors qu'ils sont encore légèrement croquants, puis plongez-les dans un contenant d'eau froide et réfrigérez-les. Ce plat accompagne délicieusement les poissons, les volailles et les viandes.

Donne 4 portions

340 g (3/4 livre)	haricots verts
15 ml (1 c. à table)	beurre ou margarine
1 gousse	d'ail hachée finement
ou 1 ml (1/4 c. à thé)	poudre d'ail
10 ml (2 c. à thé)	basilic ou estragon frais
ou 3 ml (1/4 c. à thé)	séché
1 ml (1/4 c. à thé)	sel (facultatif)
	quelques gouttes de sauce Tabasco (facultatif)
250 ml (1 tasse)	champignons tranchés

1. Verser environ 3 cm d'eau dans une marmite à vapeur et y placer les haricots. Couvrir et cuire de 10 à 15 minutes ; les tenir croquants.
2. Faire chauffer le beurre dans une casserole. Incorporer l'ail, le basilic, le sel et la sauce Tabasco (si désiré) au beurre fondu. Faire cuire une minute ou 2 en remuant, puis ajouter les champignons. Poursuivre la cuisson

4 à 5 minutes, à feu moyen, en remuant de temps à autre, jusqu'à ce que les champignons aient rendu leur jus.
3. Ajouter les haricots et mélanger doucement avant de servir.

Note : Si vous utilisez des haricots que vous avez partiellement fait cuire au préalable, ajoutez-les au mélange peu après les champignons.

POIVRONS SAUTÉS À L'AIL

Donne 3 ou 4 portions

60 ml (1/4 tasse)	huile d'olive ou huile végétale polyinsaturée
60 ml (1/4 tasse)	échalotes hachées finement
1 gousse	d'ail hachée finement
3	poivrons verts, épépinés, coupés en lanières de 2 cm
1 ml (1/4 c. à thé)	sel, ou selon le goût
	poivre noir moulu, au goût
	piment rouge moulu (facultatif)

Faire chauffer l'huile dans un poêlon à feu modéré. Incorporer les échalotes et l'ail à l'huile chaude. Cuire environ 5 minutes en remuant constamment. Ajouter les poivrons et faire sauter environ 10 minutes. Assaisonner de sel, de poivre et de piment rouge moulu, au goût.

SALADE DE POIVRONS À L'ITALIENNE

Un accompagnement copieux qui complète admirablement les plats de bœuf. De plus, il se conserve bien lorsque préparé plusieurs jours à l'avance.

Donne 4 portions

2	poivrons verts
60 ml (1/4 tasse)	huile d'olive ou huile végétale polyinsaturée
15 ml (1 c. à table)	vinaigre de vin rouge
	sel et poivre noir moulu, au goût

1. Préchauffer le grilloir.
2. Placer les poivrons sur une grille de lèchefrite. Faire griller jusqu'à ce que la peau soit légèrement brûlée, retourner les morceaux et griller l'autre côté.

3. Refroidir les poivrons sous l'eau froide, rincer et frotter pour enlever la peau.
4. Enlever les trognons et épépiner les poivrons. Couper en tranches minces et mettre dans un bol.
5. Mélanger les autres ingrédients, saler et poivrer au goût. Verser le mélange sur les poivrons et laisser mariner environ 30 minutes avant de servir.

SALADE DE RADIS

La salade de radis est un autre de ces plats que vous pouvez préparer à l'avance et servir en accompagnement lors de vos repas subséquents. Un plat agréablement piquant qui se marie à merveille avec le poulet – notre poulet à la sauge et au parmesan, en particulier (page 238).

Donne 4 portions

500 ml (2 tasses)	radis tranchés
125 ml (1/2 tasse)	vinaigre de cidre ou vinaigre de vin blanc
3 ml (1/2 c. à thé)	sel
45 ml (3 c. à table)	huile d'olive ou huile végétale polyinsaturée
30 ml (2 c. à table)	câpres grossièrement hachées
1	petit piment rouge mariné, épépiné et haché (facultatif)

Mélanger les radis, le vinaigre et le sel, et laisser mariner plusieurs heures. Égoutter le liquide et mélanger les radis égouttés, l'huile d'olive, les câpres et le piment rouge (si désiré). Servir frais ou à température ambiante.

LÉGUMES MARINÉS À L'ITALIENNE

Une recette succulente que vous pouvez préparer à l'avance

Donne 2 ou 3 portions

125 ml (1/2 tasse)	huile d'olive, extra-vierge si possible
60 ml (1/4 tasse)	basilic frais haché
ou 15 ml (1 c. à table)	séché
30 ml (2 c. à table)	marjolaine fraîche hachée
ou 15 ml (1 c. à table)	séchée

1 gousse	d'ail finement hachée
	poivre noir moulu (au goût)
125 ml (1/2 tasse)	céleri cru tranché
125 ml (1/2 tasse)	champignons crus coupés en quartiers
125 ml (1/2 tasse)	poivrons crus rouges ou verts en lanières
125 ml (1/2 tasse)	fleurettes de chou-fleur cru
60 ml (1/4 tasse)	olives vertes ou rouges

Combiner l'huile, le basilic, la marjolaine, l'ail et le poivre dans un pot muni d'un couvercle, et bien agiter. Placer les autres ingrédients dans un bol, verser la vinaigrette et bien mélanger. Couvrir et réfrigérer pour la nuit afin de permettre aux saveurs de se mêler.

CHAMPIGNONS À LA CRÈME

Ce plat d'accompagnement ajoutera une touche spéciale à vos repas du midi.

Donne 2 ou 3 portions

30 ml (2 c. à table)	huile d'olive ou huile végétale polyinsaturée
500 ml (2 tasses)	champignons tranchés
1 gousse	d'ail hachée finement
1 ml (1/4 c. à thé)	paprika
250 ml (1 tasse)	crème sure ou substitut faible en cholestérol

Faire chauffer l'huile dans un poêlon. Ajouter les champignons et l'ail à l'huile chaude et faire revenir à feu moyen environ 10 minutes, jusqu'à ce que les champignons aient rendu leur jus. Incorporer le paprika. Éteindre le feu et laisser refroidir. Ajouter la crème sure en remuant et servir immédiatement.

CHAMPIGNONS FARCIS

Donne 3 ou 4 portions

225 g (1/2 livre)	gros champignons
225 g (1/2 livre)	dinde, poulet, veau, agneau ou bœuf, haché

10 ml (2 c. à thé)	huile d'olive ou huile végétale polyinsaturée
1 gousse	d'ail hachée finement
3 ml (1/2 c. à thé)	basilic
3 ml (1/2 c. à thé)	raifort
3 ml (1/2 c. à thé)	sauce soja
	poivre noir au goût

1. Préchauffer le four à 160 °C (325 °F). Graisser une plaque à biscuits avec l'huile d'olive ou l'huile végétale polyinsaturée ou un vaporisateur d'huile en aérosol.
2. Retirer les queues des champignons et les hacher finement. Mélanger à la viande hachée.
3. Faire chauffer l'huile dans une poêle à frire et ajouter l'ail et le mélange de viande hachée et de queues de champignons. Cuire à feu moyen jusqu'à ce que la viande soit devenue modérément brune. Refroidir.
4. Combiner le mélange de viande au basilic, au raifort, à la sauce soja et au poivre noir, bien mélanger. Farcir les têtes des champignons du mélange.
5. Disposer les champignons farcis sur la plaque à biscuits, farce tournée vers le haut. Cuire au four pendant 18 minutes.

LÉGUMES AU FROMAGE FONDU

Un plat sain, riche en protéines, à servir en accompagnement avec le poulet, le poisson ou la viande, ou comme plat principal au déjeuner, avec une salade. Assaisonnez de poivre fraîchement moulu, si vous en avez envie. Sélectionnez les légumes que vous utiliserez parmi ceux qui suivent.

Donne 2 portions

500 ml (2 tasses)	mélange de courge ou courgette d'été fraîchement coupée, champignons tranchés, céleri tranché, fleurettes de chou-fleur ou pointes d'asperge coupées, poivrons verts ou rouges en lanières ou chou tranché

60 g (2 onces)	fines tranches d'un fromage régulier (ou faible en matières grasses) tel que le cheddar ou le gruyère

Placer le chou-fleur et le chou, si utilisés, dans une marmite à vapeur avec au fond 3 cm d'eau. Couvrir et cuire 5 minutes. Ajouter les autres légumes et cuire, mais les garder légèrement croquants. Transférer les légumes chauds dans un bol et recouvrir avec les tranches de fromage. Couvrir jusqu'à ce que le fromage soit fondu.

LÉGUMES FRITS À LA CHINOISE

Un sauté que vous pouvez réaliser en quelques minutes. Pour faire encore plus vite, coupez les légumes à l'avance, couvrez-les bien et réfrigérez.

Donne 3 portions

30 ml (2 c. à table)	huile de sésame ou huile d'olive ou huile végétale polyinsaturée
1 gousse	d'ail, hachée finement
ou 3 ml (1/2 c. à thé)	poudre d'ail
750 ml (3 tasses)	mélange de courge ou courgette d'été fraîchement coupée, champignons tranchés, céleri tranché, petites fleurettes de chou-fleur, haricots verts coupés, poivrons verts ou rouges en lanières ou chou tranché, radis ou échalotes tranchés
125 ml (1/2 tasse)	pousses de bambou
30 ml (2 c. à table)	sauce soja

Faire chauffer l'huile dans un wok ou une grande poêle à frire. Jeter les légumes et l'ail et faire sauter quelques minutes ; garder légèrement croquant. Incorporer la sauce soja, remuer, et servir.

SALADE DU JARDIN

Faite à partir d'une variété de légumes, cette salade du jardin vous satisfera. Optez, par exemple, pour les légumes verts seulement – laitues, épinards – ou ajoutez-y d'autres légumes. Vous n'êtes donc pas tenu d'utiliser tous les légumes qui suivent : combinez-les selon vos goûts.

Donne 2 portions

500 ml (2 tasses)	feuilles de laitue romaine, Boston, iceberg, ou endives ou épinards, déchiquetés
125 ml (1/2 tasse)	concombres tranchés
125 ml (1/2 tasse)	céleri tranché
60 ml (1/4 tasse)	champignons frais tranchés
30 ml (2 c. à table)	luzerne ou germes de haricot
1/2	tomate en quartiers ou 6 tomates cerises
3	radis tranchés
2	échalotes tranchées

Mélanger tous les ingrédients dans un grand bol. Juste avant de servir, ajouter une des vinaigrettes suivantes : au bleu (page 273) ; au tofu et à l'ail (page 274) ; pour légumes (page 264). Remuer.

SALADE D'ÉPINARDS

Servez cette salade avec la vinaigrette au fromage bleu (page 273) ou la sauce-trempette crémeuse épicée (page 230), pour un déjeuner sain et léger.

Donne 2 portions

225 g (1/2 livre)	épinards crus
1	gousse d'ail, tranchée en deux
10 ml (2 c. à thé)	jus de citron
10 ml (2 c. à thé)	huile d'olive
45 ml (3 c. à table)	bacon cuit croustillant émietté
45 ml (3 c. à table)	échalotes finement hachées
1	œuf dur, coupé en biseau
1/2	tomate, coupée en biseau

1. Bien rincer les épinards. Égoutter et couper les tiges rigides. Envelopper les épinards dans un linge humide et réfrigérer.
2. Frotter les demi-gousses d'ail contre la paroi intérieure d'un bol à salade. Enduire l'intérieur du bol du jus de citron et de l'huile d'olive.
3. Déchirer les épinards frais en morceaux de la taille d'une bouchée et jeter dans le bol. Incorporer le bacon et les échalotes et bien remuer.
4. Disposer les tomates et les œufs le long du bord du bol et servir.

SALADE CÉSAR

Cette salade est une de nos recettes favorites. Nous la savourons tantôt comme plat principal léger tantôt comme accompagnement pour le poulet ou le poisson, au dîner.

Donne 3 portions

1l (4 tasses)	feuilles de laitue romaine, Boston ou frisée déchiquetées
1	œuf
pincée	de sel
1 gousse	d'ail, tranchée en deux
3 ml (1/2 c. à thé)	moutarde sèche
8 ml (1 1/2 c. à thé)	jus de citron
	quelques gouttes de sauce Tabasco
30 ml (2 c. à table)	huile d'olive
10 ml (2 c. à thé)	parmesan râpé
3	anchois asséchés

1. Réfrigérer les feuilles de laitue.
2. Placer les œufs dans une casserole, recouvrir d'eau et mettre sur le feu. Faire cuire de 1 à 1 1/2 minute à partir du moment où l'eau commence à bouillir. Égoutter et mettre de côté.
3. Frotter les demi-gousses d'ail contre la paroi intérieure d'un bol à salade. Saupoudrer de sel le fond du bol. Ajouter la moutarde, le jus de citron et la sauce Tabasco et remuer pour bien mélanger et dissoudre le sel. Incorporer l'huile en remuant vivement.
4. Ajouter la laitue. Parsemer de parmesan et incorporer les anchois. Casser les œufs au-dessus de la salade et remuer le mélange délicatement mais intégralement.

SALADE GRECQUE

Cette appétissante salade peut être servie comme plat principal ou comme entrée au déjeuner. Clôturez ce repas d'excellente façon avec un cappuccino (page 281), un expresso ou un thé.

Donne 2 portions

1 l (4 tasses)	feuilles de laitue romaine, Boston ou iceberg croquantes, déchiquetées
30 ml (2 c. à table)	huile d'olive
10 ml (2 c. à thé)	jus de citron ou vinaigre de vin rouge
15 ml (1 c. à table)	origan frais haché finement
ou 5 ml (1 c. à thé)	séché
	sel et poivre au goût
115 g (4 onces)	fromage feta
1	concombre moyen
1/2	petit poivron vert, épépiné et tranché
115 g (4 onces)	olives grecques noires ou vertes

1. Placer la laitue sur un plateau ou une assiette. Asperger les feuilles de jus de citron ou de vinaigre de vin. Parsemer d'environ la moitié de l'origan. Saler et poivrer.
2. Émietter grossièrement le fromage feta et le distribuer sur la laitue.
3. Trancher le concombre, pelé ou non (le nettoyer à fond s'il est utilisé avec la pelure). Placer les tranches le long du bord de l'assiette et au centre. Disposer ensuite les morceaux de poivron autour du concombre placé au centre. Enfin, distribuer les olives autour du poivron et tout le long du bord de l'assiette.
4. Asperger du reste de l'huile d'olive et du jus de citron et parsemer d'origan.

VINAIGRETTE AU FROMAGE BLEU

Servez-la glacée sur une salade croquante, comme trempette pour les légumes ou comme vinaigrette pour une salade au poulet ou aux crevettes.

Donne environ 425 ml (1 3/4 tasse)
30 à 45 ml (2 à 3 c. à table) = 1 portion

250 ml (1 tasse)	fromage cottage régulier ou à 1 % de M.G.
45 g à 60 g (1 1/2 à 2 onces)	fromage bleu
1 ml (1/4 c. à thé)	poivre moulu
1 gousse	d'ail, finement hachée ou 1 c. à thé poudre d'ail
125 ml (1/2 tasse)	crème sure ou substitut pauvre en gras

Mélanger le fromage cottage, le fromage bleu, le poivre et l'ail au robot culinaire, au mélangeur ou au mixeur et battre à haute vitesse jusqu'à l'obtention d'un mélange crémeux. Incorporer la crème sure. Couvrir et laisser refroidir.

Servir froid sur une salade croquante.

VINAIGRETTE CRÉMEUSE AUX FINES HERBES

Servez cette vinaigrette crémeuse sur une salade du jardin ou mélanger avec du chou râpé pour obtenir une salade de choux.

Donne environ 125 ml (1/2 tasse)
15 à 30 ml (1 à 2 c. à table) = 1 portion

60 ml (1/4 tasse)	fromage cottage régulier ou à 1 % de M.G.
60 ml (1/4 tasse)	crème sure ou substitut pauvre en gras
3 ml (1/2 c. à thé)	moutarde de Dijon
15 ml (1 c. à table)	basilic frais haché
ou 3 ml (1/2 c. à thé)	séché
15 ml (1 c. à table)	marjolaine fraîche hachée
ou 3 ml (1/2 c. à thé)	séchée
	sel et poivre moulu au goût (facultatif)

Mélanger le fromage cottage, la crème sure et la moutarde au robot culinaire ou au mélangeur. Mélanger jusqu'à l'obtention d'une consistance crémeuse. Ajouter le basilic et la marjolaine et mélanger à nouveau, brièvement. Saler et poivrer au goût. Cette vinaigrette se conserve un jour ou deux au réfrigérateur.

VINAIGRETTE AU TOFU ET À L'AIL

Donne environ 250 ml (1 tasse)
15 à 30 ml (1 à 2 c. à table) = 1 portion

90 ml (6 c. à table)	tofu
90 ml (6 c. à table)	huile d'olive ou huile végétale polyinsaturée
125 ml (1/2 tasse)	vinaigre de vin blanc
6 gousses	d'ail hachées finement

15 ml (1 c. à table)	jus de citron
	poivre moulu au goût

Écraser le tofu avec une fourchette. Mélanger avec les autres ingrédients. Bien agiter ou remuer avant de verser sur la salade.

DESSERTS ET BREUVAGES

GÂTEAU ANTIFRINGALE AU CAFÉ ET À LA CANNELLE

Donne un gâteau rond de 22 cm = 6 portions

4	gros œufs
3 ml (1/2 c. à thé)	crème de tartre
30 ml (2 c. à table)	farine de soja
2 paquets	d'édulcorant artificiel
3 ml (1/2 c. à thé)	cannelle moulue
45 ml (3 c. à table)	crème riche ou succédané sans cholestérol
30 ml (2 c. à table)	beurre ou margarine, ramolli

1. Préchauffer le four à 150 °C (300 °F). Huiler un moule à gâteau rond de 22 cm avec un peu d'huile végétale ou un vaporisateur d'huile en aérosol.
2. Séparer soigneusement les jaunes des blancs d'œufs. Battre les blancs en neige, avec la crème de tartre, jusqu'à consistance ferme.
3. Dans un autre bol, mélanger les jaunes d'œufs, avec la farine de soja, l'édulcorant artificiel, 3 ml (1/2 c. à thé) de cannelle et la crème. Incorporer peu à peu ce mélange aux blancs d'œufs. Ne pas mélanger complètement.
4. Verser la pâte dans le moule graissé, remplir aux 2/3. Cuire au four de 20 à 25 minutes, jusqu'à ce que le centre reprenne sa forme après une pression.
5. Laisser refroidir le gâteau dans son moule, sur une grille. Étaler le beurre sur le gâteau tiède et saupoudrer le reste de la cannelle.

PETITS GÂTEAUX ANTIFRINGALES AU FROMAGE (SANS CUISSON)

Donne 8 à 10 portions

1 paquet	gélatine sans saveur

250 ml (1 tasse)	eau bouillante
450 g (2 tasses)	fromage à la crème, ou substitut faible en matières grasse, ramolli
3 ml (1/2 c. à thé)	extrait de vanille
10 paquets	d'édulcorant artificiel (équivalant à 125 ml, ou 1/4 tasse, de sucre)

1. Arranger de 18 à 24 moules en papier dans les alvéoles de la plaque à muffins.
2. Dans un bol, dissoudre la gélatine dans l'eau bouillante. Bien remuer.
3. Couper le fromage en petits morceaux et mettre dans la gélatine dissoute. Ajouter la vanille et l'édulcorant artificiel et bien fouetter avec le mixeur électrique.
4. Verser le mélange dans les moules à muffin. Placer au réfrigérateur jusqu'à ce qu'il soit ferme, environ 2 heures.

VARIATIONS :
Pour obtenir une plus grande quantité de petits gâteaux crémeux, avant de fouetter, ajoutez au mélange 60 ml (1/4 tasse) de fromage cottage régulier ou à 1 % de matières grasses et 60 ml (1/4 tasse) de substitut de crème sure. Donne de 8 à 10 petits gâteaux de plus.

Pour des gâteaux aux fruits, couvrir chacun d'eux d'environ 1 ml (1/4 c. à thé) de confiture faible en glucides à la saveur de votre choix. Fraises, framboises ou abricots représentent de bons choix.

Enfin, pour obtenir un gâteau au fromage au citron ou aux amandes, remplacez la vanille par 3 ml (1/2 c. à thé) de jus de citron ou d'essence d'amande.

TARTELETTES ANTIFRINGALES

Une délicieuse croûte facile à réaliser et faible en glucides. Garnissez-la à ras bord du mélange de gâteau au fromage (ci-haut) ou de n'importe laquelle de nos mousses (page 280) ou crèmes fouettées pauvres en glucides (page 278).

Donne 4 à 6 portions

CROÛTE :

2	gros œufs
4 ml (3/4 c. à thé)	crème de tartre

1/2 paquet	d'édulcorant artificiel
45 ml (3 c. à table)	fromage cottage régulier ou à 1 % de M.G.

GARNITURE :

Petits gâteaux fromage à la crème, sans cuisson (page 275)
Mousse (page 280)
Mousse au citron (page 281)
Mousse aux raisins ou à l'orange (page 281)
Mousse au café ou au moka (page 280)

1. Préchauffer le four à 150 °C (300 °F). Huiler six moules à muffin avec un peu d'huile végétale ou d'huile en aérosol.
2. Battre les blancs en neige avec la crème de tartre et l'édulcorant jusqu'à l'obtention d'une consistance ferme.
3. Dans un autre bol, mélanger les jaunes d'œufs au fromage cottage. Incorporer doucement ce mélange aux blancs d'œufs. Ne pas mélanger complètement.
4. Verser le mélange dans les moules à muffin huilés. Former la croûte en disposant la pâte en fontaine dans chacun des moules.
5. Cuire au four de 20 à 25 minutes, jusqu'à ce que la croûte soit soufflée et dorée.
6. Laisser refroidir et remplir d'une des garnitures mentionnées ci-haut, ou napper de confiture pauvre en glucides et de crème fouettée (page 278)

MILLEFEUILLES ANTIFRINGALES

Donne de 4 à 6 portions

PÂTE :

4	œufs
1 ml (1/4 c. à thé)	crème de tartre
5 ml (1 c. à thé)	essence de vanille
3 paquets	édulcorant artificiel

GARNITURE :

Environ 60 ml (1/4 tasse)	de confiture faible en glucides, aux fraises ou aux framboises

Environ 60 ml (1/4 tasse)	de crème fouettée (ci-après) ou crème fouettée édulcorée à faible teneur en matières grasses

1. Préchauffer le four à 175 °C (350 °F). Graisser une plaque à pâtisserie de 28 x 44 cm avec un peu d'huile végétale ou d'huile en aérosol.
2. Séparer soigneusement les jaunes des blancs d'œufs. Dans un bol, à l'aide d'un batteur électrique, battre les blancs en neige, avec la crème de tartre, jusqu'à l'obtention d'une consistance ferme.
3. Dans un autre bol, bien mélanger les jaunes d'œufs, l'essence de vanille et l'édulcorant. Incorporer doucement ce mélange aux blancs d'œufs.
4. Étaler uniformément le mélange sur la plaque à pâtisserie.
5. Cuire la pâte 20 minutes, jusqu'à ce que la croûte soit gonflée et dorée.
6. Laisser refroidir, puis couper en 12 carrés. Napper de confiture 6 des carrés. Déposer une cuillère à table de crème fouettée ou de crème à faible teneur en matières grasses sur la confiture. Enfin, couvrir d'un carré sec chacun des carrés garnis.

CRÈME FOUETTÉE

La crème fouettée (ou son substitut faible en matières grasses) légèrement aromatisée est un ingrédient qui se marie fort bien avec une variété de desserts. Nous la suggérons comme garniture pour les millefeuilles antifringales (page 277) et la crêpe-dessert (page 279) Aromatisez-la avec des confitures pour réaliser différents desserts (page 280) ou transformez en de succulents desserts les gélatines aux fruits artificiellement sucrées en les garnissant d'une cuillérée à table de crème fouettée.

Donne 250 ml (1 tasse)
30 ml = 1 portion

125 ml (1/2 tasse)	crème riche ou substitut faible en matières grasses édulcoré
1/2 sachet	d'édulcorant artificiel
5 ml (1 c. à thé)	extrait de vanille

1. Battre la crème à l'aide d'un batteur électrique ou d'un fouet jusqu'à l'obtention d'une consistance mousseuse. Ajouter l'édulcorant artificiel

et continuer de battre jusqu'à consistance ferme. Incorporer l'extrait de vanille et bien mélanger.
2. Si un substitut de crème faible en matières grasses et artificiellement édulcoré est utilisé, omettre l'ajout d'édulcorant artificiel et incorporer l'extrait de vanille à la crème après l'avoir fouettée.

VARIATIONS :

Pour réaliser une crème à saveur d'amande, réduisez la vanille à 1 ml (1/4 c. à thé) et ajoutez 1 ml (1/4 c. a thé) d'extrait d'amande.

Pour obtenir une crème à saveur d'anis, réduisez la vanille à 1 ml (1/4 c. à thé) et ajoutez 0,5 ml (1/8 c. a thé) d'extrait d'amande.

Pour une crème à saveur d'érable, substituez l'extrait d'érable artificiel à l'extrait de vanille.

Enfin, pour obtenir une crème au chocolat, ajoutez une cuillérée à table de cacao non sucré à la crème fouettée et remuez doucement.

CRÊPES-DESSERT ANTIFRINGALES

Donne 3 ou 4 portions

3	blancs d'œufs
3 ml (1/2 c. à thé)	crème de tartre
125 ml (1/2 tasse)	fromage cottage ordinaire ou à 1 % de M.G.
1 ml (1/4 c. à thé)	extrait de vanille
1/2 sachet	d'édulcorant artificiel
8 ml (1/2 c. à table)	huile végétale ou huile en aérosol

1. Battre les blancs d'œufs et la crème de tartre jusqu'à l'obtention d'une consistance ferme.
2. Combiner le fromage cottage, l'extrait de vanille et l'édulcorant artificiel, et bien mélanger.
3. Huiler un gaufrier ou un poêlon avec l'huile végétale. Faire chauffer le poêlon à feu moyen.
4. Former des crêpes de 6 cm de diamètre : verser environ 2 cuillérées à table de pâte dans le poêlon et étendre. Cuire à feu moyen jusqu'à ce que le dessous de la crêpe soit doré, puis retourner et faire dorer l'autre côté. Répéter le procédé avec toute la pâte.

VARIATION :
Pour obtenir des blintz, étalez une cuillérée à table de crème sure sur chaque crêpe et roulez en cylindre.

MOUSSE AU CHOCOLAT

Donne 2 portions

5 ml (1 c. à thé)	extrait de chocolat
5 ml (1 c. à thé)	extrait de vanille
1 sachet	d'édulcorant artificiel
250 ml (1 tasse)	crème fouettée (page 278) (ou garniture édulcorée artificiellement faible en matières grasses)

Mélanger l'extrait de chocolat, l'extrait de vanille et l'édulcorant artificiel. Ajouter à la crème fouettée (ou substitut). Réfrigérer.

VARIATION :
Obtenez une mousse au café en substituant 5 ml (1 c. à thé) de sirop à saveur de café (faible en calories) à l'extrait de chocolat, et utilisez 3 ml (1/2 c. à thé) d'extrait de vanille au lieu de 5 ml (1 c. à thé).

Pour réaliser une mousse au moka, combinez la mousse au chocolat et la mousse au café.

MOUSSE AUX FRAISES

Ce délicieux dessert et ses variations sont réalisés simplement en ajoutant diverses confitures à la crème fouettée (ou à la garniture faible en matières grasses édulcorée artificiellement).

Donne 2 portions

20 ml (1 c. à table comble)	confiture aux fraises ou aux framboises[1]
250 ml (1 tasse)	crème fouettée (page 278) (ou garniture édulcorée artificiellement faible en matières grasses)

---

[1] Les confitures à teneur réduite en glucides sont celles qui contiennent moins de 4 grammes de glucides par portion moyenne.

édulcorant artificiel, au goût (facultatif)

Ajouter la confiture à la crème fouettée (ou à la garniture édulcorée artificiellement faible en matières grasses) et bien mélanger, délicatement. Incorporer l'édulcorant artificiel, au besoin, en remuant. Servir dans de jolies coupes de verre.

VARIATIONS :
Pour réaliser une mousse aux raisins, utilisez des confitures aux raisins à faible teneur en glucides.

Pour une mousse à l'orange, utilisez de la marmelade à faible teneur en glucides.

Enfin, pour obtenir une mousse au citron, incorporez à la crème le jus d'un tiers de citron et 1/2 sachet d'édulcorant artificiel (ou au goût) en remuant.

CAPPUCCINO

Pour un petit-déjeuner rapide et satisfaisant, servez ce cappuccino avec un muffin léger et aéré (page 232).

175 ml (3/4 tasse)	café filtre corsé
40 ml (2 c. à table comble)	crème fouettée (page 278) (ou garniture édulcorée artificiellement faible en matières grasses)
	édulcorant artificiel, au goût
	une pincée de cannelle moulue

Mélanger l'édulcorant artificiel avec la crème fouettée ou le café, ou les deux. Recouvrir de crème fouettée une tasse de café et parsemer d'un peu de cannelle.

CAPPUCCINO GLACÉ

Un breuvage faible en glucides rafraîchissant pour les journées chaudes. Cependant, vous ne devez vous l'offrir que lors de vos repas complémentaires – non pas entre les repas !

175 ml (3/4 tasse)	soda à saveur de café édulcoré artificiellement
125 ml (1/2 tasse)	glace concassée
30 ml (2 c. à table)	crème riche (ou substitut de crème faible en matières grasses)
	une pincée de cannelle
	édulcorant artificiel, au goût

Dans un mélangeur, combiner le soda, la glace, la crème et la cannelle et mélanger brièvement. Au besoin, ajouter de l'édulcorant artificiel.

VARIATIONS :
Pour réaliser un cocktail glacé à la fraise, à la framboise, à la cerise ou au chocolat, vous n'avez qu'à remplacer le soda à saveur de café par un soda à saveur de chocolat, de fraise, de framboise ou de cerise. Omettez alors la cannelle.

APPENDICE

I

TABLE DES ALIMENTS

La table des aliments que vous trouverez dans les prochaines pages indique la quantité de glucides contenue dans une portion type des aliments les plus communs sur le marché. Ces aliments sont répertoriés par groupes alimentaires : les breuvages ; les produits laitiers ; les œufs ; les huiles et les gras ; les poissons et les fruits de mer ; les fruits et les jus de fruits ; les produits céréaliers ; les céréales prêtes à consommer ; les desserts ; les légumineuses, les noix et les graines ; les viandes et les produits de viande ; les plats mixtes ; les plats mixtes et les repas-minute ; la volaille et les produits de basse-cour ; les soupes et les sauces ; les sucres et les douceurs ; les légumes et leurs dérivés ; et aliments divers.

Cette liste contient tant les aliments des repas-récompenses que ceux des repas complémentaires. Les aliments complémentaires les plus utilisés ont été énumérés au chapitre 6 ; lorsqu'un aliment ne s'y trouve pas, réservez-le à vos repas complémentaires. Par définition, les aliments complémentaires sont ceux qui contiennent moins de 4 grammes de glucides par portion moyenne (moins de 2 grammes pour ce qui est des condiments).

TABLE DES ALIMENTS[1]

ALIMENT	PORTION	GRAMMES DE GLUCIDES (par portion)
BREUVAGES		
Bière, ordinaire	355 ml	13
Bière, légère	355 ml	5
Boisson gazeuse, ordinaire	355 ml	41
Boisson gazeuse, allégée	355 ml	0
Café	175 ml	0
Café, avec crème et sucre	175 ml	14
Gin, rhum, vodka, whiskey	45 ml	0
Limonade	175 ml	21
Punch aux fruits	175 ml	22
Soda nature	355 ml	0
Soda aromatisé	355 ml	32-46
Thé, non sucré	235 ml	0
Thé, instantané, sucré	235 ml	22
Vin de dessert	100 ml	8
Vin rouge	100 ml	3
Vin blanc	100 ml	3
PRODUITS LAITIERS		
Cacao, maigre, en poudre	30 g	22
Crème à fouetter	30 ml	traces
Crème, à faible teneur en matières grasses	15 ml (1 c. à table)	1
Crème, riche	15 ml (1 c. à table)	traces
Crème sûre	15 ml (1 c. à table)	1
Crème, 11,5 % M.G.	15 ml (1 c. à table)	1
Crème, succédané, en poudre	5 ml (1 c. à thé)	1
Crème, succédané, liquide	15 ml (1 c. à table)	2

[1] Ces informations sont adaptées des statistiques fournies par *USDA Human Nutrition Information Service Home and Garden Bulletin #72, Nutritive Value of Foods*, 1981.

Crème glacée, à la vanille	120 ml	16
Crème glacée, anglaise	120 ml	18
Fromage américain, fondu, pasteurisé	30 g	0
bleu	30 g	1
camembert	35 g	traces
cheddar	30 g	1
cottage	235 ml (1 tasse)	3
cottage, avec fruits	235 ml (1 tasse)	30
cottage, en crème	235 ml (1 tasse)	6
cottage, 1 % M.G.	235 ml (1 tasse)	8
à la crème	30 g	1
fondu, pasteurisé	30 g	1
feta	30 g	1
mozzarella, au lait entier	30 g	1
mozzarella, au lait écrémé	30 g	1
munster	30 g	traces
provolone	30 g	1
ricotta, au lait entier	235 ml (1 tasse)	7
ricotta, au lait écrémé	235 ml (1 tasse)	13
suisse	30 g	1
Lait au chocolat, ordinaire	235 ml (1 tasse)	26
Lait au chocolat, à faible teneur en matières grasses	235 ml (1 tasse)	26
Lait glacé, à la vanille1	20 ml	15
Lait écrémé	235 ml (1 tasse)	12
Lait entier	235 ml (1 tasse)	11
Lait fouetté au chocolat	300 ml (1 1/3 tasse)	60
Lait fouetté à la vanille	300 ml (1 1/3 tasse)	50
Sorbet	120 ml	15
Yaourt nature, au lait entier	235 ml	11
Yaourt nature, au lait écrémé	235 ml	16
Yaourt aux fruits, au lait écrémé	235 ml	43

ŒUFS

Œufs, cuits ou crus	2 œufs	2
Œufs, frits	2 œufs	2
Omelette au fromage	3 œufs, 90 ml	6

HUILES ET GRAS

Beurre	15 ml (1 c. à table)	0
Huiles : maïs, olive	15 ml (1 c. à table)	0
Huiles : arachides, carthame	15 ml (1 c. à table)	0
Margarine, dure, ordinaire	15 ml (1 c. à table)	0
Margarine, succédané, molle	15 ml (1 c. à table)	0
Mayonnaise, ordinaire	15 ml (1 c. à table)	0
Mayonnaise, succédané	15 ml (1 c. à table)	2
Sauce à salade, à l'italienne	15 ml (1 c. à table)	1
Sauce à salade, à l'italienne, faible en calories	15 ml (1 c. à table)	2
Sauce à salade Mille-Îles	15 ml (1 c. à table)	2
Sauce à salade Mille-Îles, faible en calories	15 ml (1 c. à table)	2
Sauce à salade, huile et vinaigre	15 ml (1 c. à table)	0
Sauce tartare	15 ml (1 c. à table)	1
Vinaigrette au bleu, ordinaire	15 ml (1 c. à table)	1
Vinaigrette, ordinaire	15 ml (1 c. à table)	1
Vinaigrette, faible en calories	15 ml (1 c. à table)	2
Vinaigre et huile	15 ml (1 c. à table)	traces

POISSONS ET FRUITS DE MER

Palourdes, crues	85 g	2
Palourdes, en conserve	85 g	2
Crabe (chair de), en conserve	235 ml (1 tasse)	1
Bâtonnets de poisson, surgelés	4 bâtonnets	16
Flet ou sole, au four	85 g	traces
Aiglefin, grillé	85 g	traces

Flétan, grillé	85 g	traces
Flétan, pané et frit	85 g	7
Hareng, mariné (rollmops)	85 g	0
Huîtres, crues	115 ml (1/2 tasse)	4
Huîtres, panées et frites	85 g	9
Saumon rose, en conserve	85 g	0
Saumon fumé	85 g	0
Sardines à l'huile	85 g	0
Crevettes, bouillies ou grillées	85 g	1
Crevettes, frites	85 g	11
Truite, grillée	85 g	traces
Thon à l'huile, en conserve	85 g	0
Thon, nature, en conserve	85 g	0
Thon (salade de)	235 ml (1 tasse)	19

FRUITS ET JUS DE FRUITS

Abricots, en conserve, au jus	235 ml (1 tasse)	55
Abricots, en conserve, au sirop	235 ml (1 tasse)	31
Abricots, secs	235 ml (1 tasse)	80
Ananas, frais	235 ml (1 tasse)	19
Ananas, en conserve, au sirop	235 ml (1 tasse)	52
Ananas, en conserve, au jus	235 ml (1 tasse)	39
Ananas (jus de), non sucré	235 ml (1 tasse)	34
Avocat	1 avocat	12
Banane	1 banane	27
Bleuets, crus	235 ml (1 tasse)	20
Bleuets, surgelés, sucrés	235 ml (1 tasse)	50
Cantaloup	1/2 melon	22
Cerises, fraîches	10 cerises	11
Canneberges (jus de), sucré	235 ml (1 tasse)	38
Canneberges (sauce aux)	55 g (1/4 tasse)	27
Citron (jus de)	15 ml (1 c. à table)	1
Citron (jus de)	235 ml (1 tasse)	21
Dattes, entières	10 dattes	61
Figues, sèches	10 figues	122

Fraises, fraîches	235 ml (1 tasse)	10
Fraises, surgelées, sucrées	235 ml (1 tasse)	66
Framboises, fraîches	235 ml (1 tasse)	14
Framboises, surgelées, sucrées	235 ml (1 tasse)	65
Fruits (cocktail de), en conserve, au sirop	235 ml (1 tasse)	48
Fruits (cocktail de), en conserve, au jus	235 ml (1 tasse)	29
Lime (jus de)	15 ml (1 c. à table)	1
Lime (jus de)	235 ml (1 tasse)	22
Mangue	1 mangue	35
Melon d'eau	1 morceau	35
Melon miel Honeydew	1/10 melon	12
Mûres, fraîches	235 ml (1 tasse)	18
Nectarine	1 nectarine	16
Orange	1 orange	15
Orange (jus de)	235 ml (1 tasse)	26
Pamplemousse, en conserve, au sirop	235 ml (1 tasse)	39
Pamplemousse, frais	1/2 pamplemousse	10
Pamplemousse (jus de), en conserve, sucré	235 ml (1 tasse)	28
Pamplemousse (jus de), en conserve, non sucré	235 ml (1 tasse)	22
Papaye	235 ml (1 tasse)	17
Pêches, en conserve, au sirop	235 ml (1 tasse)	51
Pêches, sèches	235 ml (1 tasse)	98
Pêche, fraîche	1 pêche	10
Poires, en conserve, au sirop	235 ml (1 tasse)	52
Poires, en conserve, au jus	235 ml (1 tasse)	32
Poire, fraîche	1 poire	21-30
Pomme	1 grosse pomme	32
Pommes (compote de), sucrée	235 ml (1 tasse)	51
Pommes (compote de), non sucrée	235 ml (1 tasse)	28

Pruneaux, secs	5 gros pruneaux	31
Pruneaux (jus de)	235 ml (1 tasse)	45
Prune, fraîche	1 grosse prune	9
Prunes, en conserve, au sirop	235 ml (1 tasse)	60
Prunes, en conserve, au jus	235 ml (1 tasse)	38
Raisins (jus de)	235 ml (1 tasse)	38
Raisins, sans pépins	20 raisins	18
Raisins, avec pépins	20 raisins	20
Raisins, secs	115 ml (1/2 tasse)	58
Plantain, cuit	235 ml (1 tasse)	48
Rhubarbe, cuite, sucrée	235 ml (1 tasse)	75
Tangerine, fraîche	1 tangerine	9

PRODUITS CÉRÉALIERS

Bagel, nature	1 bagel	38
Biscotte	1 biscotte	13
Chapelure	235 ml (1 tasse)	73
Farce	235 ml (1 tasse)	50
Pain aux raisins	1 tranche	13
Pain blanc	1 tranche	12
Pain de blé	1 tranche	13
Pain de blé entier	1 tranche	12
Pain d'avoine	1 tranche	16
Pain de seigle	1 tranche	12
Pain à plusieurs grains	1 tranche	12
Pain pita	1 tranche	33

CÉRÉALES PRÊTES À CONSOMMER

All-Bran	75 ml (1/3 tasse)	21
Cheerios	280 ml (1 1/4 tasse)	20
Cheerios, Honey Nut	170 ml (3/4 tasse)	23
Cap'n Crunch	170 ml (3/4 tasse)	23
Cornflakes	280 ml (1 1/4 tasse)	24
Flocons d'avoine	235 ml (1 tasse)	25
Grape Nuts	60 ml (1/4 tasse)	23
Gruau de maïs	235 ml (1 tasse)	18-31
Shredded Wheat	150 ml (2/3 tasse)	23
Special K	300 ml (1 1/3 tasse)	21

Sugar Frosted Flakes	170 ml (3/4 tasse)	26
40% Bran Flakes	150-170 ml (2/3 - 3/4 tasse)	22

DESSERTS

Beignet, glacé	1 beignet	26
Beignet, nature	1 beignet	24
Biscotte *Melba*	1 morceau	4
Biscuits à l'avoine, avec raisins	4 biscuits	36
Biscuits au sucre	4 biscuits	31
Biscuits aux figues	4 biscuits	42
Biscuits aux grains de chocolat	4 biscuits	28
Biscuits gaufrettes à la vanille	10 biscuits	29
Biscuits sablés	4 petits biscuits	20
Biscuits sandwichs au chocolat	4 biscuits	36
Bretzels (minces)	10 bâtonnets	48
Brioche danoise, aux fruits	1 brioche	28
Brownie, avec glaçage	1 brownie	16
Craquelins	4 craquelins	9
Craquelins *Graham*	2 craquelins	11
Craquelins au fromage	10 craquelins	6
Craquelins au fromage, avec beurre d'arachides	1 sandwich	5
Craquelin *Wheat Thins*	4 craquelins	5
Crêpe	1 crêpe	8
Croissant	1 croissant	27
Croustilles de maïs	30 g	16
Gâteau au chocolat noir, avec glaçage	1 part	40
Gâteau au chocolat noir, avec glaçage	1 petit gâteau	20
Gâteau au fromage	1 tranche	26
Gâteau aux carottes, avec glaçage au fromage	1 part	48
Gâteau aux fruits	1 part	50
Gâteau blanc, avec glaçage blanc	1 part	42
Gâteau « Ding Dong », avec glaçage	2 petits gâteaux	17
Gâteau quatre-quarts	1 part	15

Gaufre	1 gaufre	27
Muffin anglais, grillé	1 muffin	27
Muffin aux bleuets	1 muffin	22
Muffin au son	1 muffin	24
Muffin au maïs	1 muffin	21
Macaronis (fermes)	235 ml (1 tasse)	39
Macaronis (tendres)	235 ml (1 tasse)	32
Maïs soufflé (à l'air chaud)	235 ml (1 tasse)	6
Maïs soufflé (dans l'huile végétale)	235 ml (1 tasse)	6
Maïs soufflé, au caramel	235 ml (1 tasse)	30
Nouilles aux œufs	235 ml (1 tasse)	37
Petit pain croûté	1 pain	30
Petit pain mollet	1 pain	20
Pain à hot-dog/hamburger	1 pain	20
Pain à sous-marin	1 pain	72
Pain doré	1 tranche	17
Riz blanc	235 ml (1 tasse)	50
Riz brun	235 ml (1 tasse)	50
Spaghettis (fermes)	235 ml (1 tasse)	39
Spaghettis (tendres)	235 ml (1 tasse)	32
Tarte (croûte de)	1 part	13
Tarte à la citrouille	1 part	37
Tarte à la crème pâtissière	1 part	36
Tarte au citron meringuée	1 part	63
Tarte aux bleuets	1 part	55
Tarte aux cerises	1 part	61
Tarte aux pacanes	1 part	71
Tarte aux pêches	1 part	60
Tarte aux pommes	1 part	60
Tartelette à griller	1 tartelette	38
Tortilla	1 tortilla	13

LÉGUMINEUSES, NOIX ET GRAINES

Amandes, entières	30 g	6
Noix d'acajou, rôties à sec, salées	60 g	18
Noix d'acajou, rôties à l'huile, salées	30 g	16

Pois chiches	225 ml (1 tasse)	45
Noix de macadam, à l'huile, salées	60 g	8
Arachides, rôties à l'huile, salées	60 g	10
Arachides (beurre de)	15 g (1 c. à table)	3
Pistaches, sèches, écalées	60 g	14
Tofu (produit du soya)	1 morceau	3

VIANDES ET PRODUITS DE VIANDE

Agneau	80 g	0
Bacon	3 tranches	traces
Bœuf, cuit, maigre ou gras	85 g	0
Bœuf, en conserve, salé	85 g	0
Bœuf, séché, émincé	70 g	0
Bologne	2 tranches	2
Côtelette d'agneau	100 g	0
Foie de bœuf	85 g	7
Galette de bœuf haché, maigre	85 g	0
Galette de bœuf haché, ordinaire	85 g	0
Jambon (sans sucre ajouté)	85 g	0
Jambon cuit, tranché, pour sandwich	2 tranches	2
Porc, bacon de dos	3 tranches	1
Porc, bacon ordinaire	3 tranches	traces
Salami	2 tranches	1
Saucisse fumée	1 saucisse	1
Saucisse minute	1 saucisse	0
Veau, braisé ou grillé	1 côtelette	0

PLATS MIXTES

Timbale de poulet	1 part	42
Bœuf au chili, en conserve	235 ml (1 tasse)	31
Chop soui, maison	235 ml (1 tasse)	13
Macaronis au fromage, en conserve	235 ml (1 tasse)	26
Macaronis au fromage, maison	235 ml (1 tasse)	40

Spaghettis, avec boulettes de viande et sauce	235 ml (1 tasse)	39

PLATS MIXTES ET REPAS-MINUTE

Hamburger	125 g	20
Hamburger, avec fromage	1 sandwich	28
Muffin anglais, garni d'œufs, bacon et fromage	1 sandwich	31
Pizza, avec fromage	1 tranche	39
Sandwich au poisson, avec fromage	1 sandwich	39
Sandwich au rôti de bœuf	1 sandwich	34

VOLAILLE ET PRODUITS DE BASSE-COUR

Canard rôti	1/2 canard	0
Dinde rôtie	3 morceaux	0
Foie de poulet	1 morceau	1
Fricadelle de dinde	70 g	10
Jambonnette de volaille	2 tranches	traces
Poulet frit, fariné	1/2 poitrine	3
Poulet frit, pané à l'anglaise	1/2 poitrine	13
Poulet rôti	1/2 poitrine	0
Roulades de poulet	2 tranches	1
Saucisse au poulet	1 saucisse	3

SOUPES ET SAUCES

Bouillon de poulet, légumes ou bœuf	175 ml (3/4 tasse)	1
Bouillon à l'oignon	175 ml (3/4 tasse)	4
Chaudrée de palourdes, au lait	235 ml (1 tasse)	17
Consommé de bœuf	235 ml (1 tasse)	0
Crème de poulet, au lait	235 ml (1 tasse)	15
Crème de champignons, au lait	235 ml (1 tasse)	15
Soupe à l'oignon	175 ml (3/4 tasse)	4
Soupe au bœuf et aux légumes	235 ml (1 tasse)	10

Soupe aux légumes (végétarienne)	235 ml (1 tasse)	12
Soupe aux pois	235 ml (1 tasse)	27
Soupe au poulet et aux nouilles	235 ml (1 tasse)	9
Soupe aux tomates, à l'eau	235 ml (1 tasse)	17
Soupe aux tomates, au lait	235 ml (1 tasse)	22
Soupe minestrone	235 ml (1 tasse)	11
Sauce au bœuf, en conserve	235 ml (1 tasse)	11
Sauce au fromage	235 ml (1 tasse)	23
Sauce au poulet, en conserve	235 ml (1 tasse)	13
Sauce au poulet, en sachet	235 ml (1 tasse)	14
Sauce aux champignons, en conserve	235 ml (1 tasse)	13
Sauce barbecue, prête à servir	15 ml (1 c. à table)	2
Sauce brune, en sachet	235 ml (1 tasse)	14
Sauce soja	15 ml (1 c. à table)	2

SUCRES ET DOUCEURS

Berlingots	30 g	28
Boules de gomme	30 g	25
Bonbons à la gelée de sucre	30 g	26
Caramels, nature ou au chocolat	30 g	22
Cassonade	15 ml (1 c. à table)	13
Confitures, ordinaires	15 ml (1 c. à table)	14
Chocolat au lait, avec amandes	30 g	15
Chocolat au lait, avec arachides	30 g	13
Chocolat au lait, avec grains de riz soufflés	30 g	18
Chocolat au lait, ordinaire	30 g	16
Chocolat mi-sucré	30 g	16
Chocolat noir, sucré	30 g	16
Fondants, non enrobés	30 g	27
Fudge	30 g	21
Gelée de fruits	15 ml (1 c. à table)	13

Gelée dessert, en sachet	115 ml (1/2 tasse)	17
Guimauves	30 g	23
Miel	15 ml (1 c. à table)	17
Pouding à la vanille	140 g	33
Pouding à la vanille, cuisiné, en sachet	115 ml (1/2 tasse)	25
Pouding à la vanille, instantané, en sachet	115 ml (1/2 tasse)	27
Pouding au chocolat, en conserve	140 g	30
Pouding au chocolat, cuisiné, en sachet	115 ml (1/2 tasse)	25
Pouding au chocolat, instantané, en sachet	115 ml (1/2 tasse)	27
Pouding au chocolat, au lait écrémé	115 ml (1/2 tasse)	27
Pouding au tapioca, en sachet	115 ml (1/2 tasse)	25
Sirop de chocolat (clair)	15 ml (1 c. à table)	11
Sirop de chocolat (genre fudge)	15 ml (1 c. à table)	11
Sirop d'érable ou de maïs	15 ml (1 c. à table)	16
Sucette glacée	90 ml	18
Sucre granulé	15 ml (1 c. à table)	12

LÉGUMES

Aubergines	235 ml (1 tasse)	6
Asperges	4 pointes	3
Artichaut	1 artichaut	12
Betteraves, cuites	235 ml (1 tasse)	11
Brocolis, crus ou cuits	235 ml (1 tasse)	10
Carottes	1 carotte	7
Céleri	1 branche	1
Champignons, crus	235 ml (1 tasse)	3
Châtaignes d'eau	235 ml (1 tasse)	17
Chou, cru	235 ml (1 tasse)	4
Choucroute	235 ml (1 tasse)	10
Chou de Chine	235 ml (1 tasse)	3
Chou-fleur	235 ml (1 tasse)	5

Chou-rave	235 ml (1 tasse)	11
Chou rouge	235 ml (1 tasse)	4
Chou vert frisé	235 ml (1 tasse)	5
Choux de Bruxelles	235 ml (1 tasse)	13
Citrouille	235 ml (1 tasse)	12
Cocktail de jus de légumes, en conserve	235 ml (1 tasse	)11
Concombre	6 tranches	1
Courge d'été	235 ml (1 tasse)	8
Courge d'hiver	235 ml (1 tasse)	18
Courgette	235 ml (1 tasse)	8
Croustilles (chips)	10 croustilles	10
Échalotes	6 échalotes	2
Endives	235 ml (1 tasse)	2
Épinards, cuits	235 ml (1 tasse)	10
Feuilles de moutarde	235 ml (1 tasse)	3
Germes de haricots, crus	235 ml (1 tasse)	6
Germes de luzerne	235 ml (1 tasse)	1
Gombo	8 cosses	6
Haricots à œil noir	235 ml (1 tasse)	40
Haricots de Lima	235 ml (1 tasse)	32-35
Haricots mange-tout	235 ml (1 tasse)	8
Laitue	0,15 (1/6) d'une pomme	1-2
Légumes mélangés, en conserve	235 ml (1 tasse)	15
Légumes mélangés, surgelés	235 ml (1 tasse)	24
Maïs, frais	1 épi	19
Navet	235 ml (1 tasse)	8
Oignons, crus, hachés	235 ml (1 tasse)	12
Panais, cuits	235 ml (1 tasse)	30
Persil	10 brins	1
Petits pois, surgelés	235 ml (1 tasse)	23
Piment rouge chipotle, fort ou doux	1 piment	4
Pois , à cosse comestible, en conserve, égouttés	235 ml (1 tasse)	11
Pois à œil noir	235 ml (1 tasse)	42
Poivron, cru	1 poivron	4

Pommes de terre, au four	1 pomme de terre	34-38
Pommes de terre (salade de), avec mayonnaise	235 ml (1 tasse)	28
Pommes de terre, frites, rôties	10 frites	17
Pommes de terre, sucrées	1 pomme de terre	28
Pommes de terre, rissolées, maison	235 ml (1 tasse)	35
Pommes de terre, rissolées, surgelées	235 ml (1 tasse)	44
Pousses de bambou, en conserve	235 ml (1 tasse)	4
Radis	4 radis	1
Tomate	1 tomate	5
Tomates (jus de)	235 ml (1 tasse)	10
Tomates (pâte de)	235 ml (1 tasse)	49
Tomates (purée de)	235 ml (1 tasse)	25
Tomates (sauce)	235 ml (1 tasse)	18
Topinambour	235 ml (1 tasse)	26

ALIMENTS DIVERS

Cannelle	5 ml (1 c. à thé)	2
Cornichon frais	2 tranches	3
Cornichon à l'aneth	1 cornichon moyen	1
Cornichons sucrés	1 cornichon	5
Gélatine	1 sachet	0
Ketchup	15 ml (1 c. à table)	4
Miso (produit du soja)	30 ml (2 c. à table)	8
Olives (toutes)	4 olives	traces
Origan	5 ml (1 c. à thé)	1
Paprika	5 ml (1 c. à thé)	1
Poivre noir	5 ml (1 c. à thé)	1
Poudre d'ail	5 ml (1 c. à thé)	2
Poudre de cari	5 ml (1 c. à thé)	1
Poudre de moutarde	5 ml (1 c. à thé)	traces
Poudre d'oignons	5 ml (1 c. à thé)	2
Relish, sucrée	5 ml (1 c. à thé)	5
Sel	5 ml (1 c. à thé)	0
Vinaigre de cidre	15 ml (1 c. à table)	1

II

BIBLIOGRAPHIE SÉLECTIVE

La liste qui suit ne représente qu'une fraction de l'ensemble des publications scientifiques touchant la question de la dépendance aux glucides.

Ad Hoc Interdisciplinary Committtee on Children and Weight (1984). *Children and Weight : A Changing Perspective*. December.

Altomonte, L., A. Zoli, G. Ghirlanda, R. Manna et A.. V. Greco (1988). *Pharmacology*. 36(2):106-111.

American Psychiatric Association (1987). *Diagnostic and Statistical Manual of Mental Disorders*. Third edition.

Assimacopoulos-Jeannet, F. et B. Jeanrenaud (1976).The hormonal and metabolic basis of experimental obesity. *Clin. Endocrinol. Metag.* 5:337-365.

Babb, T. G., E. R. Buskirk et J. L. Hodgson (1988). Exercise end-expiratory lung volumes in lean and moderately obese women. *Int. Journ. Obes.* 13:11-19.

Blundell, J. E. (1984). Serotonin and appetite. *Neuropharmacology*. 23:1537-1551.

Blundell, J. E. et C. J. Latham (1982). Behavioural Pharmacology of Feeding. In T. Silverstone, ed., *Drugs and Appetite*. New York : Academic Press.

Booth, D. et T. Brookover (1966). Hunger elicited in the rat by a single injection of bovine chrystalline insulin. *Physiol. Behav.* 3:439-446.

Booth, D. A. (1972). Modulation of the feeding response to peripheral insulin, 2-deoxyglucose or 3-0-methyl glucose injection. *Physiol. Behav.* 8:1069-1076.

Brandes, J. (1977). Insulin-induced overeating in the rat. *Physiol. Behav.* 18:1095-1102.

Bray, G. A. (1981). The inheritance of corpulence. In L. A. Cioffi, E.P.T. James et T. B. Van Itallie, eds., *The Body Weight Regulatory System : Normal and Disturbed Mechanisms*. New York : Raven Press.

Bray, G. A. et D. A. York (1979). Hypothalamic and genetic obesity in experimental animals : An autonomic and endocrine hypothesis. *Physiol. Rev.* 59:719-809.

Briese, E. et M. Quijada (1978). Sugar solutions taste better (positive alliesthesia) after insulin. *J. Physiol.* 285:20P--21P.

Brownell, K. et J. P. Forety, eds. (1986). *Handbook of Eating Disorders : Physiology, Psychology and Treatment.* New York : Basic Books.

Bryce, G. F., P. R. Johnson, A. C. Sullivan et J. S. Stern (1977). Insulin and glucagon : plasma levels and pancreatic release in the genetically obese Zucker rat. *Horm. Metab. Res* 9:366-370.

Campfeild, L. A., P. Brandon et F. J. Smith (1985). Online continuous measurement of blood glucose in meal initiation. *Brain Res. Sull.* 14:605-616.

Carruba, M. O., P. Mantegazza, P. Memo, C. Missale, M. Pizzi et P. F. Spano. Peripheral and central mechanisms of action of serotoninergic anorectic drugs. In S. Nicolaîdis, ed., *Serotoninergic System, Feeding and Body Weight Regulation.* New York : Academic Press.

Contaldo, F. (1981). The development of obesity in genetically obese rodents. In L. A. Cioffi, E.P.T. James et T. B. Van Itallie; eds., *The Body Weight Regulatory System : Normal and Disturbed Mechanisms*. New York. Raven Press.

Coulston, A. M., G. C. Liu et G. M. Reaven (1983). Plasma glucose, insulin and lipid responses to high-carbohydrate low-fat diets in normal humans, *Metabolism.* 32(1):52-56.

Crepaldi, G., P. J. Lefebure et D. J. Glaton (1983). *Diabetes, Obesity and Hyperlipidemias II.* New York : Academic Press.

Czech, M. P. (1977). Molecular basis of insulin action. *A. Rev. Biochem.* 46:359-384.

Darnell, J., H. Lodish et D. Baltimore (1986). *Molecular Cell Biology*. New York : Freeman.

De Kalbermatten, N., E. Ravussin, L. Maeder, C. Geser, E. Jequier et J. P. Felber (1980). Comparison of glucose, fructose, sorbitol, and xylitol utilization in humans during insulin suppression. *Metabolism* 29:62-67.

Eaton, R. P., R., Oase et D. S. Schade (1976). Altered insulin and glucagon secretion in treated genetic hyperlipemia : a mechanism of therapy? *Metabolism* 25(3):245-249.

Friedman, M. I. et J. Granneman (1983). Food intake and peripheral factors after recovery from insulin-induced hypoglycemia. *Am. J. Physiol.* 244:R374-R382.

Fuh, M. M., S. M. Shieh, D. A. Wu, Y. D. Chen et G. M. Reaven (1987). Abnormalities of carbohydrate and lipid metabolism in patients with hypertension. *Hypertension,* 147:1035-1038.

Garg, A., A. Bonanome, S. Grundy, Z. Zhang et R. H. Unger (1988). Comparison of a high-carbohydrate diet with a high-monounsaturated-fat diet in patients with non-insulin-dependent diabetes mellitus. *New Eng. J. Med.* 319:829-834.

Garvey, W. T. (1989). Cellular and Molecular Pathogenesis of Insulin Resistance. In B. Draznin, S. Melmed et D. LeRoith, eds., *Insulin Action*, vol. II. New York : Liss.

Geiselman, P. J. et D. Novi (1982). Sugar infusion can enhance feeding. *Science* 218:409-491.

Geiselman, P. J. (1985). Feeding patterns following normal ingestion and intragastric infusion of glucose, fructose, and galactose in the rabbit. *Nutr. Behav.* 2:175-188.

George, V., A. Tremblay, J. P. Despres, C. Leblanc, L. Perusse et C. Bouchard (1989). Evidence for the existence of small eaters and large eaters similar fat-free mass and activity Ievel. *Int. Journ. Obes.* 13(1):43-53.

Gormally, J. (1984). The obese binge eater : Diagnosis, etiol-ogy and clinical issues. In C. Hawkins, W. Fremouw et P. Clement, eds., *The Binge-Purge Syndrome*. New York : Springer.

Goto, Y., R. G. Carpenter, M. Berelowitz et L. A. Froham (1980). Effect of ventromedial hypothalamic lesions on the secretion of somatostatin, insulin, and glucagon by the perfused rat pancreas. *Metabolism* 29:986-990.

Harper, A. E. (1976). Protein and amino acids in the regulation of food intake. In D. Novin, W.

Wyrwicka et G. A. Bray, eds., *Hunger : Basic Mechanisms and Clinical Implications*. New York : Raven Press.

Hill, W., T. W. Castonguay et G. H. Collier (1980). Taste of diet balancing? *Physiol, Behav.* 24:765-767.

Hœbel, B. G. (1984). Neurotransmitters in the control of feeding and its rewards : Monomines, opiates, and braingut peptides. In A. J. Stunkard et E. Stellar, eds., *Eafing and Its Disorders*. Association for Research in Nervous and Mental Disease, vol. 62. New York : Raven Press.

Inselman, L. S., L. B. Padilla-Burgos, S. Teichberg et H. Spencer (1988). Alveolar enlargement in obesity-induced hyperplastic lung growth. *Journ. Appl. Physiol.* 65(5):2291-2296.

lonescu, E., J. F. Sauter et B. Jeanrenaud (1985). Abnormal oral glucose tolerance in genetically obese *(fa/fa)* rats. *Am. J. Physiol.* 284.E500-E506.

Israel, A., J. Weinstein et B. Prince (1985). Eating behaviors, eating style, and children's weight status : Failure to find an obese eating style. *Int. Journ. Eating Disorders.* 4:113-119.

Jeanrenaud, B. (1978). Hyperinsulinemia in obesity syndromes : Its metabolic consequences and possible etiology. *Metabolism*, 27:1881-1892.

Jeanrenaud, B. (1979). Insulin and obesity. *Diabetologia*, 17:133-138.

Jeanrenaud, B., S. Halimi et G. van de Werve (1985). Neurœndocrine disorders seen as triggers of the triad : obesity-insulin resistance-abnomal glucose tolerance. *Diabetes Metab. Rev.* 1:261-291.

Jeanrenaud, B. (1985). An hypothesis of the aetiology of obesity : dysfunction of the central nervous system as a primary cause. *Diabetologia* 28:5O2-513.

Kahn, C. R., D. M. Neville, Jr. et J. Roth (1973). Insufin receptor interaction in the obese hyperglycemic mouse. A model of insulin resistance. *J. Biol. Chem.* 248:244--250.

Kahn, C. R. (1978). Insulin resistance, insulin insensitivity, and insulin unresponsiveness : a necessary distinction. *Metab. Clin. Exp.* 27 (Suppl A):1893-1902.

Kanarek, R. B. et E. Hirsh (1977). Dietary-induced over-eating in experimental animals. *Fed. Proc.* 36:154-158.

Kanarek, R., R. Marks-Kaufman.et B. Lipeles (1980). Increased carbohydrate intake as a function of insulin administration in rats. *Physiol. Behav.* 25:779-782.

Kanarek, R. B. et N. Orthen-Gambill (1982). Differential effects of sucrose, fructose, and glucose on carbohydrate-induced obesity in rats. *J. Nutr.* 112:1546-1554.

Keesey, R. E. et S. W. Corbett (1984). Metabolic defense of the body weight set-point. In A. J. Stunkard et E. Stellar, eds., *Eating and Its Disorders*. Association for Research in Nervous and Mental Disease, vol. 62. New York : Raven Press.

Kolterman, O. G., G. M. Reaven et J. M. Olefsky (1976). Relationship between in vivo insulin resistance and decreased insulin receptors in obese man. *J. Clin. Endocrinol. Metab.* 48:487-494.

Kolterman, O. H., J. Insel, M. Seekow et J. Olefsky (1983). Mechanism of insulin resistance in human obesity : Evidence for receptor and post-receptor defects. *J. Clin. Invest.* 65:1273.

Kreisberg, R. A., B. R. Boshell, J. DiPlacido et R. J. Roddman (1967). Insulin secretion in obesity. *N. Engl. J. Med.* 276:314-319.

Kromhout, D. (1983). Energy and macronutrient intake in lean and obese middle-aged men (the Zutphen Study). *Am. J. Clin. Nutr.* 37:295-299.

Larue-Achagiotis, C. et J. Le Magnen (1985). Effects of long-term insulin on body weight and food intake : intravenous versus intraperitoneal foutes. *Appetite* 6:319-329.

Laube, H. et E. F. Pfeifer (1978). Insulin secretion and nutritional factors. In : H. M. Katzen et R. J. Mahler, eds., *Advances in Modern Nutrition : Diabetes, Obesity, and Vascular Disease*, vol. 2. New York : Wiley.

Lawrence, J. R., C. E. Gray, I. S. Grant, J. A. Ford et W. B. McIntosh (1980). The insulin response to intravenous fructose in maturity-onset diabetes mellitus and normal subjects. *Diabetes* 29:736-741.

Leibel, R. L. (1984). *Obesity and Nutrient Metabolism*. Presented at the American Association for the Advancement of Science, May 26, 1984.

Leibowitz, S. F. et G. Shor-Posner (1986). Brain serotonin and eating behavior. In : S. Nicolaîdis, ed., *Serotoninergic System, Feeding and Body Weight Regulation*. New York : Academic Press.

Lennon, D., F. Nagle, F. Stratman, E. Shrago et S. Dennis (1985). Diet and exercise training effects on resting metabolic rate. *Int. Journ. Obes.* 9:39-47.

Lotter, E. C. et S. C. Woods (1977). Somatostatin decreases food-intake. *Diabetes* 26:358.

Lovett, D. et D. Booth (1970). Four effects of exogenous insulin on food intake. *Quart. J. Exper. Psych.* 22:406-419.

Mader, S. S. (1985). *Inquiry into Life*. Brown : Dubuque, Iowa.

Maggio, C., M. Yang et J. Vasselli (1984). Developmental aspects of macronutrient selection in genetically obese and lean rats. *Nutr. and Behav.* 2:95-110.

Maggio, C. A., M.R.C. Greenwood et J. R. Vasselli (1983). The satiety effects of intragastric macronutrient infusions in fatty and lean Zucker rats. *Physiol. Behav.* 31:367-372.

Mahan, L. K. (1987). Family focused behavior approach to weight control in children. *Pediatric Clinics of North America.* 34(4):983-996.

Martin, R. J. et B. Jeanrenaud (1985). Growth hormone in obesity and diabetes : Inappropriate hypothalamic control of secretion. *Int. Journ. Obes.* 9(1):99-104.

Mayer, J., S. B. Andrus et D. J. Silides (1953). Effect of diethyldithiocarbamate and other agents on mice, with obese-hyperglycemic syndrome. *Endocrinology* 53:572--581.

McLean, Baird 1. et A. Howard (1969). The role of insulin in obesity. *Obesity : Medical and Scientific Aspects.* Livingstone : Edinburgh.

Merkel, A. D., M. J. Wayner, F. B. Jolicœur, et R. B. Mintz (1979). Effects of glucose and saccharine solutions on subsequent food consumption. *Physiol. Behav.* 23:791-793.

Mizes, J. S. (1985). Bulimia : A review of its symptomatology and treatment. *Adv. in Behav. Res. and Therapy.* 7:91-142.

Morgan, J. B., D. A. York, A. Wasilewska et J. Portman (1982). A study of the thermic responses to a meal and to a sympathornimetic drug (ephedrine) in relation to energy balance in man. *Br. J. Nutr.*47:21-32.

Nuttall, F. 0., A. D. Mooradian, R. DeMarias, et S. Parker (1983). The glycemic effect of different meals approximately isocaloric and similar in protein, carbohydrate, and fat content as calculated using ADA exchange lists. *Diabetes Care* 6:432–435

Olefsky, J. M., G. M. Reaven et J. W. Farquhar (1974). Effects of weight reduction on obesity : studies of carbohydrate and lipid metabolism. *J. Clin. Invest.* 53:64-76.

Olefsky, J. M. (1976). The insulin receptor : its role in insulin resistance of obesity and diabetes. *Diabetes* 25:1154-–1165.

Olefsky, J. M. et O. G. Kolterman (1981). *Am. J. Med.* 70:151.

Perusse, L., C. Bouchard, C. Leblanc et A. Tremblay (1984). Energy intake and physical fitness in children and adults of both sexes. *Nutr. Res.* 4:363–370.

Phinney, S. D., B. M, LaGrange, M. O'Connell et E. Danforth, Jr. (1988). Effects of aerobic exercise on energy expenditure and nitrogen balance during very low calorie dieting. *Metabolism*, 37 (8):758–763.

Porte, D. et S. C. Woods (1981). Regulation of food-intake and body-weight by insulin. *Diavetologia* 20:274-280.

Raizada, M. K., M. I. Phillips et D. LeRoith (1987). *Insulin, Insulin-like Growth Factors, and Their Receptors in the Central Nervous System.* New York : Plenum Press.

Reaven, G. M., Y-Di. Chen, A. Golay, A.L.M. Swislocki et J. B. Jaspan (1987). Documentation of hyperglucagonemia throughout the day in non-obese and obese patients with non-insulin-dependent diabetes mellitus. *J. Clin. Endocrinol. Metab.* 64:106–110.

Reiser, S., A. S. Powell, C. Yang et J. J. Canary (1987). An insulinogenic effect of oral fructose in humans during postprandial hyperglycemia. *Am. J. Clin. Nutr.* 45:580–587.

Rezek, M., V. Havlicek et K. R. Hughes (1978). Para-doxical stimulation of food intake by larger loads of glucose, fructose, and mannose : evidence for a positive feedback effect. *Physiol. Behav.* 21:243–249.

Richter, C. P. (1942). Increased dextrose appetite of normal- rats treated with insulin. *Am. L Physiol.* 135:781–787.

Ritter, R. C. et O. K. Balch (1978). Feeding in response to insulin but not to 2-deoxy-D-glucose in the hamster. *Am. J. Physiol.* 234:20–E24.

Rodin, J., R. Reed et Jamner (1988). Metabolic effects of fructose and glucose : Implications for food intake. *Amer. J. Clin. Nutr.* 47:683–689.

Rodin, J., J. Wack, E. Ferrannini et R. DeFronzo (1985). Effect of insulin and glucose on feeding behavior. *Metabolism* 34(9):826–831.

Rohner-Jeanrenaud, F. et B. Jeanrenaud (1980). Consequences of ventro-medialhypothalamic lesions upon insulin and glucagon secretion by subsequently isolated perfused pancreas in the rat. *J. Clin. invest.* 65:902–910.

Rohner-Jeanrenaud, F., A. C. Jeanrenaud Hochstasser et B. Jeanrenaud (1983). Hyperinsulinemia of preobese and obese *fa/fa* rats is partly vagus nerve mediated. *Am. J. Physiol.* 244:E317–322.

Rose, G. A. et R. T. Williams (1961). Metabolic studies on large eaters and small eaters. *Br. J. Nutr.*, 151:1–9.

Rowland, N . et E. M. Stricker (1978). Differential effects of glucose and fructose infusions on insulin-induced feeding in rats. *Physiol. Behav.* 22:387–389.

Sahakian, B. J., M.E.J. Lean, T.V. Robbins et W. P. James (1981). Salivation and insulin secretion in response to food in non-obese men and women. *Appetite* 2:209–216.

Silverstone, T. et M. Besser (1971). Insulin, blood sugar and hunger. *Postgrad.* Med. J. 47:427–429, (suppl.).

Silverstone, T. et E. Goodall (1986). Serotoninergic mechanisms in human feeding. In S. Nicolaîdis, ed., *Serotoninergic System, Feeding and Body Weight Regulation.* New York : Academic Press.

Simons, C., J. L. Schlienger, R. Sapin et M. Imler (1986). Cephalic phase insulin secretion in relation to food presentation in normal overweight subjects. *Physiol. Behav.*, 36:465–469.

Sims, E.A.H.. (1979). Syndromes of Obesity. In L. J. De Groot, ed., *Endocrinology*, vol. 3. New York : Grune et Stratton.

Smith, G. P. et A. N. Epstein (1969). Increased feeding in response to decreased glucose utilization in the rat and monkey. *Am. J. Physiol.* 217:1083–1087.

Soll, A. H., C. R. Kahn, D. M. Neville, Jr. et J. Roth (1975). Insulin receptor deficiency in genetic and acquired obesity. *J. Clin. Invest.* 56:769.

Spitzer, L. et J. Rodin (1987). Differential effects of fructose and glucose on food intake. *Appetite* 8:135–145.

Starke, A.A.R., G. Erdhardt, M. Berger et H. Zimmer-man (1984). Elevated pancreatic glucagon in obesity, *Diabetes* 33:277–280.

Stunkard, A. J. (1980). *Obesity*. Philadelphia : Saunders.

Tappy, L., J. P. Randin, J. P. Felber, et al. (1986). Comparison of thermogenic effect of fructose and glucose in normal humans. *Am. J. Physiol.* 250:E718–E724.

Tepperman, J. et H. M. Tepperman (1987). Energy Balance. In : *Metabolic Endocrine Physiology*, 5th ed. Chicago et London : Year Book Medical Publishers.

Thompson, D. A. et R. D. Campbell (1977). Hunger in humans induced by 2-deoxy-D-glucose : glucoprivic control of taste preference and food intake. *Science* 198:1065–1068.

Vasselli, J. R. et A. Sclafani (1979). Hyperactivity to aversive diets in rats produced by injection of insulin or tolbutamide but not by food deprivation. *Physiol. Behav.* 23:557–567.

Wardle, J. et H. Beinart (1981). Binge eating : A theoretical review. *Brit. J. Clin, Psych.* 20:97–109.

Welle, S. L., D. A. Thompson, R. G. Campbell et V. Lilavivathana (1980). Increased hunger and thirst during glucoprivation in humans. *Physiol. Behav.* 25:397–403.

Werner, P. L. et J. P. Palmer (1978). Immunoreactive glucagon responses to oral glucose, insulin infusion and deprivation, and somatostatin in pancreatomized man. *Diabetes* 27:1005–1012.

Yamamura, H. I., S. J. Enna et M. J. Kuhar (1985). *Neurotransmitter Receptor Binding*. New York : Raven Press.

Zucker, L. M. et N. H. Antoniades (1972). Insulin and obesity in the Zucker genetically obese rat « fatty ». *Endocrinology* 90:1320–1330.

Les docteurs Rachael et Richard Heller sont codirecteurs du :

« Centre de lutte contre la dépendance aux glucides »
(Carbohydrate Addict's Center).

Adresser toute lettre ou demande d'information à :

Drs. Richard & Rachel Heller
Mt. Sinai School of Medicine,
Box 1194,
New York, New York 10029

INDEX

À la crème : céleris, chou-fleur ou épinards, 262
champignons, 268
Accro aux glucides, profile de l', 59-78
Achats, 131 :
pour la famille, 177
Acides aminés, 41
Action de grâce, 177
Activité physique et exercice, 146
Activités quotidiennes, déclencheurs de réaction de dépendance, 76
Additifs alimentaires, 77
Agneau : mouton en brochettes, 250
Aliments complets, 213
Aliments favoris, le problème des, 189
Aliments riches en glucides, 78 :
ingrédients, 117
Anticiper les tentations, 193-196
Bifteck : au poivre, 248
mariné à la japonaise, 249
Biphasique (*Voir* Insuline)
Bœuf : boulettes farcies au fromage, 250
bifteck : au poivre, 248
mariné à la japonaise, 249
Boissons alcoolisées, 95, 104, 117, 122
Breuvages, 117 :
recettes 281
Burgers à la dinde, 242
Café, 117
Caféine, 78
Calcium, 128, 213
Canapés : au saumon, 225
à la dinde, au fromage et concombres, 225
Cappuccino, 281

Céleris : à la crème, 262
garnitures pour, 226
Centre de lutte contre la dépendance aux glucides, 10-13
Céréales, 27, 116
Champignons : à la crème, 268
crevettes épicées et, 247
farcis, 268
poulet, sauce crémeuse au, 239
sautés, avec haricots verts, 265
Choix (considérations), 184-186
Cholestérol, 42, 128, 212, 217
Chou : au gratin 260
Chou-fleur : au fromage, 259
à la crème, 262
crêpes au, 262
soufflé au, 261
Cigarette, arrêt de la, 147-148
Cocktails à saveur de chocolat, de fraise, de framboise ou de cerise, 281
Collations à faible teneur en glucides, 205
Complémentaires : aliments, 283-299
recettes pour pains et pâtisseries, 231-235
repas, 90-93, 125-127
Condiments, 116
Confitures à teneur réduite en calories, 234, 280
Consommation impulsive de nourriture, 37
Crème fouettée, 278
Crêpes : -déjeuner, 229
-dessert, 279
-repas, 235
Crevettes : grillées à l'indienne, 248
salade de, 258
épicées aux champignons, 247
Croûte à tartelettes, 276
Cuisiner : à l'avance, 132
méthodes, 108
pour votre famille, 177
Dangers, faire face aux, 191
Déclencheurs de fringales, 76-78, 176
Dépendance alimentaire, 23, 33 (*Voir aussi* Dépendance aux glucides)
Dépendance aux glucides : au quotidien, 151-163
causes, 25-27
définition, 17-30
découverte, 33
douteuse, 53
forte, 55
légère, 54
modérée, 54
niveaux, 66-69
recherche, 41-45
signes et symptômes, 22
test de dépistage, 21, 47-58
Desserts : à teneur réduite en glucides, 116
recettes, 275-282
Dextrose, 118
Diabétiques, 24-25
Diète pauvre en graisses/lipides, 212
Dinde : burgers, 242
burgers au fromage, 242
canapés au fromage, concombre et, 225
salade, 257
Durée de consommation des glucides, 88
Dysfonctions rénales, 25
Eau, 118 :
poids, 174
Émotions : problèmes émotifs et gains pondéraux, 19
états émotifs déclencheurs de réaction de dépendance, 76
Endroits qui menacent votre réussite, les, 177-182
Ennemis, 125-129, 169-171, 182-183
Entre les repas, manger, 96, 101
Épinards : à la crème, 262
flan aux-, 255
salade d', 271
Étiquette sur les produits alimentaires, 117
Exercice et activité physique, 146
Faim, 35-37 :
Famille, membres de la, 182-191, 196
Féculents, 66
Fer, 129, 213

Fibres, 116, 129, 213
Flan : au fromage, 254
aux asperges, 255
Foie, 40 :
dysfonctions, 25
Formule alimentaire de base, 90, 92, 204
Formules alimentaires : A, 92, 108
B, 92
C, 93
D, 93
Fréquence de consommation des glucides, 25-27, 89
Fringales, 28, 42, 72-73 :
déclencheurs, 69, 176
Fromage à la crème : et saumon fumé, 228
garniture pour légumes, 235
Fromage au tofu et à l'ail, 227
Fructose, 27, 63, 118
Fruits de mer, 112 : salade de, 258
Fruits, 27, 64, 78, 117, 213 :
jus, 27, 66, 68, 121
cocktails, 281
Garnitures : cheddar et moutarde, 227
fromage au poisson et concombres, 226
fromage aux fines herbes, 226
Gâteau : au café et à la cannelle, 275
au fromage (sans cuisson), 275
Glucagon, 38
Glucose : 23-24, 27, 37, 40
Glutamate monosodique, 75
Glycémie, taux de, 38 (*Voir aussi* Glucose)
Glycogène, 40
Graisses, 113, 128-129, 212-215
Grignotines, 67, 78
Grossesse, 70
Haricots verts : au citron, 264
avec champignons sautés, 265
Haricots, 78 (*Voir aussi* Légumineuses)
Hormones, 38
Hors d'œuvres, 225-231
Huiles, 109, 113, 129 :
polyinsaturées, 109, 129
Hyperinsulinisme, 28, 35, 37, 40-41, 60, 89
Hypoglycémiques, 24
Insuline : 23-27, 36-45, 60, 88, 91-94
Jambon : salade de thon et de jambon à la diable, 257
flan, 255
Légumes : au fromage fondu, 269
frits, à la chinoise, 270
Légumes, 30, 115-116 :
au fromage fondu, 269
avec vinaigrette, 264
marinés, 267
recettes, 259-275
non faibles en glucides, 119
sautés à la chinoise, 270
Lipides, 41
Maladies cardiaques, 25
Manger au restaurant, 175
Menaces (dangers), 186
Métabolisme, tableau : personne normale, 43
accro aux glucides, 44
Miel, 27
Millefeuilles antifringales, 277
Mount Sinai, Centre médical, 41-45
Mousses : au chocolat, 280
au citron, aux raisins, à l'orange, au café ou au moka, 280-281
Moutarde : garniture au cheddar et-, 227
trempette au tofu et-, 229
sauce-trempette au raifort et-, 229
poulet mariné à l'ail et-, 240
Muffins antifringales, 232
Neurotransmetteurs, 38, 72
Niveau de dépendance : niveau 1, 66, 68
niveau 2, 66, 69
niveau 3, 67, 69
Norépinéphrine, 39
Nourriture, préparation à l'avance, 131-132, 190
Obèses, quelques mythes à propos des personnes, 18-20
Œufs : flan au fromage, 254
flan au jambon, 255
flan aux asperges, 255

flan aux épinards, 255
omelette aux oignons et au fromage, 253
omelette Western, 253
soufflé-déjeuner, 255
Omelettes : à l'oignon, 253
Western, 253
Outremangeurs anonymes, 3, 9
Pain doré antifringale, 233
Pain(s), 27, 78, 116
antifringale, 231
et pâtisserie, 231-235
Pancréas, 38
Pâtes alimentaires, 27, 78
Pensées qui menacent votre réussite, les, 14, 178, 183
Perdre le contrôle, 184-187, 203
Pesée quotidienne, 137-146
Pièges, 176
Plats principaux, recettes, 235-259
Poids cible, atteindre votre, 145, 201-202
Poids : établir la moyenne, 138-139
gains, 197-198 :
mythe #1, 18
pertes : lentes, 197-198
rapides, 136, 203
interruption, 198-200
maintien pondéral, 201-203
tableau des pesées, 146, 316-317
Pois, 27
Poisson, 112 :
au four : au bacon, 247
au citron et aux herbes, 242
à la crème sure, 243
En garniture, 226
Avec soufflé, 245
mousse, 245
Saumon : en canapé, 225
darnes, sauce au citron, 246
darnes, pochées, au fines herbes, 246
en trempette, 228
Truite : au four, avec bacon, 247
Thon : en salade, 257
en salade, avec jambon, 257
Poivre, bifteck au-, 248
Poivrons : à l'italienne, salade de, 266
en lanières, sautés à l'ail, 266
Pommes de terre frites, 78
Porc :
jambon : salade de thon et de jambon à la diable, 257
flan, 255
saucisses : faibles en gras, 251
épicées, 252
Poulet : à la lime et à l'ail, 235
à la sauge et au parmesan, 238
au paprika, 241
grillé, nature, 237
croustillant, 236
mariné à l'ail et à la moutarde, 240
mariné aux herbes, 239
salade de, 257
sauce aux champignons, 239
Processus de dépendance aux glucides, 65-69 :
niveau 1, 66, 68
niveau 2, 66-67, 69
niveau 3, 67-69
Produits laitiers, 114-115
Réceptions (fêtes), 160-163, 177
Recettes antifringales, 221-282 :
crêpes, 233
crêpes-repas, 235
gâteau au café et à la cannelle, 275
muffins, 232
pain, 231
pain doré, 233
sirop aux fruits, 234
Recommandations officielles des services de santé, 128-129, 211-215
Régime minceur, 4, 6, 28-31 :
formules, 90-93
guide, 90-101, 203-205
personnaliser, 193-206
principes directeurs, 81-104
Repas complémentaires, 92-93, 125-128, 146 :
aliments, 111-115
au restaurant, 175
collations, 205-206

définition, 91-94, 107-120
menus, 211-216
Repas équilibré, 117-125
Repas-récompense, 89, 95, 128-129
définition, 94, 117-125
comme stratégie de réussite, 167-169, 177
durée limitée, 182, 200
et maintien pondéral, 202
Reprendre le poids perdu, 26
Riz, 27
Salades, 114-115 :
César, 272
de chou, 259
de fruits de mer, 258
de poulet, dinde ou thon, 257
de radis, 267
de thon et de jambon à la diable, 257
du chef, 256
du jardin, 270
grecque, 272
Sandwich au bifteck et au fromage, 248
Sauces (*Voir aussi* Trempettes; Vinaigrettes) : à la moutarde et au raifort, 229
au citron, 246
au tofu et à la moutarde, 229
hollandaise, 237
parfumée aux herbes, 230
tartare, 244
Saucisses : faibles en gras, 251
épicées, 252
Sel, 129, 213-216
Sérotonine, 26, 28, 34-35, 40, 43, 89
Sirops : de maïs, 27
antifringale, aux fruits, 234
Situations qui menacent votre réussite, les, 177, 182
Soda allégé, 117
Somatostatine, 38
Soufflé pour petit-déjeuner, 255
Soufflé : -déjeuner, 255
au chou-fleur, 261
Stockage des calories (conservation de l'énergie), 26, 45
Stratégies pour réussir, 167-192 :
long terme, 201-204
court terme, 196
Stress, 177-178, 182-183
Sucres, simples et complexes, 26
Sucrose, 27, 118
Suralimentation et gains pondéraux, 18-19
Système endocrinien, 38
Table des aliments, 285-299
Taquineries, 188
Tartelettes, 276
Thon : salade de thon, 257
salade de thon et de jambon à la diable, 257
Tofu : fromage à l'ail et, 227
sauce à la moutarde et, 229
vinaigrette à l'ail et, 274
Tomates, 115
Trempettes (*Voir aussi* Vinaigrettes; Sauces) : à la moutarde et au raifort, 229
à la moutarde et au tofu, 227
au saumon fumé, 228
Cool Summer, 229
crémeuse épicée, 230
parfumée aux herbes, 230
Triglycérides, 40, 42
Truite, au four, avec bacon, 247
Vacances, 177, 179-180
Viandes et volailles, 111-112 (*Voir aussi* Agneau; Bœuf; Dinde; Porc; Poulet)
Vinaigrettes (*Voir aussi* Trempettes; Sauces) : à l'aneth, 258
au fromage bleu, 273
au tofu et à l'ail, 274
crémeuse aux fines herbes, 274
crémeuse épicée, 230
huile et vinaigre, 264
Volonté, 19
Zucker, les rats, 18

Tableau des pesées

Inscrivez chaque jour votre poids.

Pour savoir si vous avez perdu du poids, comparez entre elles vos moyennes hebdomadaires. Ces dernières s'obtiennent en additionnant toutes vos pesées de la semaine et en divisant le total par le nombre de pesées.

Semaine débu-tant le...	LUN. (poids)	MAR. (poids)	MER. (poids)	JEU. (poids)	VEN. (poids)	SAM. (poids)	DIM. (poids)	Poids moyen de la semaine

Tableau des pesées

Inscrivez chaque jour votre poids.

Pour savoir si vous avez perdu du poids, comparez entre elles vos moyennes hebdomadaires. Ces dernières s'obtiennent en additionnant toutes vos pesées de la semaine et en divisant le total par le nombre de pesées.

Semaine débu-tant le...	LUN. (poids)	MAR. (poids)	MER. (poids)	JEU. (poids)	VEN. (poids)	SAM. (poids)	DIM. (poids)	Poids moyen de la semaine

transcontinental
IMPRESSION
IMPRIMERIE GAGNÉ